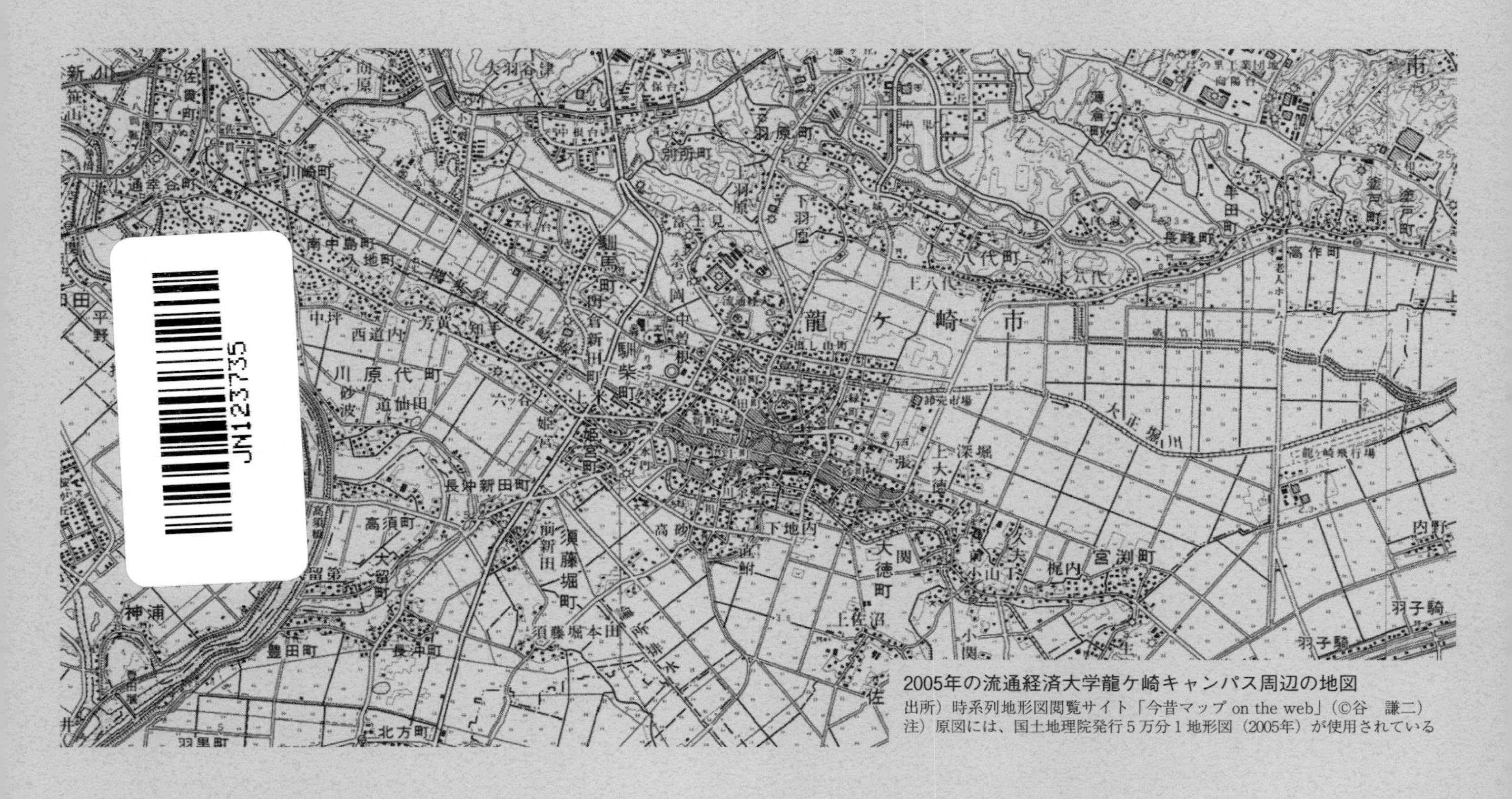

2005年の流通経済大学龍ケ崎キャンパス周辺の地図
出所）時系列地形図閲覧サイト「今昔マップ on the web」（©谷　謙二）
注）原図には、国土地理院発行5万分1地形図（2005年）が使用されている

大学的ちばらきガイド

――こだわりの歩き方

流通経済大学共創社会学部 編
西田善行・福井一喜 責任編集

昭和堂

膳場貴子氏。東日本入国管理センター訪問の様子（牛久市、2023年、押切大晟撮影）

龍ケ崎キャンパス ©流通経済大学

鹿島港（鹿嶋市、2023年、須川まり撮影）

小貝川の決壊地付近（龍ケ崎市、2023年、龍崎孝撮影）

つくばエクスプレス。流山おおたかの森駅（流山市、2024年、市岡卓撮影）

八幡学園生作品 ©八幡学園

撞舞（龍ケ崎市、2023年、田簑健太郎撮影）

茨城空港と百里基地（小美玉市、2024年、秋山智美撮影）

はじめに

本書『大学的ちばらきガイド』を手に取っていただき、ありがとうございます。本書は千葉県北部と茨城県南部の地域とその周辺、いわば「ちばらき」を紹介しています。この「ちばらき」という俗称は必ずしも特定の地域を指して用いられるわけではありません。また、本書でも各執筆者によりその認識に幅があります。千葉県と茨城県、とりわけ両県を区切るように流れる、全長三二二キロメートル、流域面積一万六八四〇平方キロメートルの一級河川である、利根川下流の周辺地域を指すことが一般的です。もともと利根川は「ちばらき」を通って太平洋へと注ぐ川ではなく、現在の隅田川筋から東京湾へと注いでいました。現在の流路となったのは本書のなかでも言及される、江戸幕府が進めた東遷事業によるものです。この利根川の水の流れを東京湾から太平洋へと移し替える東遷事業は、江戸を利根川の水害から守り、流域の新田開発をもたらし、東北などからの利根川を介した江戸への大量の物資輸送を可能としました。その一方で、この東遷事業の過程では、「ちばらき」で度重なる水害も起きました。ありていにいえば、「ちばらき」は江戸（東京）の繁栄と拡大のなかで「農業」「工業」「輸送」の地となる一方で、「水害」の地にもなっていったということになるでしょう。

「ちばらき」は現在でも「農業」「工業」「輸送」の面で東京を支えています。「ちばらき」は日本有数の農業地域で、鹿島臨海工業地帯など工業が盛んな地域もあり、日本最大の水揚げ量を誇る銚子漁港や日本の玄関口の成田空港もあります。また常磐線やつくばエクスプレスなど東京を起点とする鉄道の沿線地域には新たな街が作られ、多くの居住者が流入するベッドタウンが戦後に拡大して今に至っています。つまり東京への通勤者とその家族の住まい、生活という「人」の面でも東京を支えているのです。本書を読むと東京を支えてきた「ちばらき」の今とその記憶を知ることができるでしょう。

写真家の大山顕と批評家の東浩紀[1]はショッピングモールではその快適さを支える「バックヤード」が外部に配置され、内部の消費者からはみえないことを指摘し、東京と地方との関係もまた、地方が東京を支え、その東京からはみえない「バックヤード」になっていると指摘します。そしてその典型例として千葉県をあげています。ここまでの話をふまえれば「ちばらき」は江戸時代からすでに江戸・東京の「バックヤード」の役割を担っていて、それが現在も続いているということになるでしょう。消費の場である東京では、生産・加工・流通の場である「ちばらき」を気にせずに過ごすことができますし、観光に出かけることがあっても特に「バックヤード」を気に留めることはないのかもしれません。

とはいえ、ショッピングモールや博物館のバックヤードには普段みることができないものが隠されていて、ときにそれをみることに面白みを感じるように、私たちは普段みていないものを発見することに面白みを感じたりします。本書で取り扱う東京の「バックヤード」たる「ちばらき」にまつわる話もまた、そこに住んでいる人たちでさえ知らなかった

(1) 大山顕・東浩紀『ショッピングモールから考える――ユートピア・バックヤード・未来都市』株式会社ゲンロン、二〇一五年

り、気にしていなかったものだったりするのかもしれませんし、そこに面白みを感じることもできるのではないでしょうか。

本書は一六の章と一二のコラム、二つのインタビューを三部に分けて構成しています。

第1部ではそもそも「ちばらき」とは何か、なぜ「ちばらき」は結びついているのかを考えたうえで、災害、伝統行事、方言、意識などについて触れていきます。

第2部では「ちばらき」で生活をし、働くことについて、育児、工業、街、空港、ニュータウン、農業、国際化といった観点から考えていきます。

第3部では「ちばらき」という場を舞台としたり、「ちばらき」という場で生み出されたりした創作について、映画、伝承、アニメ、アートを題材に考えていきます。

本書の執筆者が働く流通経済大学は千葉県松戸市（新松戸キャンパス）と茨城県龍ケ崎市（龍ケ崎キャンパス）という利根川を挟んだ二つの地域にキャンパスがある、まさに「ちばらき」の大学といえます。そのため長く「ちばらき」で暮らしてきた執筆者も少なくありません。そして共創社会学部の国際文化ツーリズム学科と地域人間科学科では、長年「ちばらき」を教育と研究を通してみてきた歴史があります。執筆者それぞれは観光学、社会学、地理学、人類学、福祉学、保育学、言語学、心理学、キャリアデザイン、マーケティングなど多岐にわたる学問領域を出自としていて、その研究対象もさまざまです。また各章の書き方も、論文に近いものからエッセイテイストのものまであります。

その意味で本書は多様な関心から多様な形でモザイク状に眺めた「ちばらき」の姿を提

示しているといえるでしょう。皆さんもそれぞれの関心に沿って好きなページから読んでいただければと思います。

本書は共創社会学部が社会学部として開設されて三五周年、そして国際文化ツーリズム学科が国際観光学科としてスタートして三〇周年の成果として作られたものであり、学校法人日通学園流通経済大学からの出版助成のもと出版されています。

最後になりますが、本書の企画時より熱心に関わっていただき、終始ご尽力いただきました昭和堂の松井健太さんにお礼申し上げます。

二〇二三年一二月

責任編集者　西田善行

第1部　なぜ「ちばらき」なのか？

第2部 「ちばらき」で暮らす

第3部　「ちばらき」の表現力

霞ヶ浦
北浦
51
鹿嶋市
51
利根川
銚子市
0
5 km

小貝川
筑波山
6
境町
鬼怒川
JR 常磐
つくば市
常総市
土浦市
つくば
関東鉄道常総線
エクスプレス
牛久市
牛久沼
野田市
16
龍ケ崎市
6
柏市
流山市
手賀沼
印旛沼
16
松戸市
成田
江戸川
東京
51

第1部

なぜ「ちばらき」なのか？

「ちばらき」とは何か？
——地域を捉える視点——

福井一喜

はじめに——なぜ「ちばらき」なのか？

「ちばらき」はどのような地域だろうか。

どのような歴史を持ち、どのような自然環境になっているか。いい感じのおすすめ観光名所はどこか——。それらが、読者から期待されている内容かもしれない。けれどここでは、千葉県と茨城県の特色や、昔のできごと、名所や取り組みなどを紹介したりはしない。それらは、ほかの章で十分になされる。

本章では、この本の最初の章として、もっと根源的なレベルから「ちばらき」がどういう地域なのかを捉え直したい。それは本書の「ちばらき」という地域の捉え方そのものの解説でもある。

千葉県と茨城県は、いろいろな面で一体化している。だから本章では、千葉県と茨城県を「ちばらき」という、有機的に結びついた一つの地理的空間として捉え直していく。したがってこの章においてはさしあたり、「ちばらき」を千葉県+茨城県として扱う。

そして「ちばらき」を東京との関係のなかに位置づける。「ちばらき」から東京都内に通勤・通学している人は、たくさんいる。「ちばらき」の人々の生活は、東京なしに成立しない。同時に東京の経済力も「ちばらき」の存在なしに成立しない。この結びつきに注目することで、「ちばらき」や東京への理解が深まる。言い換えれば、東京だけでなく、埼玉や神奈川、そして千葉などからなる「東京大都市圏」の一部として「ちばらき」を捉える視点である。こうした視点は、本書のコンセプトである、東京の「バックヤード」としての「ちばらき」の捉え方ともいえよう。

1　なぜいま、「ちばらき」なのか?

ではまず、どんな人がどれくらい暮らしているか。図1は、国勢調査に基づく「ちばらき」の人口データである。

図1-Aは戦後の人口増減率を示した。データは、東京大都市圏(一都三県)、「ちばらき」二県、「その他」の道府県の合計値の三つに分けてある(そのため「東京大都市圏」と「ちばらき」は千葉県のデータが重複している)。東京大都市圏と「その他」の人口増加率のピーク

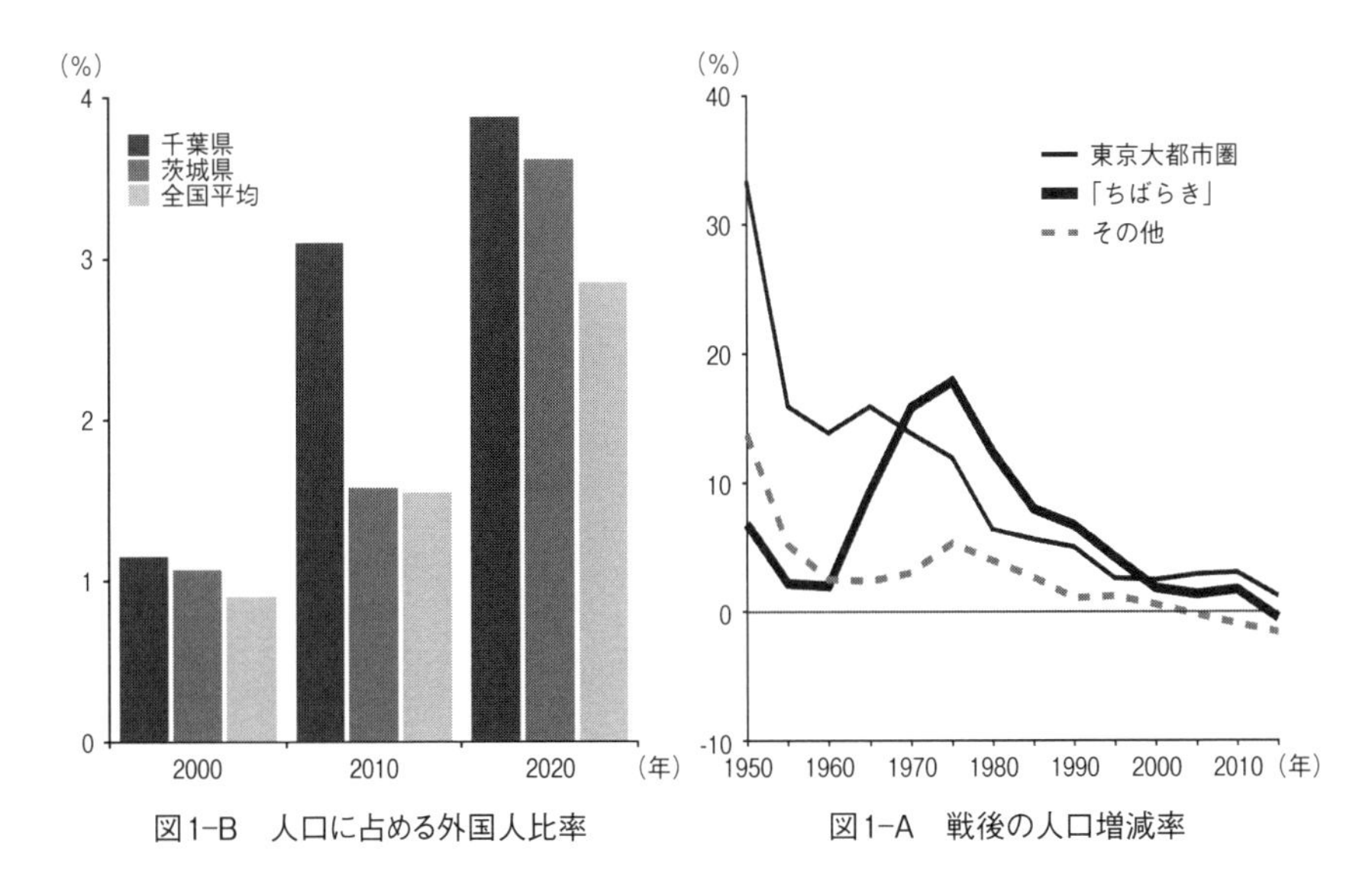

図1-B　人口に占める外国人比率

図1-A　戦後の人口増減率

は一九五〇年代である。他方「ちばらき」のピークは、一九七〇年代から一九八〇年代である。これは、戦後日本の歴史のなかで「ちばらき」がどのような位置にあったかをよく示している。

つまり高度経済成長期、日本の人口は大都市とりわけ東京大都市圏に集中し、人口増加はピークに達する。この時期には「ちばらき」から東京への人口流出も大きい。

しかし次第に東京大都市圏は、既存の住宅地だけでは巨大人口を抱えきれなくなる。すると「ちばらき」での住宅開発が進んでいく。すなわち今度は東京大都市圏の中心部から、外側の「ちばらき」への人口拡大である。郊外化の進展といってもいい。結果「ちばらき」は東京大都市圏中心部から遅れる形で、一九七〇年代から八〇年代に人口増加のピークを迎える。つまり戦後「ちばらき」は、東京からオーバーフローした人々を受けとめていった地域であり、それゆえに、東京との結びつきはますます強まった。

こうして東京郊外の住宅地として発展した「ちばらき」だが、じつは、別の未来も想定されていた。たとえば戦後の首都圏整備計画では[1]、東京都心から二〇キロメートル前後の地域が、グリーンベルトとして整備されることになっていた。「ちばらき」でいえば、流山市や松戸市あたりである。グリーンベルトとは、ロンドンの都市計画のように公園緑地やレクリエーションの用地、生鮮野菜の供給などのために集中的に整備される地域のことである。

結果的にこの計画は頓挫するが、当時のグリーンベルト計画には、都心から外へ外へと広がる都市開発を抑制する役割が期待されていた[2]。計画の評価は措くが、実現していたら「ちばらき」の姿は現在と異なっていただろう。このエピソードからは「ちばらき」が東京との関係のなかで存在していることがよくわかる。

現在に目を向けよう。おなじ図からは、「ちばらき」が人口減少期に入っていることもわかる。今日では、かつて発展し拡大した地域を、いかに維持し、守っていくかが課題になっている。それに関して図1-B[3]は、県人口に占める外国人比率を示している。「ちばらき」は全国的にも外国人比率が高い地域で、特に千葉県ではより早く増加している。

これらをふまえると、今日の「ちばらき」は、人口減少と外国人の増加という、日本の人口動態の典型例なのである。「ちばらき」は、昭和・平成的な、あるいは近代から続く成長主義の限界に直面しつつある地域ともいえる。だから、いま「ちばらき」への理解を深めることは、今後の日本のあり方そのものを考える大きな材料になる。「ちばらき」の

(1) 一九五八年からの第一次基本計画である。

(2) 菅野峰明・佐野充・谷内達編『日本の地誌五――首都圏I』朝倉書店、二〇〇九年、一〇六頁

(3) ここでは、外国人=総人口−日本人。

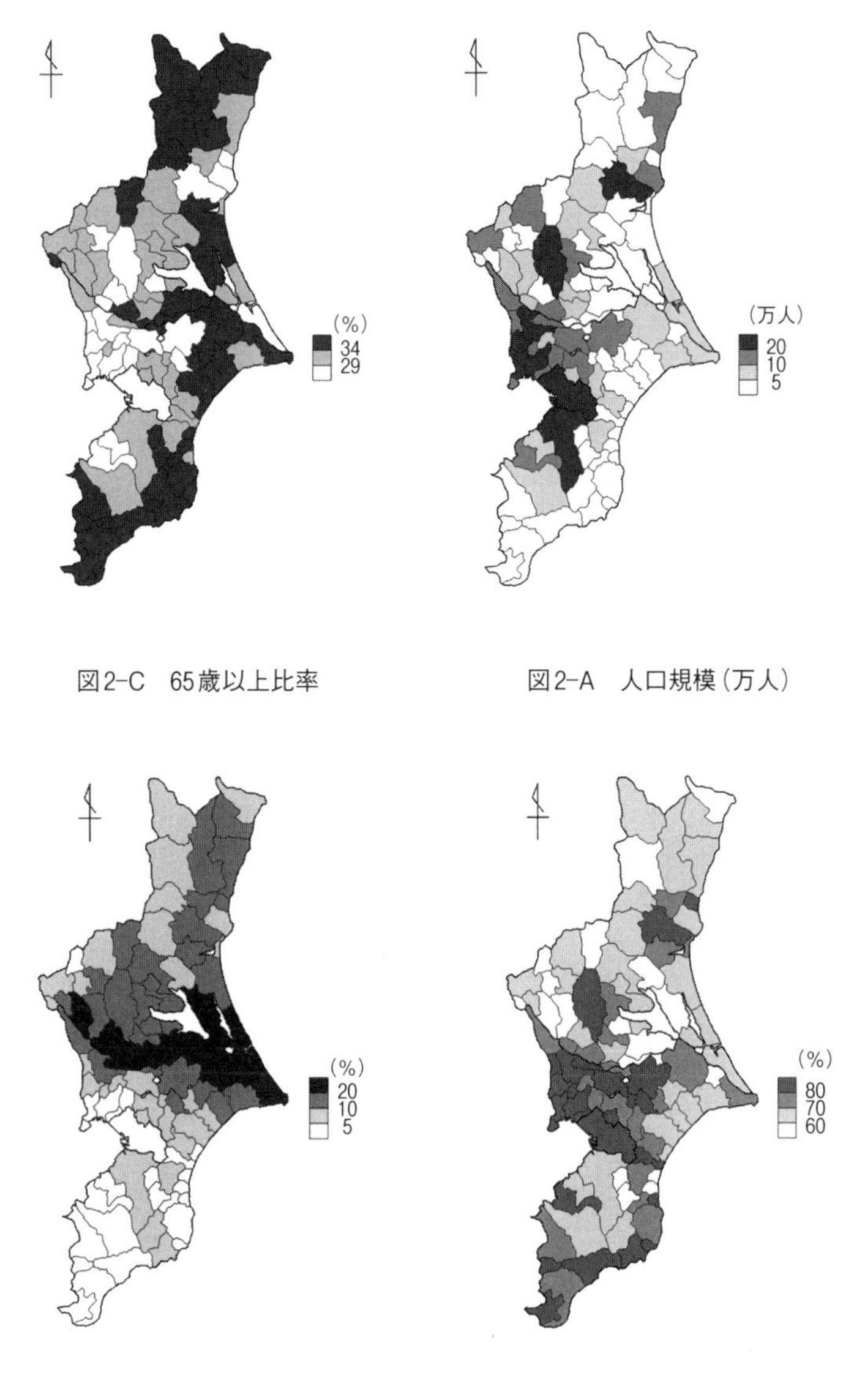

図2-C　65歳以上比率

図2-A　人口規模(万人)

図2-D　県外からの転入者に占める「ちばらき」内移動者の比率

図2-B　サービス業従業者数

読解は現代的なテーマである。

一方、「ちばらき」のすべての地域が、同じような性格ではない。図2は市町村別にみた人口や就業などのデータである。

図2-A[4]は人口規模である。人口の多い自治体には、本書の「ちばらき」に含まれない遠隔地の水戸市や日立市などもある。だが基本的には、千葉市や松戸市、柏市、つくば市といった、東京から二〇から五〇キロメートル圏内に集中している。これらの地域では、図2-B[5]のようにサービス業従事者の割合が多い。東京でサービス業に従事している者も少なからず含まれるだろう。

他方で、図2-C[4]の六五歳以上人口比率は対照的である。比率が高いのは、東京からの遠隔地、つまり「ちばらき」の外縁である。図示はしていないが、これらの地域は共通して第一次産業従事者が多い。

つまり東京を軸に考えると、「ちばらき」の東京側は、人口の集中する都市的なサービス経済地域になっており、他方、外側はより高齢化が進んだ地域となっている。ここに存在するのは、千葉と茨城の県境を超えた空間的な二重構造である。「ちばらき」が多様な地域の集合体で、かつ相互に結びついていることがわかる。

一方で図2-D[4]には、転入、つまり引っ越しによる人口移動を示した。茨城県からの転入者が多い千葉県の市町村と、千葉県からの転入者が多い茨城県の市町村が、濃いグレーで示されている。[6] 濃いグレーは、利根川を挟んだ地域に集中している。つまり利根川を挟んだこれらの地域は川の左岸と右岸で人口移動が盛んで、一つに結びついてもいる。海外の大都市の例だが、イタリアのポー川で隔てられたミラノとトリノや、カナダのオタワ川

(4) 「令和二年国勢調査」をもとに作成。

(5) 「令和三年経済センサス活動調査」をもとに作成。

(6) 千葉県と茨城県で、千葉県に県外から転入した者のうち、茨城県からの転入者が何%いるか、および、反対に茨城県への県外からの転入者のうち千葉県からの転入者が占めるのは何%かを、市町村別に示したものである。

をめぐるオタワ、モントリオール、ケベックシティなど、大河の周辺で都市の機能が結びつくのはめずらしくない（分断することもめずらしくないが）。千葉と茨城を別個の地域としてだけでなく、「ちばらき」という一つの地理空間として捉えることの有効性が示されている。

2 東京は「ちばらき」なしに成立しない

「ちばらき」と東京との関係にさらに注目しよう。地域間の経済関係は、人間や物、金銭や情報などの流れ、つまり「フロー」の結びつきとして理解できる。ここでは人間と物のフローをみていこう。

まずは人間のフロー、通勤と通学である。

図3-A[7]は、千葉・茨城それぞれにおける、県内での通勤・通学者数である。当然ながら、これが最も多い。また人口規模を反映して、茨城県内よりも千葉県内での通勤・通学者が多い。他方、図3-B[7]は千葉・茨城間での通勤・通学者数である。これは「千葉→茨城」と「茨城→千葉」で、数値は拮抗している[8]。県内での通勤・通学者数には両県でおよそ一〇万人の差があることをふまえると、千葉・茨城の相互の結びつきの強さがわかる。

続いては図3-C[7]の、東京・埼玉・神奈川（東・埼・神）と「ちばらき」との通勤・通学者数である。「ちばらき」から「東・埼・神」のフローは八三万人である。先の図3-Bがおよそ四万人前後での県間移動であることを鑑みると、八三万人という数値はだいぶ大き

(7)「令和二年国勢調査」をもとに作成。

(8) 千葉→茨城がおよそ三万五〇〇〇人、茨城→千葉が四万一〇〇〇人。

い。ただし反対の、「東・埼・神」から「ちばらき」への通勤・通学者数も一六万人程度存在している。つまりは、東京が「ちばらき」からの労働力に頼っていると同時に、「ちばらき」もまた、東京の労働力に頼っているのである。「ちばらき」は、千葉と茨城が相互に結びつきながら、同時に、それ以上に東京や埼玉、神奈川とも強く結びついている。

次に物のフローもみてみよう。図4は二〇二一年の物流センサスを用いて、「ちばらき」を発地とする物流の状況を示した（件数ベース）。

最も多いのは「ちばらき」内で完結する物流で、四七・三％を占める。「東・埼・神」への物流が二一・三％、その他の県への物流は三一・四％である。「ちばらき」内の物流が最大であるのは当然としても、このデータは「ちばらき」が、東京大都市圏だけでなく、さらに広域にさまざまな地域への物のフローを支えていることを示している。

それに関して、新型コロナウイルス感染症（ＣＯＶＩＤ-19）の影響で、一部の仕事や学校の授業がオンライン化され、物流も滞った時期があった。当時、東京都心のビジネス街や学生街は閑散とし、マスクや食料などの必需品の確保が不安視された。これは東京に「ちばらき」を含む外部の地域から通勤・通学者が来なくなったり、物資が輸送されにくくなったりしたからである。この現象は、東京が「ちばらき」やそれに類する「ほかの地域」に頼っていることを私たちに再確認させた。

類例はたくさんある。地震や台風、豪雨といった災害が「ちばらき」で起きるたび、その経済的な影響は、通勤流動や食料供給の停滞、電力エネルギーの不足といった形で東京に波及する（もちろん、東京以外にも波及する）。「ちばらき」と東京の関係をみると、東京がいかに「ちばらき」に支えられているのか、データとしてわかる。

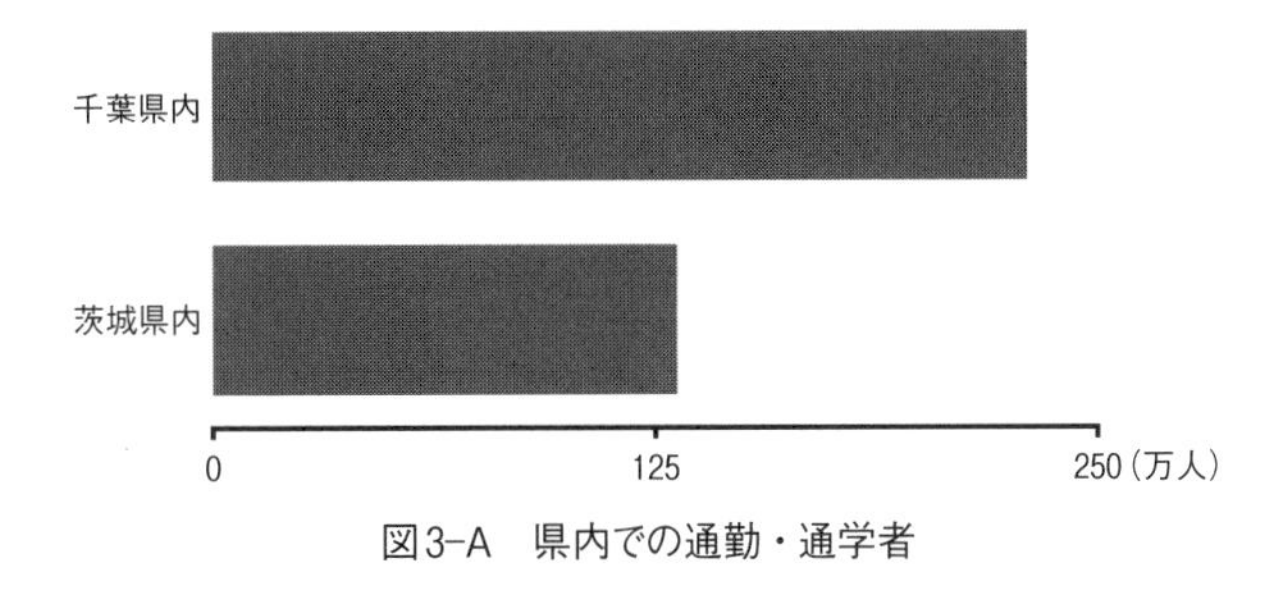

図3–A　県内での通勤・通学者

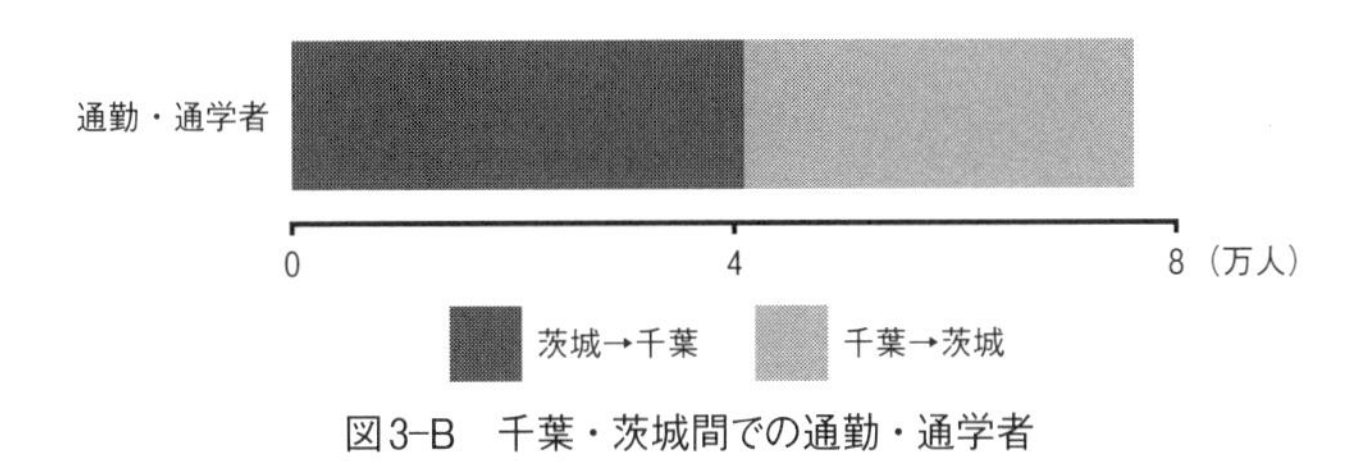

図3–B　千葉・茨城間での通勤・通学者

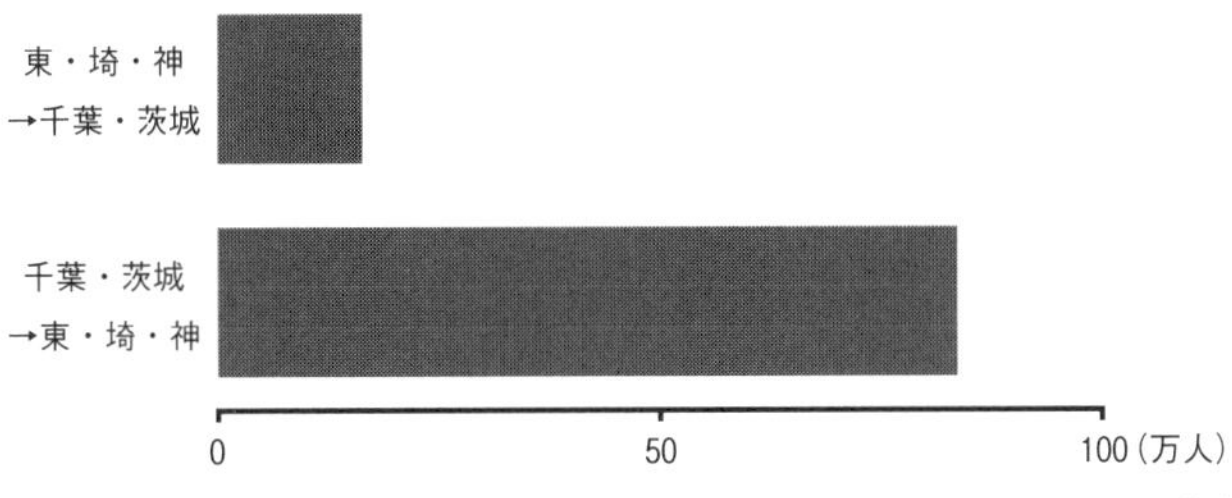

図3–C　東京・埼玉・神奈川の3都県と千葉・茨城との間の通勤・通学者

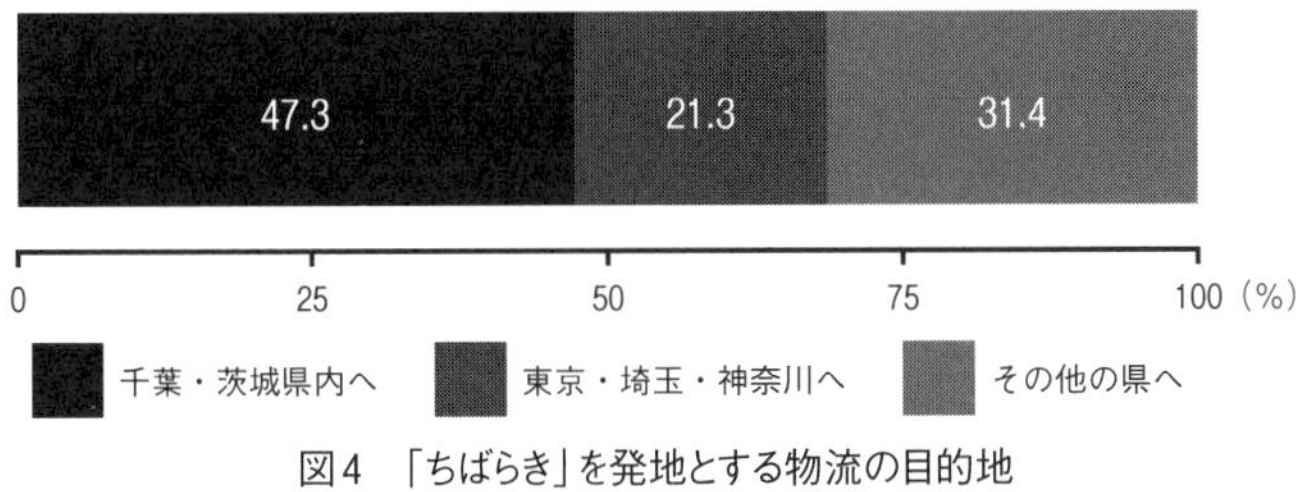

図4　「ちばらき」を発地とする物流の目的地

最後に、デジタルデータのフローについて事例をあげておこう。千葉県の印西市はデータフローの中心地である。広い土地と良好な地盤に恵まれ、かつ東京からは二時間程度というアクセス性から、大規模データセンターの建設ラッシュが起きている。その様相はDC（データセンター）銀座とも呼ばれる。

セキュリティ上、どのような会社のデータセンターであるかは不明な点も多いが、アマゾンなどクラウド事業者のデータセンターが集積していると知られている。二〇二三年の四月にグーグルのデータセンターが開所したことは耳目を集めた。[9] データセンターの集積は、この地が、東京のみならずさまざまな地域や都市のデジタル化を担っていることを意味している。

（9）『日本経済新聞（地方千葉面）』二〇二三年四月一四日号

3　地域はつながりあっている

「ちばらき」と東京とのつながりには、歴史的な文脈もある。たとえば利根川である。利根川がほぼ現在の流路になったのは、一六五四（承応三）年とされている。舟運の発達や江戸城下の水害防御、さらには流域の新田開発などを目的とした、一連の流路変更の結果である。当時から、江戸と現在の「ちばらき」や関東一円とは、利根川の舟運で結びついていた。[10] いまでも「ちばらき」の中心部は、利根川の周辺に形成された低地と、それをめぐって複雑に入り組んだ台地からなっている。

「ちばらき」は経済力もある。その一因は、東京と結びついていることにある。図5[11]に「ち

（10）菅野峰明ほか編、前掲書（2）、三三頁

（11）「国民経済計算」二〇一九年をもとに作成。生産側・名目で算出。

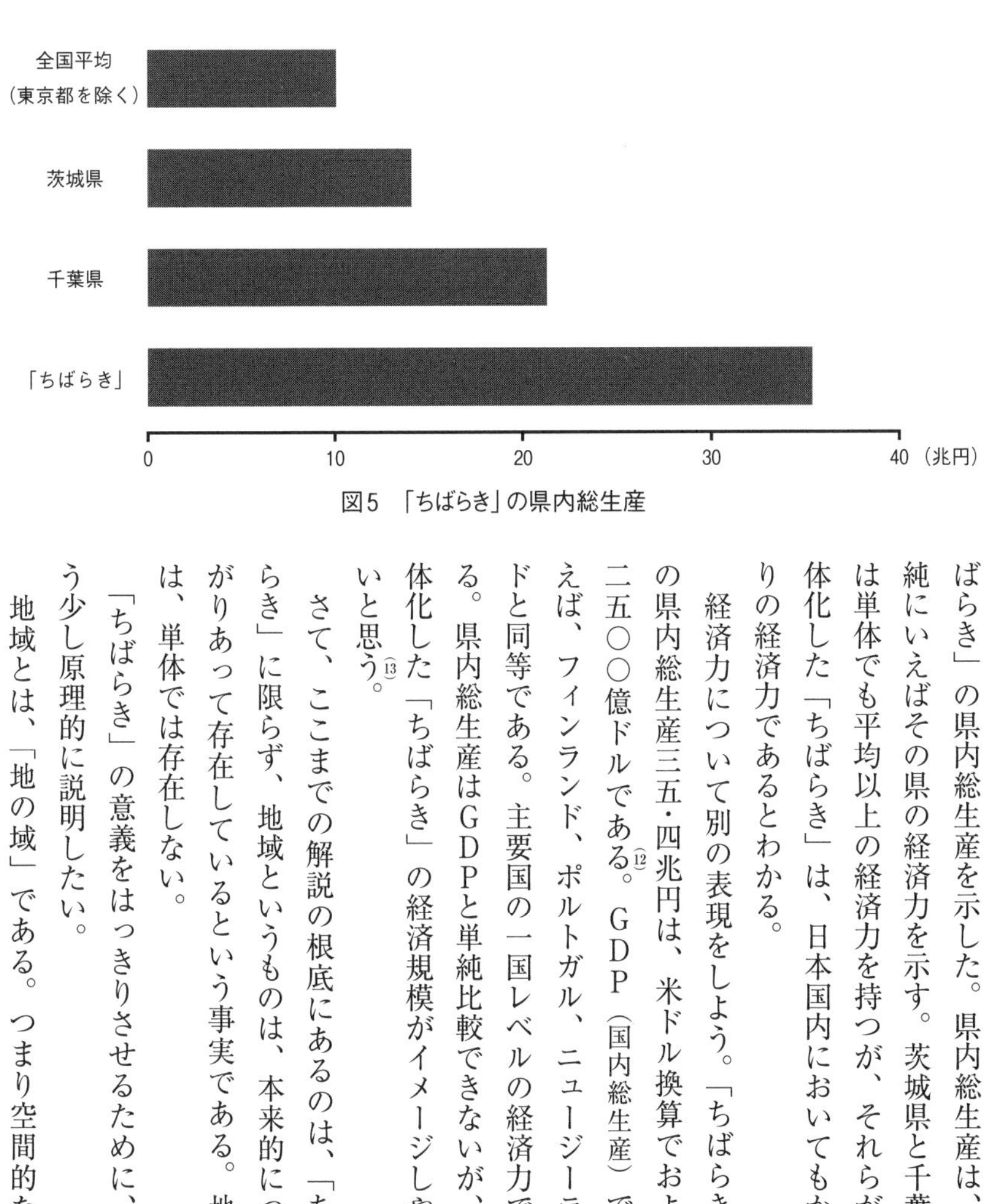

図5　「ちばらき」の県内総生産

ばらき」の県内総生産を示した。県内総生産は、単純にいえばその県の経済力を示す。茨城県と千葉県は単体でも平均以上の経済力を持つが、それらが一体化した「ちばらき」は、日本国内においてもかなりの経済力であるとわかる。

経済力について別の表現をしよう。「ちばらき」の県内総生産三五・四兆円は、米ドル換算でおよそ二五〇〇億ドルである。[12] ＧＤＰ（国内総生産）でいえば、フィンランド、ポルトガル、ニュージーランドと同等である。主要国の一国レベルの経済力である。県内総生産はＧＤＰと単純比較できないが、一体化した「ちばらき」の経済規模がイメージしやすいと思う。[13]

さて、ここまでの解説の根底にあるのは、「ちばらき」に限らず、地域というものは、本来的につながりあって存在しているという事実である。地域は、単体では存在しない。

「ちばらき」の意義をはっきりさせるために、もう少し原理的に説明したい。

地域とは、「地の域」である。つまり空間的な範

(12) 二〇二三年七月二八日時点。

(13) ちなみに「ちばらき」の人口およそ九〇〇万人というのは、ポルトガルよりやや少ないくらいで、フィンランドやニュージーランドよりはるかに多い。

囲を意味する概念である。その範囲をどう捉えるか。よくあるのは、千葉県とか、柏市、「松戸市新松戸」のような、行政的な区分である。あるいは、「田園地帯」とか「住宅地」「鉾田のメロン畑」のように、同じような景観を捉えた範囲設定も一般的である。これは同じような見た目の空間をひとまとまりの範囲として「地域」とする見方である。いわば視覚的な等質性に注目する考え方である。

しかしながら、地域の性質や機能のすべてが見た目に現れるわけではない。それに、千葉県の住宅地から丸の内のオフィス街に通勤する人がいるように、あるいはレンコンが茨城の畑から豊洲市場に出荷されるように、行政界や地域を超えて、場所どうしが機能的に結びつくこともある。「通勤圏」や「通学圏」などは、そうしたシステムの好例である。「東京大都市圏」というのも、東京を中心にさまざまな都市機能が結びついた、空間的なシステムとして理解できる。

この見方は、地域を「つながり」の総体として捉える考え方である。[14] 本章では、千葉と茨城や、「ちばらき」と東京との機能的なつながりを解説した。ここには、個々の地域を超えた空間的なつながりのシステムが存在している。

「ちばらき」は、どんな地域も本来的につながりあっていることをよく表している。「ちばらき」という視点は、地域というものを、より広く俯瞰的に理解するのに役立つと思う。

（14） ここで解説した地域の見方は、現代地理学の基本的な理論に基づいている。「同じような空間をひとまとまりの範囲として『地域』とする見方」は、地理学で「等質地域」と呼ぶ。一方、「「つながり」の総体として地域を捉える考え方」を「機能地域」と呼ぶ。機能地域は「通勤圏」や「通学圏」など、等質的な見た目が続いていなくても、機能として強く結びついている一定の空間を指す。

おわりに――バックヤードという視点

地域はつながりあっている。だから「その地域」をめぐる、さまざまな地域どうしや空間をめぐる関係に注目することは、地域の理解に有効である。「ちばらき」へのまなざしは、この地域が東京のバックヤードや、あるいはそれ以上のシステムとして存在していることを明らかにする。「ちばらき」という視点は、千葉と茨城を知ることにも、また東京を理解することにも有効である。そして「ちばらき」的な考え方は、海外も含めて、ほかのさまざまな地域を理解することにも有効である。

本章は、地域や社会を理解する視点としての「ちばらき」論を提示した。それでは「ちばらき」には実際にどのような人々がいて、どのような自然や歴史、文化が存在し、どんな営みがなされているのだろうか。続く各章にバトンを渡そう。

二つの大水害をめぐる「空間史」
——鬼怒川決壊と小貝川決壊——

龍崎　孝

はじめに——災害と向き合うとは

二〇一二年六月二二日、東京紀尾井町の千代田放送会館で公益財団法人放送文化基金が主催する表彰式に出席した。東日本大震災から一年あまり、当時私が勤務していたＴＢＳテレビは系列の二七社[1]とともに、宮城県の気仙沼市に三陸臨時支局を立ち上げ、震災被害の実態と復興の歩みを伝えていた。民放各テレビ局は、ＪＮＮなど、東京のキー局を核に、地方の放送局でネットワークを組んでいる。そのため、震災報道は被害があった都道府県のある地方の放送局が主体となり、そこに系列局から応援の記者やカメラマンを送り込んで補強し、放送するというのが基本になっている。しかし、二万人に迫る死者・行方不明

（1）　ＴＢＳを基幹局とする Japan News Network（ＪＮＮ）を指す。

者を出した津波被害の実態は、そうした従来の取材・放送手法では掴みきれない。そう判断し、民放で唯一、現地に在京キー局の出先機関として「ミニ放送局」を立ち上げた。それが、JNN三陸臨時支局だった[2]。

三陸臨時支局は、気仙沼市内の湾口部が望める高台に設置し、そこから北は岩手県久慈市、南は宮城県亘理町までを取材地域とし、文字通り毎日、午前一一時半から定時放送される「JNN昼ニュース」のなかで、全国に向けて中継レポートを伝え続けた。その活動ぶりと取り組みが評価され、異例の受賞に結び付いた。

一年にわたる現地での滞在を通じて気がついたのは、なにがその地に人々を踏みとどまらせているのか、という疑問だった。貞観地震（八九六年）はおよそ一〇〇〇人[3]、明治三陸地震（一八九六年）は二万一九一五人、昭和三陸地震（一九三三年）は一五二二人の死者を記録している。これだけの被害を出しながらも、人間はその度重なる被災の地に生き続け、生業や文化を継承している。その理由はいったい、どこにあるのか。

その土地が持つ空間の歴史のなかに、その答えを求めていくほかない。その地域の災害史は、単にその発生のメカニズムや被害の状況、行政が主導する復興政策の動きだけでは語ることができない。そこに存在する生業史や継承されゆく文化のなかにこそ、生きた災害史はあるのではないか。ゆえに、一年弱続けた中継レポートの題材に行政の動向は一度も肯定的に登場しない。ただひたすら、そこに暮らす人々の歩みを追い、伝えた。

放送文化基金の表彰式に一人の俳優が招かれていた。二〇一八年六月に亡くなった加藤剛氏である。この年、NHKのスペシャルドラマ「坂の上の雲」が放送文化基金番組部門の本賞を受賞した。加藤氏はこのなかで伊藤博文役を演じていた。そのための出席だった

（2）二〇一一年五月一日付で、宮城県気仙沼市の気仙沼プラザホテル内に開設した。

（3）当時の推定人口は現在の二〇分の一、五〇〇万人程度とみられることから、現在に当てはめれば二万人規模の人的被害ともいえる。

のだろう。思えば本章の舞台と私の災害放送体験から得た視点はこの出会いの瞬間に結びついていたのだった。[4]

「ゲニウスロキ=地霊」という言葉がある。人々を突き動かす、その地に宿る目に見えない力のことだ。この章はいささかアカデミックからははずれるかもしれない。歩き、感じ、思考し、「ゲニウスロキ」を探る「旅」を綴ったものと受け取ってほしい。

（4） 加藤氏はNHKの大河ドラマ「風と雲と虹と」で平安の世の坂東を揺るがした武将・平将門を演じた。その館跡は鬼怒川に近い茨城県常総市（旧石下町）にある。

1 鬼怒川大水害の跡を歩く

今、茨城県で最も活気のある鉄道沿線は、つくばエクスプレスの周囲だろう。人口増が続く流山市を駆け抜け、鬼怒川を渡ると守谷駅（守谷市）がある。以前は茨城県で「一番人気」を誇ったのは上野発の常磐線快速の終点、取手市だったそうだが、その座を守谷市に奪われたのだそうだ。そう教えてくれた茨城県民の方は「だから取手の人は守谷を良くいわない」と笑う。確かに、守谷駅の駅前周辺は整備された街並みが広がっているが、ここで関東鉄道常総線に乗り換えると、その様子は一変する。一気にひなびた景色になるのだ。取手駅と筑西市の下館駅を結ぶ関東鉄道常総線は、まさに「ちばらき」を駆け抜ける鉄道だ。さて、南石下駅と石下駅がこの「節」の目的地である。二つの駅とも今は無人駅となっている。この二つの駅の西側に広がる平坦地が、水害と歴史の舞台なのだ。

降り立った南石下駅は、拍子抜けするほどなにもない。小さな無人の駅舎があるばかり（図1）。ホームからそのまま「駅前」にでて周囲を見回すとみつけたのは飲料の自動販売

図1　関東鉄道常総線「南石下駅」(2023年、筆者撮影)

機だけだ。もちろんトイレもなく、「途中のコンビニで借りればいいか」と歩き出したが、行けども行けどもない。人家と田んぼや畑に沿って、ひたすら平らな道を鬼怒川の決壊地点に向かって進む。

二〇一五年九月七日から一一日にかけて、関東地方は台風一八号の影響で長時間にわたって強い雨に見舞われた。一〇日一二時五〇分に、常総市三坂町地先で鬼怒川左岸の堤防が二〇〇メートルにわたり決壊し、常総市内に鬼怒川の水が流れ込んだ。同市の三分の一にあたるおよそ四〇平方キロメートルに浸水、死者二人、関係死を含めると六人の犠牲者を出す水害となった。家屋の被害も甚大で、全壊五四件、大規模半壊一六四九件、半壊は三五七四件に及んだ。

「鬼が怒る川」と書く鬼怒川は文字から察せられる通り、氾濫をたびたび重ねてきた川である。栃木県の鬼怒沼湿原を水源とする鬼怒川は、利根川の支流のなかでも延長一七六・七キロメートル、流域面積一七六一平方キロメートルという、関東地方有数の大河である。日光の山岳部に降った雨が、利根川との合流部までわずか一日で流れ込むという急流で、また下流域の茨城県に入ると川幅が狭くなるため、洪水被害を生みやすいという特徴を持つ。東日本大震災の津波は、海から直接注ぎ込む海水ばかりでなく、湾口部に接続する川を遡上し、津波が届くとは思えない山間部まで被害にあう地域があった。かと思えば、鉄道の軌道が設けられた盛り土や高規格の道路が、内陸部に設けられた「堤防」となり、それ以上の浸水を食い止めたケースもある。翻って、常総市の水害被害を撮影した航空写真には、市内一面に浸水が広がっているさまが写っている。そうした「内堤防」的な構築物がほとんどなかったのだろう。国土交通省によると、浸水地から排水した量は七八〇万平方メートル、東京ドーム六杯分にあたったという。

人の記憶は曖昧だ。普段街を歩いていても、ぽっかり開かれた「空き地」を眺めながら「ここにはなにがあったっけ」とどんな建物があったか思い出せないときがある。東日本大震災の後、新聞配達が再開されてもしばらくは、どこに新聞を配ったらいいか混乱した、という話を聞いた。南石下駅から鬼怒川の決壊地へ向かう道すがら、そんなことを思い出す。歩くこと二〇分、ようやく堤防が見えてきた。どうやら二〇一五年の関東・東北豪雨の際に鬼怒川が決壊した場所にたどり着いたようだ（図2）。

図2　現在の鬼怒川堤防。常総市三坂町の決壊個所付近（2023年、筆者撮影）

堤防につけられた階段をあがると、目の前には夏草が生い茂った河川敷が広がった。川面はアシなど群生に妨げられて、ちらちらとしかみえない。多くの大河がそうであるように堤防上には遊歩道が整備されている。その路面をみれば、どこが決壊部分かは想像がつく。経年変化でできた道の割れ目などが目につく道が決壊を免れた部分であり、それがほとんどないのが決壊後に修復された箇所である。およそ三〇〇メートルほどであろうか、復旧した堤防には、工事にあたった建設会社ごとに、作業の内容を解説したプレートが建てられている。そう、何もなかったように修復した場所にこそ、ここで「何かがあった」ことを残すことが必要なのだ。

2 「怒れる川」の記憶と結びつけるものは

鬼怒川決壊の場所を示す、ひときわ立派な碑の横に、この堤防の上を二〇二一年に開催された東京オリンピックの聖火ランナーが走り抜けたことを伝える石碑も設けられていた（図3）。二〇二一年七月五日、雨のなかを六人のランナーがこの場所で聖火をつないだと記されている。[5] 常総市では決壊地点の上流、石下大橋南からランナーが出発し、堤防上を決壊地点までつないで行われている。午前一一時五五分に出発した聖火は、一二時一一分に決壊碑の前でゴールした。[6] 碑はそのときの晴れやかな空気を「大歓声の中、ここで感動のゴールを迎えた」と刻んでいる。

聖火ランナーが走った堤防を逆コースで上流に向かい、聖火の出発点、石下大橋を鬼怒川左岸から右岸に渡ると、そこは歴史の舞台へと様変わりする。橋を渡り切って五分ほど、住宅街のなかを進むと、ここにもいくつかの石碑が姿を現す。「承平・天慶の乱」といわれ、九三九（天慶二）年に関東地方を制圧し「新皇」と称した平将門の館跡である（図4）。一つ思うことは、その館跡があまりに鬼怒川に近いことである。周囲は住宅街のため、川がそばにあることを意識はしないが、歴史をさかのぼればそれはまさに川の際である時代があったかもしれない。船を使った交流を目的としたのか、はたまた鬼怒川右岸にあるとい

（5） 史上二回目となった今回の東京オリンピックでは、コロナ禍ということもあり、前回一九六四年のような全行程で人から人へと聖火をつなぐのではなく、小刻みに分けられた区間をランナーが走り、間は車で移動する形式で行われた。

（6） 茨城県ＨＰ「東京二〇二〇オリンピック・パラリンピック競技大会茨城県関連情報」（https://www.pref.ibaraki.jp/olypara2020/index.html 二〇二三年八月一日閲覧）

うことは、当時から洪水は左岸に集中し、右岸に浸水することは少なかったのか、など想像は膨らむ。碑文を読むと、これらの顕彰碑は、この平将門を扱った海音寺潮五郎の小説が一九七六年、NHKの大河ドラマ「風と雲と虹と」として放映されたのちに建てられた。先に触れた加藤氏の熱演によってこの地の人々のなかにあった将門にまつわる記憶が呼び覚まされたのであろうか。思えば、最後は汚職事件につながる負の側面を持つ二〇二一年の東京オリンピックだが、復旧した堤防を聖火ランナーが歓声のなかで走ったという事実が、水害の記憶と結びつき、ここに暮らす人々のなかに警鐘として刻まれるなら、汚れた一面を持つことになったオリンピックもまた、特別の意味を持つことになるかもしれない。

平将門の館跡からおよそ三〇分、水害後の区画整理の跡などが残る道を進むと、関東鉄

図3　東京オリンピックの聖火リレーを刻む石碑（2023年、筆者撮影）

図4　平将門の館跡に残された石碑（2023年、筆者撮影）

道常総線石下駅にたどり着く。三時間あまりの探索の途中、ただの一軒もコンビニエンスストアをみることがない「奇跡」のような空間に思えた。乗り込んだ列車にはインドネシア人のカップルも座っている。鬼怒川水害の記憶がなお新しい常総市は、一〇〇〇年を超える歴史が刻まれた空間でもある。そこに暮らすアジアの人々をみることもできる。「ちばらき」の奥深さがここにある。

3 「小貝川決壊」をどう伝えていくのか

「利根川東遷」という言葉がある。利根川はもともと東京湾に注いでいたが、江戸時代はじめから昭和にかけて、大地を削り、新たな川を掘削し、在来の川と繋いで銚子から太平洋へ流出するようにつけ替えた、三〇〇年にわたる国家事業だった。利根川の東遷は江戸・東京を大水害から守り、流山など新たな醸造都市や利便性の高い水運業を発達させたが、あわせて新たな水害の要因ともなった。小貝川決壊もまた、その一つである。

一六二一(慶長一六)年から江戸幕府による利根川の河道つけ替え工事が行われ、東へと流れる旧常陸川に接続することになった。これに伴い、小貝川は現在の我孫子市付近で利根川と合流することになった。河川のつけ替えは洪水対策のみならず、水運や新田の開発にとって有効な手段だが、同時に、いくつかのリスクを負うことになる。本来の自然の傾斜と違う方向へと水を誘導することにより、つけ替え地点に「無理」が生じかねない。さらに広い流域面積を持つ利根川と合流することにより、利根川上流域の降水量が増えた場合、それらが合流する下流域で水位の著しい上昇がみられる。これにより支流である小貝川へ逆流する可能性があった。そして一九八一（昭和五六）年八月二四日、小貝川は、左岸にあたる龍ケ崎市川原代町付近でおよそ二〇メートルにわたって決壊した（図5）。同月二一日から二三日にかけての台風の影響で決壊した幅は二四日夜までに一一〇メートルにおよび、市内三三〇〇ヘクタールが冠水被害に見舞われたという。(7)

流通経済大学は二〇二一年四月から、大学改革の方向性を示す「Reborn RKU Vision」を策定し、地域との連携の強化・推進を大学運営の柱の一つにしている。そうした考えのなかで生まれたのが、龍ケ崎市と防災に関わるシンポジウム（正式名称は小貝川決壊四〇年シンポジウム。以下「小貝川シンポ」とする）を共催するというアイデアだった。

図5　現在の小貝川。決壊地付近（2023年、筆者撮影）

二〇二二年二月六日、災害報道に関わってきたNHKの現役アナウンサーや民放ニュースキャスター、さらに龍ケ崎市内にある四つの高校の代表が参加して行われた。(8)

四〇年前といえば、市役所の担当者や国土交通省のスタッフのなかにも被災体験者は皆無である。むろん小学校や中学・高校の生徒のなかにいるはずもない。高校でも、小貝川決壊について学ぶ機会はほとんど持たれていないことがわかった。防災・減災の意識はあっても、目の前で起きた災害についての基礎的な知識は学校現場のどこにも残されていない、ということだ。それならば自ら探求していくことが求められる、つまり、自ら伝承すべき事柄を発掘し、それを伝

（7）龍ケ崎市HP「小貝川の治水と洪水の歴史」（https://www.city.ryugasaki.ibaraki.jp/anzen/bousai/bousai_yomimono/bousai/2013081502873.html　二〇二三年八月一日閲覧）

（8）前年冬に拡大した新型コロナウイルス感染症のため、開催が一度は延期された。開催時は都内在住のゲストは来場せず、オンラインで結ぶなど、ファシリティを駆使して実施した。

えていくという作業にならざるをえない。

そこで試みたのは、①市内の高校生に小貝川決壊という歴史的事実を自らの調査によって紹介してもらう、②そのために決壊現場の視察などのワークショップを設ける③市内にある四つの高校すべてが参加する——というものだった。龍ケ崎市内には県立竜ヶ崎第一高校、竜ヶ崎第二高校、竜ヶ崎南高、私立愛国学園大学附属龍ケ崎高校の四校が存在する。その四校から、この取り組みに賛同する生徒のグループをそれぞれ選んでもらい、シンポジウム開催前の一月に、小貝川の堤防決壊個所の見学や、土地の被災経験者などから聞き取りを行うワークショップを開催する、ことが決まった。そしてそのワークショップを基礎に、小貝川決壊で何が起きたのか、そのことを今後どう伝えていくべきなのかということを、シンポジウムで各校が発表していくことになった。

4　シンポジウムで継承されたこと

小貝川の決壊地点は龍ケ崎市と取手市藤代地区（旧藤代町）を結ぶ高須橋の近くにある。龍ケ崎市側の橋の袂から、上流に向かって左岸の土手上の道路を二〇〇メートルほど行くと、右側の芝生地のなかに、決壊場所を示す石碑が建立されている（図6）。上流に目を向ければはるかに筑波山を望むことができるが、あとは田畑の緑が広がるばかり、のびやかな平地が印象深い。

二月六日に行われた「小貝川シンポ」にはおよそ二〇〇人の市民が参加した（図7）。

シンポジウムは全体でおよそ二時間、まずＮＨＫで災害報道の最前線に立つ糸井羊司アナウンサーが三〇分間、オンライン形式で講演した。糸井氏は「未来に備えるために」と題して、言葉を扱うアナウンサーの責任に触れ、東日本大震災を機に「よりはっきり」「より強いトーンで」「より命令に近い表現で」、人々の避難を呼びかけていく方向に変わったことなどを語った。

続くシンポジウムの前半では、市内四高校の代表が登壇し、パワーポイントを駆使して、一九八一年の小貝川決壊の様子、そこで得られた教訓、また親戚の方からの聞き取りなど、個性があふれた発表が行われた。特に竜ヶ崎南高校の発表では、祖父の体験談が紹介され、自宅にあった木造の川船で避難したことなど、生の証言を披露した。川船は今はみられなくなったが、かつては農家の軒先に、そうした川船がいざというときのために置かれていたという。まさに自分の耳で往事の教訓を掘り起こした発表だったといえる。

図6　決壊口を示す石碑。背後には田園が広がる（2023年、筆者撮影）

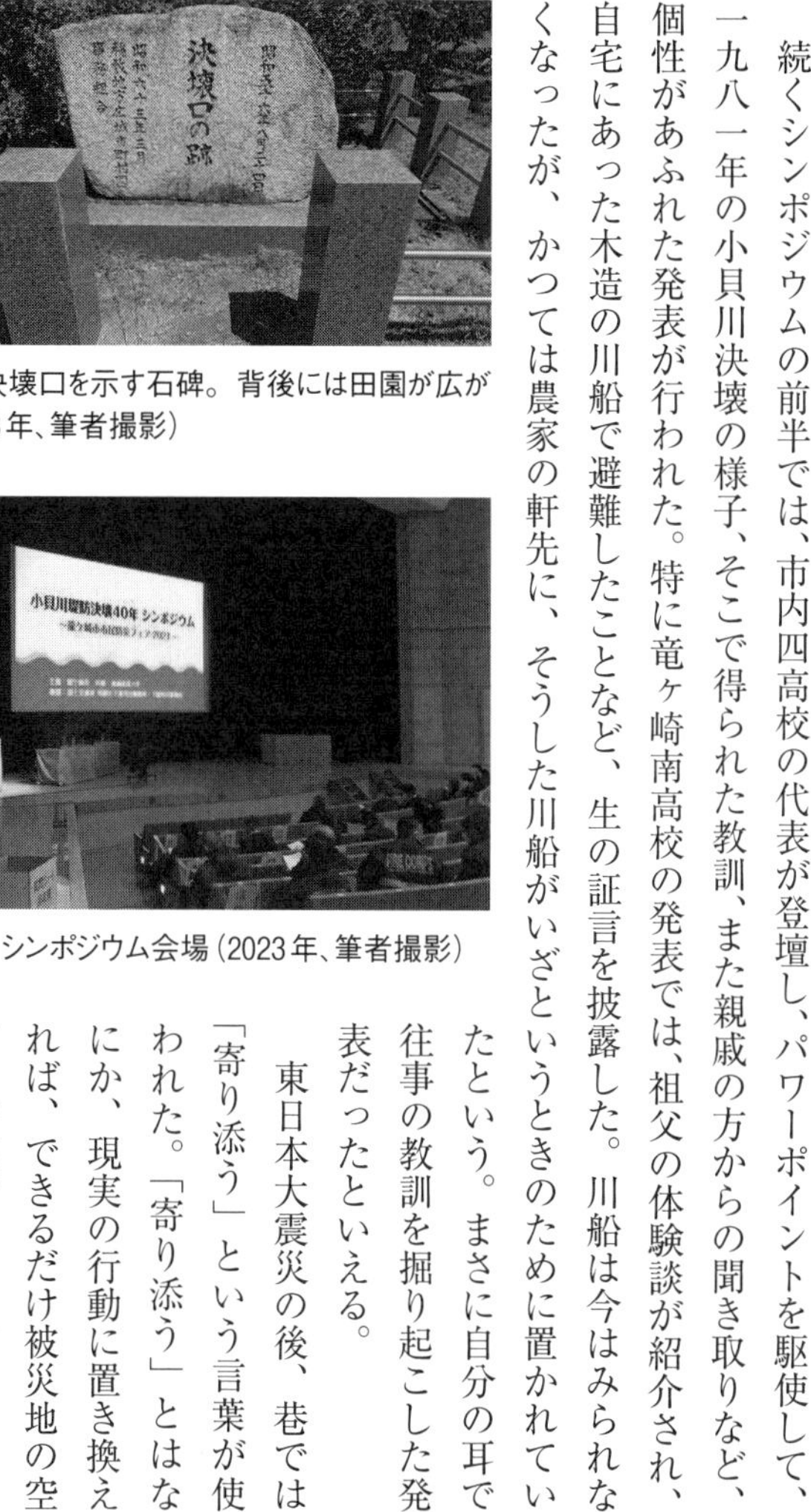

図7　シンポジウム会場（2023年、筆者撮影）

東日本大震災の後、巷では「寄り添う」という言葉が使われた。「寄り添う」とはなにか、現実の行動に置き換えれば、できるだけ被災地の空間に滞在すること、そしてそこで起きたことを「忘れないこと」ではないかと思う。発災に近い時間ならば「いること」は可能だが、「その後」の長い時間のなかで「忘れないこと」はなかなか難しい。なんでもいい、きっかけを作って思い出すこと、伝承すること、その努力の場はいくらあってもありすぎることはない。発表のために現場を歩いたその記憶は高校生のなかに残る。その記憶が四つの高校すべてに根付いたことこそ、この企画の最大の成果ではなかったか。

おわりに――想像が記憶の連鎖に

二〇一六年四月に流通経済大学に赴任した際、龍ケ崎市の職員の方に「龍ケ崎にある流経大の龍崎さん、ここに来ることが運命だったんですね」とにっこりされた。龍に関わる「ヤマタノオロチ」伝説は、「空間の履歴」[9]について著した桑子敏雄氏によれば、島根県を流れる斐伊川の治水史から生まれたものではないかという。龍は「暴れ川」の別名だとすれば、龍ケ崎と龍崎は、度重なる小貝川や鬼怒川の氾濫の歴史と関わる地名であり、苗字ではないかと想像は広がる。さらに江戸時代の資料をくってみると、徳川家の家臣団のなかに江戸初期に利根川河口にちかい大利根町あたりから、掛川に領地を移した武士団がいることがわかった。さて、その武士団に連れられて移った治水関係の技術者の末裔か、と思うことにした。これらは空想の連続で、まったく「大学的」ではないが、自由な発想から学問は楽しくなる、と許していただこう。鬼怒川と小貝川の歴史を振り返ることは、私にとって必然の出会いだったのだ。

(9) 桑子敏雄『生命と風景の哲学』岩波書店、二〇一三年

災害の被害を忘れないこと。そのためには伝え続けなければならない。それがたとえヤマタノオロチのような伝説であっても、事実に基づく口伝であっても、現代の技術を駆使した写真や映像やテレビドラマであっても、文字の記録であっても、あらゆる手段をもって、伝え続けられなければならない。人生の大半を報道機関にいた私が、大学においてまた別の手法と視点によって伝え続ける機会を得ていることもまた、愉快なことだと思っている。それぞれの日々の体験と災害の記憶を結びづけて伝えていくことは誰にでもできる。本章を読んだ一人一人、つまりあなたもいまから、二つの大水害の記憶の「伝え手」になったのである。

column

堤防の高さの「都市伝説」

龍崎　孝

二〇一六年に流通経済大学に赴任して間もないころ、龍ケ崎市内で行われた講演会に講師として招かれた。二〇一一年の東日本大震災に関わる災害がテーマだったが、講演終了後の質問時間になって、ある男性が手をあげた。「水害についてお聞きしたいのですが、利根川の堤防の高さは、茨城県側のほうが東京側より低いというのは本当ですか」という質問であった。利根川の左岸は茨城県、右岸は東京都に隣接する埼玉・千葉県である。つまり、ひとたび川が氾濫すれば、必ず茨城県側に溢水するように構造されている、ということか。「都市伝説のようなお話ですが……」と受けつつ、宿題にさせていただいた。

そのような「都市伝説」が存在するのは、それを生み出す歴史があるからだ。江戸時代から、利根川右岸を死守すること」つまり首都東京（江戸）を壊滅的な洪水被害から守ることが政府（江戸幕府）＝国家の利根川治水策の根幹であったという。[1] 一九四七（昭和二二）年九月、カスリーン台風がもたらした大雨によって、利根川右岸が決壊し、濁流が埼玉県を南下した。防衛線として期待された東武野田線（現アーバンパークライン）の線路の盛り土を乗り越えた水は、現在の三郷市、越谷市、吉川市付近を水没させた。そこで占領下の政府がGHQに依頼したのが、江戸川の右岸堤防を爆破し、洪水を江戸川に逃す作戦だった。しかし、堤防破壊は遅々として進まず、結局、利根川からの濁流は葛飾、江戸川、足立の三区に浸水し、東京湾へと流れ込んだのである。

果たして、本当に利根川左岸の堤防は低いのだろうか。龍ケ崎市によると、[2] 堤防の高さは東京湾の平均海面（TP）を基準とした、計画高水位＝洪水想定時の最高水位に「余裕高」を加えて決定される。利根川は二〇〇年に一度の大雨、小貝川は一〇〇年に一度の大雨を想定して算出されるから、重要な河川ほど厳しい条件の下で、より安全性を確保する準備がなされる。この説明内には右岸と左岸の差は示されていない。右岸と左岸地域の高低差があったとしても、TPを基準にすれば堤防の高さに差は出ないはずである。ただ川が持つ本来の流れていく方向性（傾き）というものから考えれば、少なくとも小貝川の場合、右岸より左岸のほうがよりリスクが高いことは歴史が証明している。

千葉県内で行った別の講演会の後、会場の方に次のような話を聞いたことがある。

それは「戦後のことです。川に氾濫の危機が迫ると、右岸、左岸に高張提灯がずらりと並ぶ。夜になって濁流の音と提灯の明かりしかみえなくなる。ある瞬間、対岸の提灯が次々と消えていく。それは向こうの堤防が決壊し、提灯が濁流に飲み込まれていく瞬間なんです。自分たちの農地は助かったという思いと申し訳ない気持ちでどよめきが起きました」というものである。

「堤防の彼我で、その後の暮らしは明暗を分ける。茨城県のことです」と話していたから、鬼怒川であったか小貝川であったのか。この「都市伝説」には命の重みがかかっている。

〔注〕

（1）高崎哲郎「カスリーン台風」宮村忠監修『アーカイブス利根川』信山社サイテック、二〇〇一年、九七頁

（2）龍ケ崎市ＨＰ「堤防の高さはどのようにして決められるか」(https://www.city.ryugasaki.ibaraki.jp/anzen/bousai/bousai_yomimono/bousai/2013081503252.html　二〇二三年八月一日閲覧)

受け継がれる伝統的行事——撞舞の継承

——田簑健太郎

はじめに——奇祭と呼ばれる撞舞（つくまい）

日本をはじめ世界には数多くの伝統的行事が存在している。それらは多くの場合、祭礼行事に関連して行われることになる。たとえば、日本では草相撲や綱引き、闘牛や闘鶏など数多くの伝統的な民俗スポーツが現在も祭礼行事の一部として行われている。また、それらの伝統的行事や民俗スポーツに与えられた（あるいは、期待された）役割は、五穀豊穣や無病息災の祈願もしくは豊凶占いが大半である。さらに、民俗スポーツの範疇として取り扱うことが適当であるかどうかの議論の余地は残されているものの、雨乞いの儀式として行われる蜘蛛舞のような、アクロバティックな身体文化も確認することができる。

しかし、日本ではそれらの伝統的行事も国全体が抱える少子高齢化の波に飲み込まれており、担い手問題を抱えながら今日に至っている。

そもそも、伝統的行事は記憶を記録し、受け継いでほしいと思う人とそれを受け継ごうとする人がいてはじめて継承される。

そこで本章では茨城県龍ケ崎市の撞舞（つくまい）（毎年七月の最終の週末三日間に実施）を取りあげ、伝統的行事がどのように受け継がれているのかみていくこととする。

龍ケ崎市は日本が抱える少子高齢化問題を体現しているような町といえ、そのなかで何とか今日にいたるまで継承されてきているのが撞舞である。そして現在、継承のために欠かせない存在が、地元にある大学の学生であり、その存在はますます大きくなっている。

それらを踏まえたうえで、以下では龍ケ崎市の撞舞を対象にしつつ、撞舞を包含する八坂神社の祭礼行事全体に対しても目を配りながら、伝統行事の継承について考えていきたい。

1 龍ケ崎市の歴史と現在――変わりゆく町

まずは、龍ケ崎市の概要についてみておきたい。龍ケ崎市は茨城県の県南地区に位置し、現在の人口は七万五三三三人である[1]。周囲を牛久市・人口八万四一三四人[2]、稲敷市・人口三万七八八六人[3]、取手市・人口一〇万五八九四人[4]、利根町・人口一万五三四〇人[5]、河内町・人口八二六六人[6]に囲まれている（表1）[7]。

（1）龍ケ崎市HP「龍ケ崎市の人口・世帯数」(https://www.city.ryugasaki.ibaraki.jp/shisei/gaiyo/jinkou.html 二〇二三年八月一日閲覧)

（2）牛久市HP「牛久市の人口」(https://www.city.ushiku.lg.jp/page/dir008020.html 二〇二三年七月四日閲覧)

（3）稲敷市HP「稲敷市の人口・世帯数」(https://www.city.inashiki.

表1　龍ケ崎市と周辺自治体の人口（それぞれの自治体が公表しているものから作成）

	龍ケ崎市	牛久市	稲敷市	取手市	利根町	河内町
人口（人）	75,383	84,134	37,886	105,894	15,340	8,266
基準日	23年8月1日	23年7月4日	23年8月1日	23年7月1日	23年8月1日	22年7月末

ちなみに、二〇一〇年の龍ケ崎市の人口は八万三三四人[8]であったので、一三年間で五〇〇〇人の人口減少である。

龍ケ崎市は、旧龍ケ崎町に町外の六か村（大宮・長戸・八原・馴柴・川原代・北文間）が合併して一九五四年に誕生した。一九七七年にはニュータウン建設の工事が開始され、一九八一年から分譲が開始された。人口は順調に伸びていったが、二〇一〇年をピークに減少している[9]。

また、「老年人口（六五歳以上）は、増加傾向[10]」と指摘されているように数字のうえでも高齢者の増加を確認することができる。加えて「典型的な少子高齢化が見られ、二〇四五年の社人研の人口推計値によると、生産年齢人口と老年人口がほぼ一対一になる[11]」とも指摘されている通り、少子化も大きな課題となっているのが龍ケ崎市の現状である。

一方、龍ケ崎市は古くから商業都市として発展し、中心市街地には国・県の行政や教育施設も数多くあり、かつては龍ケ崎市周辺の住民も多く往来していた。しかし、ライフスタイルの変化などにより、中心市街地から離れた場所に大型店舗が建設されたほか、中心市街地の商業機能の低下や居住人口の減少、後継者問題などによって関東鉄道竜ケ崎線の竜ヶ崎駅から伸びる約一・八キロメートルの商店街は、いわゆるシャッター通りとなってしまっている。

加えて、商店街には買い物客のための駐車場がなく、車で買い物に行く人々は必然的に駐車場が完備された大型店舗を利用することになった

lg.jp/page/page004219.html　二〇二三年八月一日閲覧）

（4）　取手市ＨＰ「最新の人口」(http://www.city.toride.ibaraki.jp/seisaku/shise/shokai/profile/saishinjinko.html　二〇二三年七月一日閲覧）

（5）　利根町ＨＰ「利根町の人口と世帯」(https://www.town.tone.ibaraki.jp/page/page001871.html　二〇二三年八月一日閲覧）

（6）　河内町ＨＰ「人口・世帯」(https://www.town.ibaraki-kawachi.lg.jp/page/page000054.html　二〇二三年七月三一日閲覧）

（7）　前掲サイト（1）から（6）と（8）をもとに筆者作成。基準日は各自治体の表示の通り。

（8）　茨城県ＨＰ「市町村のデータ（龍ケ崎市）」(https://www.pref.ibaraki.jp/kikaku/tokei/fukyu/tokei/sugata/local/ryugasaki.html　二〇二三年一二月一日閲覧）

（9）　「龍ケ崎市人口ビジョン（二〇二二年度改訂版）」二〇二二年一二月

（10）　前掲書（9）

（11）　前掲書（9）

ことも大きな要因といえよう。

龍ケ崎市在住の人々からよく聞くのは、「昔は龍ケ崎市周辺の人たちが龍ケ崎市に来るのが楽しみだった。それだけ龍ケ崎市は栄えていたんだ」ということである[12]。

逆にいえば、現在は龍ケ崎市よりもその周辺の方が栄えているのである。つまり、龍ケ崎市に向かっていたベクトルが、現在は龍ケ崎市外に向かっているといえる。

2 撞舞の概要

撞舞の起源は明確でないものの、一七九二（寛政四）年の『天王社祭礼式記帳』のなかに「上町半助」という舞男（まいおとこ）の装飾に関する記載があるほか、舞男が被った古い面に「天王町安政二年〔一八五五〕乙卯六月吉日　上辻中下組」と記されていることから[13]、二〇〇年以上の歴史を持つ伝統的行事といえる。また「柱や綱の上で、雨蛙の姿をした舞男がさまざまな妙技を行う伝統芸能です。この舞には、雨乞いや五穀豊穣（＝豊作を祈ること）、疫病除け等の願いが込められています。撞舞は中国から奈良時代に伝わった散楽（軽業・奇術・滑稽物真似に音楽を伴った雑多な芸能）が神前で行われる芸能となり時代とともに地方に伝えられ、庶民生活と密着して変化したものと考えられています。龍ケ崎の場合は、水田地帯であり人々の雨乞いや五穀豊穣等の願いがつけ加えられ、現在の撞舞になったと考えられています」と解説されている[14]。

また、一九九九年一二月三日に国選択無形民俗文化財（＝記録作成等の措置を講ずべき無

（12）筆者によるS氏への聞き取り
（13）龍ケ崎市歴史民俗資料館HP「撞舞解説」(https://www.ryureki.org/%E6%92%9E%E8%88%9E-%E3%81%A4%E3%81%8F%E3%81%8F%E3%81%BE%E3%81%84/　二〇二三年一二月九日)
（14）前掲サイト（13）

形の民俗文化財）の採択を受け、二〇一〇年一一月一八日に茨城県無形民俗文化財の指定を受けている。

撞舞で使用する「つく柱」は、高さ一四メートルの先端部分に円座をつけて、先に組んだ櫓に立て、円座の下から地面まで綱が張られる。つく柱の材料は杉である。つく柱を登り、円座で演技する人を「舞男」と呼び、舞男の演技で観客はおおいに湧くのである。

演技のなかでもクライマックスは二か所あり、一つは円座上で弓を射る「四方払い」で（図1）、もう一つは円座の下から地面へ張られた綱を使って曲芸をする場面である（図2）。この演技をみると、郷土史家の古谷津が撞舞と蜘蛛舞を結びつけたように、蜘蛛舞との関係を推測したくなろう[15]。

撞舞終了後は、馬追行事が行われる。つく柱が設置されている道路を四往復しながら、

図1　龍ケ崎市「撞舞（四方払い）」（2023年、筆者撮影）

図2　龍ケ崎市「撞舞（綱の曲芸）」（2023年、筆者撮影）

（15）古谷津順郎『つく舞考』岩田書院、二〇〇二年

最終的には八坂神社境内まで馬を曳いていく。

また、八坂神社の例祭は三日間行われ、その期間を通して獅子舞巡行が行われるほか、各町内会から神輿が出される。二〇二三年は米町、根町、上町、横町、下町、羽原町のほか、子ども神輿が出された。

この三日間は撞舞が行われる撞舞通りだけでなく、市内の商店街には数多くの出店が立ちならび、多くの人で埋め尽くされ、身動きができないほどである。

日常的には閑散としている商店街の通りがここまで多くの人々で埋め尽くされる要因の一つとしてあげられるのは、市の商工観光課のPRや政策である。

商工観光課では、毎年、撞舞のポスターを作成し、市内中に掲示するとともに、二〇〇六年には先述した撞舞通りを整備した。この撞舞通りには、歴代舞男の名前や何代目に務めたかを記したプレートが埋め込まれており、これまでの舞男の歴史が一目瞭然となっている。

さらに、五月はじめから七月の撞舞本番までの日曜日には、市役所の駐車場脇に、練習用のつく柱を立て、舞男が練習する。一九七三年からは、龍ケ崎撞舞保存会の依頼を受け、龍ケ崎鳶職組合のメンバーから舞男が選出されている。

八坂神社の例祭期間中を通して集まる人々は、およそ一五万人ともいわれており、人口約七万五〇〇〇人の町にこれだけの人が訪れることによる経済効果が非常に高いことは、容易に想像することができる。

一方、八坂神社の祭礼行事は親から子へ、子から孫へと受け継がれてきたが、基本的な運営母体は町内会であり、これまで輪番制で担ってきた。そして、撞舞のみが撞舞保存会によって運営されてきたのである。
ちなみに、撞舞は龍ケ崎だけではなく、類似の伝統的行事が千葉県野田市、旭町、多古町でも実施されている。以下に簡単にみておくが、いずれも年々実施するのが厳しくなっており、規模だけをみれば、龍ケ崎市の撞舞がほかの伝統的行事を大きく上回っている。

千葉県野田市の津久舞

龍ケ崎市の撞舞と同音異字で実施されているのが、野田市の「津久舞」である（図3）。野田市の須賀神社で行われる祭礼は毎年七月一五日から三日間行われるが、津久舞は一六日に実施される。

基本的に龍ケ崎市の撞舞と演技や流れは同じであるが、龍ケ崎市の舞男に対し、野田市

図3　千葉県野田市「津久舞」（2012年、筆者撮影）

図4　千葉県野田市「津久舞」の重次郎（2012年、筆者撮影）

図5　千葉県旭市「エンヤーホー」つく柱（2012年、田畑亨撮影）

図6　千葉県旭市「エンヤーホー」舞台での無言劇（2012年、田畑亨撮影）

では、「重次郎」と呼ばれる者が演技をする（図4）。なぜ、龍ケ崎市と同じ演技なのか正確なことはわかっていないが、一九五四年に龍ケ崎市の瀬尾重男（歴代舞男の一人）がしばらく中断されていた野田市へ招聘され復活したことや、もっとさかのぼれば、一九三三年に稲敷郡生板村の東郷辰五郎に依頼、復活したことが関係しているかもしれないと伝えられている。[16]

(16) 前掲サイト(13)

千葉県旭市のエンヤーホー

旭市の太田八坂神社で行われる「エンヤーホー」は（図5）、毎年七月二七日の祭礼において行われており、旭市のホームページでは、「神事『つく舞』の通称で、『陰陽法（いんようほう）』の掛け声が転化したものといわれ、無言劇と高い柱上で演じられるさまざまな軽業で構成されています」と紹介されている[17](図6)。

龍ケ崎市、野田市と大きく異なる点は登場する役者である。両市が「舞男」「重次郎」だけであるのに対して、「旦那」「おかめ」「ひょっとこ」「赤獅子」「青獅子」「かまきり」「みみずく」「しか」「つる」「のぼり獅子」の一〇名が登場する。

(17) 千葉県旭町HP「太田八坂神社のエンヤーホー」(https://www.city.asahi.lg.jp/soshiki/14/2397.html 二〇二三年一二月九日)

千葉県香取郡多古町のしいかご舞

香取郡多古町では、八坂神社の祭礼が多古祇園祭として、七月二五日と二六日の二日間行われる。「しいかご舞」は二日目の二六日に実施される(図7)。旭市の太田八坂神社で行われる「エンヤーホー」と同様に、登場する役者が多く、氏子三町(本町、新町、仲町)から選ばれた一〇名が猿・獅子・鹿・雨蛙(形により「まんじゅう」と呼ばれる)の面をつけ、舞台上で囃子に合わせながら、床板を踏みならして乱舞する。

また、しいかご舞は、一九七五年に千葉県から無形民俗文化財の指定を受けており、豊作・無病息災・雨乞い等の願いが込められているという。

図7　千葉県香取郡多古町「しいかご舞」舞台(2012年、筆者撮影)

しいかご舞のほかに、多古祇園祭を賑わせるイベントがある。それは、江戸時代から続いており、一八三九（天保一〇）年に作られたという新町の山車や、本町・仲町・高根の各町から繰り出された山車が辻（交差点）に集まり、豪華な山車の上で日本舞踊を下座連（お囃子）に合わせて競演する催しである。

3　撞舞の継承――高齢化が投げかける問題

先述した通り、撞舞は国選択無形民俗文化財として採択、茨城県無形民俗文化財の指定を受けているが、伝統的な民俗芸能をはじめ、祭礼行事や民俗スポーツなど、数多くのものが国や都道府県に「重要有形文化財」や「重要無形文化財」として指定されている。指定されることで、将来にわたって保存されることとなるが、保護される根拠となるのは文化財保護法である。そのなかでもとりわけ、祭礼行事やスポーツに関わるものは、「民俗文化財」および「無形文化財」である。[18]

「民俗文化財」とは、人々が日常生活のなかで生み出し、継承してきた有形・無形の伝承で人々のこれまでの生活を残すものであり、「無形文化財」とは、人間の「わざ」そのものであり、具体的にはそのわざを体得した個人または個人の集団によって体現されるものをいう。

つまり、撞舞は八坂神社の例祭の一部として実施されながら、無形民俗文化財として維持・保存されることが求められているのである。

（18）文化庁ＨＰ「文化財の紹介」(https://www.bunka.go.jp/seisaku/bunkazai/shokai/index.html　二〇二三年一二月九日)

二〇二〇年と二〇二一年は新型コロナウイルス感染症のために撞舞だけでなく八坂神社の例祭そのものが中止され、二〇二二年度は撞舞のみ実施されたものの、八坂神社の例祭は中止された。

新型コロナウイルス感染症流行以前は龍ケ崎市内の米町、根町、上町、下町、横町などの町内会の輪番制で運営されたきたが、二〇二三年から八坂神社の例祭は、「実行委員会」によって運営されることになった。

これは、それぞれの町内会において高齢化が進み、担うことができなくなってきたからである。撞舞そのものは、鳶職組合の職人によって受け継がれてきているとはいえ、祭礼行事全体としてみれば、龍ケ崎市の高齢化はとりもなおさず八坂神社の祭礼を運営する組織の高齢化といえる。

これまでにも輪番制で担当が回ってきた際に、運営することが困難であるために順番をとばす当番町が少なからずあったが、その数が増加してきたことにより、結局、同じ町内会が毎年運営することになるため、実質的に輪番制が崩壊したといえる。

そこで考えられたのが、「実行委員会」である。実行委員会には実行委員長を置き、そのもとに各部門（本部、警備、御神輿などの行事、町内会への連絡等）が置かれる。実行委員会は毎月開催され、意見交換と情報共有がなされる。

実行委員会には市内にある大学の教員が委員として加わっている。これは、高齢化によって担い手が不足した部門への大学生の参加を期待してのことである。つまり、撞舞は民俗文化財として、その継承が求められているにもかかわらず、その運営母体となる町内会の輪番制が維持できず、実行委員会による運営に引き継がれているのである。

とりわけ、体力を要する神輿の担ぎ手と獅子舞巡行には、多くの人手が必要であり、大学生に大きな期待が寄せられている。

一方、大学生に聞くと、神輿を担いだ経験のない人が大半である。加えて、盆踊りの経験がない人もいる。それでも大学生にとっては地域の人々との関係を築いたり、神輿を担いだりすることは良い機会であるとともに、大学の地域貢献の観点からも有意義だと判断し、八坂神社の例祭に参加させることになった。

しかし、大学生に神輿を担いでもらうことにより、神輿そのものは出すことができても、それだけでは神輿を担ぐ意味は大学生に伝わらない。さらには八坂神社の例祭全体を通して、神輿だけでなく撞舞、獅子舞巡行がいったいどのような意味を持つのか。このことをしっかりと大学生に教えなければ、何も継承されず、単なるマンパワーの充足でしかない。

八坂神社の宮司は当然のことながらすべてを理解したうえで運営にあたるが、氏子の人々のなかにはこの点についてよく理解しておらず、長年にわたってやってきたことを繰り返しているにすぎない人も皆無ではないようである。

もっといえば、大学生が参加することで、高齢化により人手が不足していることは解消できるとしても、基本的に大学生は四年のサイクルで代わっていく。しかも、地縁関係や血縁関係などはまったくないことも多い。そうした大学生に八坂神社の例祭における種々の行事を継承することができるかは今後の大きな課題といえる。

過去から続いてきた人間の営みである伝統的行事を将来に残すことは重要であるが、結局、人間が継承することになる以上、社会・経済の動きと切り離すことは難しく、今後、どういった制度設計が考えられるのか、関係者による真摯な議論が待たれるところである。

おわりに――伝統行事の継承

本章では、茨城県龍ケ崎市で行われている八坂神社の祭礼行事に組み込まれている撞舞を中心にみてきた。龍ケ崎市が少子高齢化の波に飲み込まれていることはいうまでもないが、撞舞を含む八坂神社の祭礼行事は運営母体を変えてでも何とか後世に残そうという試みを確認することができたと同時に、龍ケ崎市における「観光資源」として捉えることができる。

そうしたなか、市内にいる大学生を抜きにして種々の伝統的行事を維持することは難しく、これからも大学生のパワーが必要になるであろう。

一方、先述した通り、大学生は地域の人々にとっては、「市内の大学生」というだけであり、地縁関係や血縁関係にある存在ではない。そうした大学生に何をどのように伝え継承していってもらうのか、真剣に検討しなければならない岐路に立っているといえよう。

ともあれ、新型コロナウイルス感染症を乗り越え、少子高齢化の波に抗いながら、都心からもそう遠くない場所にひっそりとであるが、長く続く伝統を継承している熱い伝統的行事が龍ケ崎市にはあるのである。

〔参考文献〕
内堀基光・菅原和孝・印東道子編『資源人類学』放送大学教育振興会、二〇〇七年

column

膳場貴子と行く「牛久入管」

西田善行

二〇二一年、名古屋出入国在留管理局（通称名古屋入管）でスリランカ人女性が死亡する事件が起きた。その後、国会では入国管理法の改正案が審議されたが、この問題を受け廃案となった。しかし、二〇二三年、この法案は修正が施されて再度審議され可決された。この間、メディアでは連日のように入国管理に関する問題を報じていた。そんななか、筆者は流通経済大学の学生数名を連れ、ニュースキャスターの膳場貴子氏とともに茨城県牛久市の東日本入国管理センター（通称牛久入管）を訪問した（図1）。

牛久入管は、母国に帰ると身の危険がおよぶ可能性がある難民申請者や、超過滞在（オーバーステイ）などによって在留資格を持たない人々が収容されている。二〇一四年に、カメルーン人男性が死亡する事件が起きたほか、二〇二二年には、この入管を取りあげたドキュメンタリー映画『牛久』（トーマス・アッシュ監督）が公開された。

図1　東日本入国管理センター（2023年、押切大晟氏撮影）

牛久入管は、筆者が勤めている流通経済大学の龍ケ崎キャンパスから車でおよそ二〇分、教室から眺めることのできる牛久大仏のほど近くにある。東日本入国管理センターのパンフレットにも牛久大仏が写されている。日ごろ通っている大学と目と鼻の先に入管と大仏がともにあるが、「ちばらき」の象徴ともいえる牛久大仏が常に意識化される一方で、樹々に覆われた入管は、視覚的にも象徴的にも日ごろ我々から隔絶された「見えない存在」として意識から遠ざけられている。

二〇二三年五月一七日の朝、大学最寄りの龍ケ崎市駅で学生たちと待ち合わせをし、バスで牛久入管に向かった。龍ケ崎のニュータウンを通り抜け、森と田畑、そしてゴルフ場と小さな集落が点在する道を突き進むことおよそ二〇分、国内で最も広い少年院である茨城農芸学院と道を挟んで向かいにあるのが牛久入管である。牛久入管はその茨城農芸学院の敷地に一九九三年に建てられた。当初横浜にあった施設の老朽化などにより、成田空港に近い牛久が選ばれた。実際最寄りの阿見東インターから成田空港までは、車で三〇分ほどの距離である。

今回の訪問では、長年にわたり牛久入管の収容者を支援してきた「牛久入管収容所問題を考える会」代表・田中喜美子氏の協力のもと、膳場氏が四名の収容者と面会し、収容されるに至った経緯や収容所の様子などを聞いた。

その間、筆者は学生たちとともに、入国管理センターの運営や収容者の生活様態などについて、センター職員から動画やパンフレットをもとに説明を受けた。パンフレットには「人権に配慮」「健康状態や宗教に配慮」などの文字がならび、劣悪な環境だと受け取られている収容所のイメージを払しょくしようとしていることがわかる。見学が許されている面会の待合室などもみて回った（図2）。ただし、新型コロナウイルス感染症対策もあって、見学が可能な場は非常に限られていたし、入管職員への質疑の時間などもなかった。そして国会の審議が進むなかで訪れた我々に対する入管側の警戒感は、ひしひしと伝わってきた。

図2　入管内の待合室で案内をみる学生たち（2023年、押切大晟氏撮影）

その後、筆者と学生は、流通経済大学の龍ケ崎キャンパスへと向かった。龍ケ崎キャンパスでは、膳場氏と収容者支援の第一人者で、牛久入管ができたころから活動を続けている田中氏を囲んだ座談会が行われた。そこでは膳場氏が面会した四名の収容者が話したことや、面会室の印象などが語られた（図3）。

膳場氏によれば、面会室はパンフレットにあるような明るくきれいな場ではなく、古く薄暗い場所で印象が異なるものであったという。これに関して田中氏は、収容者から聞いた話として、シャワー室にカビがあったり、

図3　座談会で報告をする田中氏と膳場氏（2023年、押切大晟氏撮影）

食事も一週間単位で同じものが繰り返されたりするといったことも、長期収容者にはつらいものだと語ってくれた。

　膳場氏が面会した収容者は、パキスタン国籍でカシミール地方出身の難民申請者、イランからきた兄弟、マレーシアからの出稼ぎ労働者と多様な出自を持っていた。

　カシミール地方出身の男性は、八年間に渡り牛久入管に収容されている長期収容者であった。彼はカシミールの独立運動に参加しており、身の安全のために来日し難民申請をしている。男性は入管への抗議の意味で、入管から出された食事をとらず、支援者などから差し入れられたもののみを食べている。そして収容された八年間で四五キロやせ、歩行もままならないため車椅子を使用している。男性から語られたのは、入管の理不尽で不合理な対応への憤りであった。たとえば、手を骨折したにもかかわらず通院させてもらえなかったという、医療放置があったことが語られている。

　一方で、イランから来た収容されて半年の兄弟は、それぞれ糖尿病や高血圧などの持病を抱えているが、病院で出された薬を服用したり、緊急搬送も二回されていたりと、適切な医療行為を受けている。最近はメディアから注目されていることもあり、比較的改善されているところもあることがわかる。田中氏によれば、収容所でも新聞やテレビを比較的自由にみることができ、必ずしもメディアの報道で連想されるような「刑務所」のようなところではない。

　座談会では、参加した学生から数多くの質問が寄せられた。入管側の人権意識や、日本維新の会の議員による国会質問[1]をどう思うか？　といった質問に対し、田中氏は一〇〇年前の関東大震災の際に起こった朝鮮人への虐殺やその後の戦争へと向かった社会状況を思い起こすべきだと語り、今の時代状況への危惧が感じられた。

また、入管の実態について、どうすれば多くの人に知ってもらえるのか？　という質問もあった。これについて膳場氏は報道を担う立場として、もちろんこうした実態を伝えていくことも大切だが、収容者に実際に会ってみることでその実態をよく知ることができるので、ぜひ田中氏ら支援者と一緒に会ってみて欲しいと語った。

牛久入管から大学に向かう途中、バスの運転手に頼み、牛久大仏と阿見プレミアムアウトレットを通過してもらった。多くの人々が観光や買い物に訪れる開かれた場所のすぐ近くに、社会的に注目を集めながらも閉ざされた場所である入管が存在していることを、学生に実感してもらいたかったからだ。

ちなみに入管は、必ずしも外部から完全に閉ざされた場所ではない。収容者の希望があれば面会は可能であるし、事前に申請をすれば今回のような見学もできる。日本の入国管理の現状を学ぶ一助として、関心を持った方は、ぜひ足を運んでみて欲しい。

〔注〕

（1）二〇二三年五月、日本維新の会所属の参議院議員が、入管難民法改正案の審議で、名古屋入管で亡くなった女性について「支援者が「病気になれば仮釈放してもらえる」と期待させたのでは」という趣旨の質問を行った。

「ちばらき」のことば
──「ごじゃっぺ」だっぺ？──

秋山智美

はじめに──「ちばらき」のことば

日常の生活のなかで発生した地域ごとに特徴のあることばを「方言」という。元来、方言とは「ある一定の地域のみで話されることば」を意味していたが、現在では「ある地域で話されていることば」の発音やアクセントや文法も含めて「方言」という。方言は、古来その地域で話されているものが多く、現在まで至るものも意味する。いわば「地域のことば」である。[1] 一方で「新方言」といった新しい方言もある。たとえば、「めっちゃ～」や「～じゃん」などである。[2] 身近に多く存在し、共通語であると思っていることばもじつは方言であることも多い。それだけ、方言は我々の生活に馴染んでいるのである。ただ、

（1） 早野慎吾『首都圏の言語生態──関東篇（地域語の生態シリーズ）』おうふう、一九九六年、六頁

（2） 井上史雄『新しい日本語──〈新方言〉の分布と変化』明治書院、一九八五年

近年ではインターネットの普及や交通網の発達、ライフスタイルの変化などにより方言は残りづらくなってきている。地域とことばは密接に関わるのである。

さて、「ちばらき」のことばといえば茨城県の方言のイメージが強く、千葉県の方言はないように思うだろう。したがって「ちばらき」のことばということで括るのであれば、茨城県の方言を主に取りあげるほうがわかりやすい。茨城県の方言は、ほかの地域方言と同様に若年層を中心に使われなくなってきている。ただ、観光を中心に、ふるさとのことばとしてイベントや特産物、広告などの広い媒体でとりあげられ「茨城らしさ」を示すメルクマールとしての役割を担っている。本章では、「ちばらき」のことばとして想起される茨城のことばの現在を、その特徴や使用実態をあげて紹介する。

1　茨城のことばの特徴

汚い？　強い？　茨城のことば

まず、北関東に位置する茨城県は、東北の方言的特徴の影響が強い。全体として音声や文法の県内の地域差は少ない。

茨城県の人は、県外の人と話していて、「怒っているの？」と尋ねられることもある。茨城県出身の当人たちはそのようなつもりはないのであるが、言葉のせいで誤解されやすい。茨城弁を研究する根本亮によると、水戸の人々の性格は「三ポイ」といわれることもある。[3]「三ポイ」とは「ポイ」が終わりにつくことばだ。「りくつっポイ」「骨っポイ」「お

（3）根本亮「茨城県の県民性」『茨城弁今昔——茨城方言の成立と展開』崙書房出版、一九八七年、一七頁

こりっポイ」である。人によってはほかにもあるだろう。たとえば「愛想がない」「情緒的ではない」とか等々という。[4] これは水戸だけでなく、茨城県全体の印象にも通じるだろう。強い語気の話し方が、県外の人にそういった無骨な印象を与えることがあるのかもしれない。

茨城のことばの特徴

まず、特徴として、接頭語や接尾語の使用が多い。東北方言の特徴である「オッピロゲル（＝広げる）」「ブッタタク（＝叩く）」といった接頭語「おっ」や「ぶっ」の使用が多いといったことも茨城の方言である。その他「おん」や「かっ」「ぶん」などである。たとえば「おんのめる（＝埋める）」「かっちらかす（＝散らかす）」「ぶんまわす（＝まわす）」といったように使う。語彙については、地域差があるが県西や県南は関東方言の特色を有しており、県北は東北方言の特色を有している。接尾語では「すか」や「め」が特徴である。擬音語や擬態語＋「すか」で「ぽこすかぽこすか」といったように使う。動物や虫の名の末尾に「め」をつけることも高齢層ではみられる。

例）「うちの猫めが、ぽこすかぽこすか子ども産んでよ、しゃめーよー（＝猫が、ポコポコ子猫を産んでね、仕方ないよ）」

動詞の一段化の有無も特徴の一つである。カ行変格活用の動詞「来る」の否定形は「来（き）ねえ」のように一段活用化が進んでいるが、命令形は「来（こ）ーよ」である。

敬語表現は少ないが、文末につく「〜しょ」や「〜やんす」は県北の高齢層で使用がみられる。

（4）根本亮、前掲書（3）、一七頁

例）「おばんでやんす（＝こんばんは）」「行くんしょ（＝行くのでしょう）」

助詞でいうと「を」の意味で「～ごど」、「と」の意味で「～り」が使われることがある。「これごど持ってんて（＝これを持って行って）」といったように使われる。

現在では「～ちった（＝てしまった）」といった助動詞は関東の若年層でもよく使われているが、茨城県では以前から使われてており、九〇歳以上の高齢者（大正生まれ）にもその使用はみられるようである。

接尾語ではオノマトペに接続するもので「すか（すっか）」がある。「ぎゃーすかうるせえな」や「ぐーすか寝てっからそっとしといてやれ」といったように使い、「猫がよ、ぽこすかぽこすか子ども産んでよ」の「ぽこすかぽこすか」のように繰り返しが使われることも多い。

茨城県のことばの特徴としては、無アクセント、カ行やサ行、タ行の濁音化もあげられる。茨城県の位置は、関東と東北の中間にあり、両地域の方言的特色を有している。[5]全体としては音声や文法の地域差は少ない。東北方言の特色であるカ行やサ行、タ行の濁音化も県西や県南を除き、ほぼ全域でみられる。たとえば、語中や語尾にあるカ行やサ行、タ行の清音が濁音化することで、「柿（かき）」は「柿（かぎ）」になり、「水戸（みと）」は「水戸（みど）」になる。アクセントは、県西を除いて、「柿」と「牡蠣」といった同音異義語のアクセントの高低を意識しない無アクセントである。これらの特徴は東北地方の南部方言の特徴とほぼ一致する。話し手にアクセントの型意識がなく、音の高低が一定しない場合は無アクセント（崩壊アクセント、平板一型アクセント）という。無アクセントでも独自のイントネーションはある。ちなみに、主に無アクセント地域に隣接する地方などでは二型

（5）語彙については次の文献が詳しい。赤城毅彦『茨城方言民俗語辞典』東京堂出版、一九九一年。

以上の型はあっても話し手の型意識が不安定になりやすく、曖昧なアクセントということがある。

2　関東「べい」ことば

地理的な要因

関東地方の方言は、大別すると北関東（栃木県、茨城県、群馬県、その他・埼玉県の一部）と南関東（東京都、千葉県、神奈川県、山梨県東部）の二つである。北関東では、隣接する東北地方のイントネーションやアクセントと類似する。また、全体としては音声や文法の地域差は少ない。一方で、南関東では東京方言や関東方言、近畿方言などが混合したことばで、共通語のもとになっている。茨城県のことばを述べるうえでは、北関東の大水上山（おおみなかみやま）を源流とし、日本第二位の長さを誇る利根川の影響は大きい。千葉県と区別されるのは過去よりこの利根川が大きな要因であった。

関東「べい」ことば

東北のことばや茨城県のことばというと文末に「〜べ」がつく関東「べい」ことばが有名である。この「べいべい」ことばは生活語として機能している。助動詞「べし」から派生し、「べ」や「ぺ」に変化したものである。「べし」はそもそも奈良〜平安時代によく使われており、現在でも使われている。国語学者である山田孝雄によると、それは「漢籍に用いられたものによりて直接に移植されしものなるべきなり」という。[6]「べし」から変化して伝わる「べい」は「べき」の音便である。推量(〜だろう)を示す「べし」の活用は、「べし、べく、べし、べき、べけれ」である。

体言に接続する場合には「〜だっぺ」である。「べし」の助動詞としての意味としては推量(〜だろう)・意志(〜しよう)・可能(〜できる)・当然(〜すべきだ)・命令(〜せよ)・適当(〜がよい)のように多岐にわたる。「べ」や「べい」は、東京や横浜のような都会では使われていないが、茨城県とその近隣のほか関東地方では広く使われている。現在でも仲間うちで「行くべー(=行こう)」というような使用は関東でみられる。なお、かつて江戸(東京)にいた人々にとって身近な農民のことばは、東北〜東関東、東京都下や埼玉のことばであったため、落語や芝居に登場する田舎者のことばには「べい」が語末につくとされている。現代でもそのような「べい」ことばが、アニメや漫画でも引き継がれているようである。

3 ことばの調査――使用と意識

二〇一八年一〇月(追加調査二〇二三年七月)に、名詞や動詞を中心に副詞なども含める四〇語を選定し、その使用率と意識を尋ねるアンケート調査を行った。[7]被調査者は、茨城県の市町村役場に勤務する一〇代から八〇代の職員、嘱託職員計一七八〇人である。[8]役場に依頼した理由としては、市町村役場職員(地方公務員)は地元や近隣地域で生まれ、そ

(6) 山田孝雄『漢文の訓読によりて伝へられたる語法』宝文館出版、一九七〇年、一一二頁

(7) 秋山智美「茨城方言の使用に関する性差・年齢差・地域差(一)」『流通経済大学社会学部論叢』第二九巻二号、一七三―一八六頁

(8) 回答者の性別として、男性は一〇九〇人、女性は六六〇人、無回答は三〇人。年代は一〇代から八〇代。

(9) 選定したことばは次の通りである。あおなじみ(=青あざ)、あます(=吐く)、あまだ(=たくさん)、あらえ(=食後の食器洗い)、えし(=おまえ)、いじやける(=怒りがこみ上げる)、おぎむくれ(=起きたばかり)、がーだぐ(=がたくた)、かっ

のまま就職する者が多いため、地元の方言に親しんでいるという点と窓口に来る地元の人々と接しているため方言にも馴染んでいると推察できる点からである。また他業種と異なり、就職した後に転職や転勤といったことは少ないため、方言の習得や使用において何かしらの影響があると考えたからである。

四〇語については、佐藤亮一『都道府県別　全国方言辞典』（三省堂、二〇〇九年）を参考に選定した[9]。回答者自身がその語を使うか、自身でその語を茨城方言と知っているか（方言認識）、周りの人はその語を使うかを尋ねた（他者使用）。

ここでは、そのなかから「あおなじみ（＝青あざ）」と「ごじゃっぺ（＝いいかげん、まぬけ）」の二つを取りあげよう。「あおなじみ」は、方言を扱う一般書でも広く取りあげられているため「方言」として知名度が高い。茨城県内でも使用がみられるが、千葉県でも使用される。

さて、図1は「あおなじみ」を回答者自身が使用するかを地域別に概観したものである。

年代別にみると、一〇代から六〇代まで「よく使う」「まあ使う」という回答はあわせて四〇%から五〇%であった。

年齢が上がるにつれ「あおなじみ」を方言と思って使っている人は少なくなり、「あおなじみ」を日常語として使っていることがわかる。

他者の使用についても一〇代から五〇代では六〇%ほどが「よく聞く」「まあ聞く」と回答している。逆にその割合は、六〇代以上では四五%ほどに下がる。これらをふまえると、「あおなじみ」は若年層を中心に方言という認識が強い語であることがわかる。

地域別に概観すると県西以外での使用が多くみられ、茨城県民にとってはなじみ深い方

ぽる（＝捨てる）、かんまーす（＝かきまわす）、きーだ（＝困る様子）、～くし（＝～ごと）、くっちゃべる（＝しゃべり放題にしゃべる）、けげす（＝とんぼ）、ごじゃっぺ（＝でたらめ、いいかげん）、こわえ（＝つかれる様子）、さっつぇーなし（＝おっちょこちょい）、しみじみ（＝しっかり、ちゃんと）、しもげる（＝寒さで野菜などが傷む）、しゃでー（＝弟）、すける（＝手伝う）、ずのぼせする（＝自慢していい気になる）、そじる（＝口のなかがただれる）、だす（＝やる、与える）、ちょーろく（＝まともであること）、つっぺーる（＝水にはまる）、てーら（＝の人たち）、はー（＝もう）、ふったける（＝火を焚きつける風呂を沸かす）、へずまんねー（＝本当につまらない）、ましょー（＝まともであること）、まで（＝仕事が丁寧な様子）、こむ（＝洗濯物をとりこむ）、ちょーしこむ（＝調子に乗る）、はぐる（＝しそこなう）、ひやす（＝食器を水につけておく）、ぶっかく（＝わる）、でれすけ（＝ばか、だらしがない）、でごじゃれる（＝形が崩れる、失敗する）、おばんです（＝こんばんは）。（　）内は主な共通語の意味。

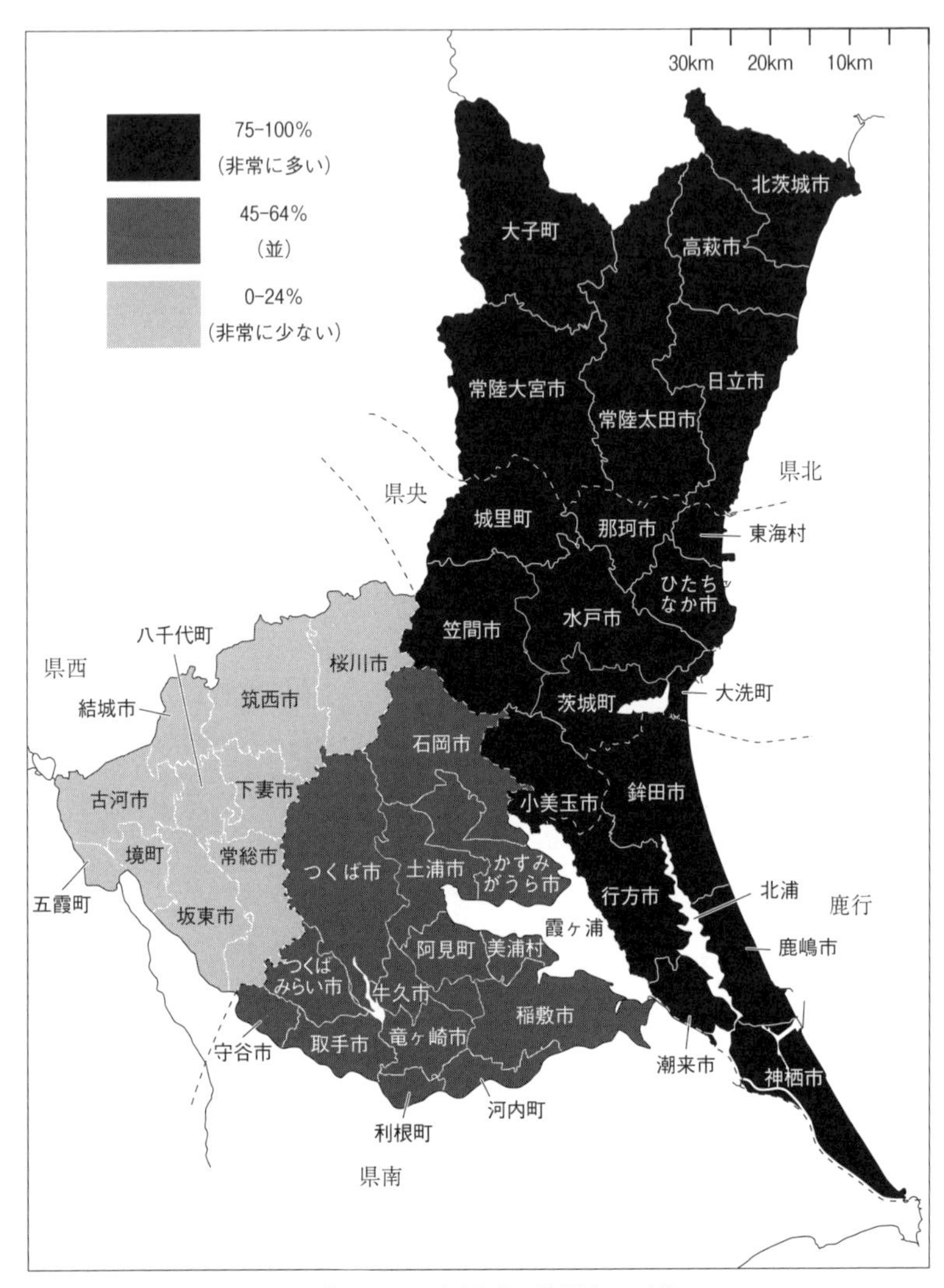

図1　「あおなじみ」を自身で使用するかどうか

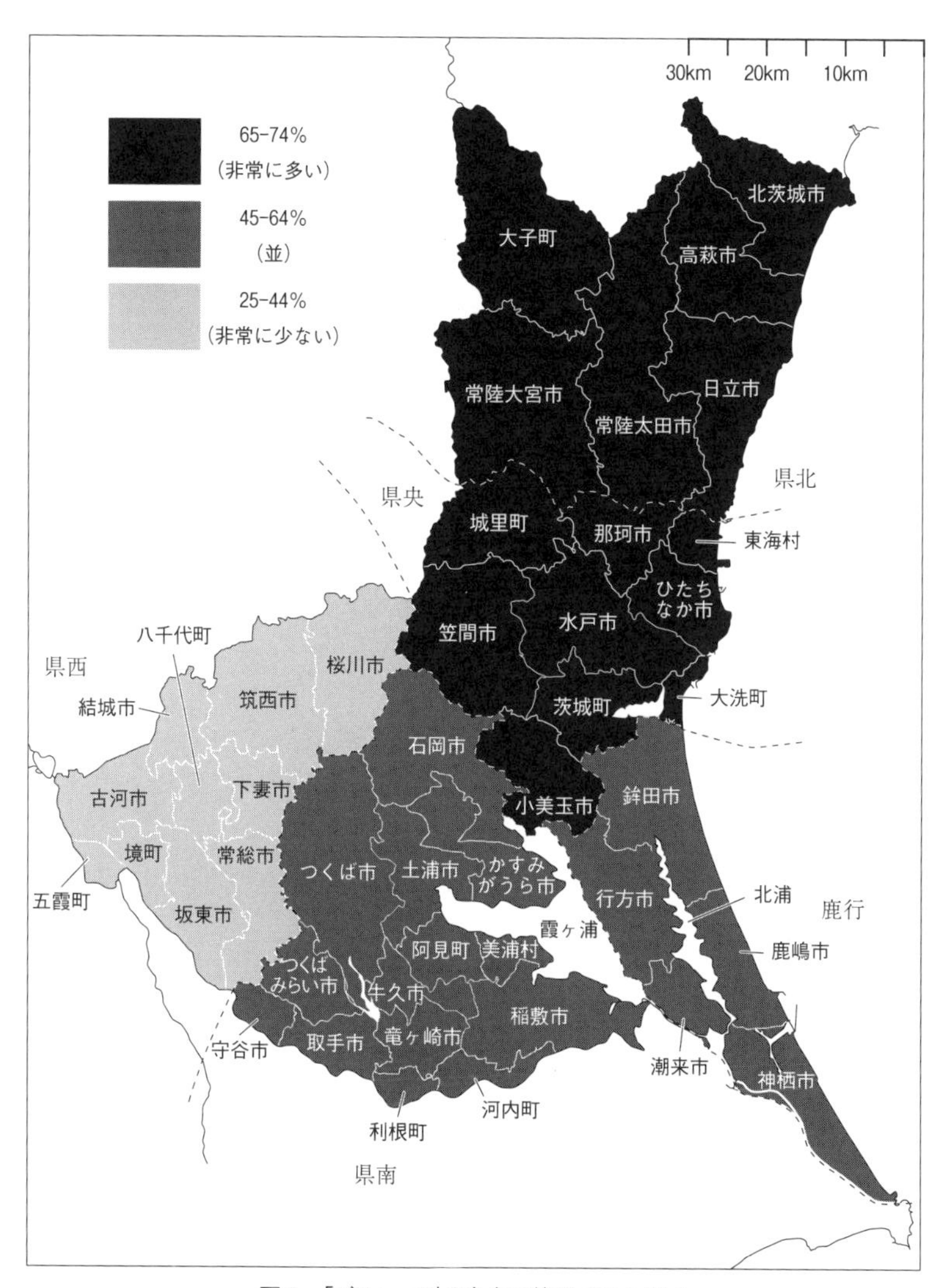

図2 「ごじゃっぺ」を自身で使用するかどうか

言としてあるようだ。現時点で「あおなじみ」は言語生活に根づいているといってよさそうである。

少し詳しくみると、県北、県央、鹿行（ろっこう）地域では七五%以上が「あおなじみ」を自身で使用している。県南では四五から六四%、県西では二四%以下であった。方言認識については、県北、県央、鹿行地域で七五%以上、県南では六五から四五%であった。さらに他者使用に関しては県西以外で七五から一〇〇%であった。

さて、「ごじゃっぺ」は、青木智也『ごじゃっぺディア――楽しく学ぶ茨城弁』（茨城新聞社、二〇一一年）のタイトルの一部になっていることで地元でも有名である。「ごじゃっぺ」を自分自身で使うかについて地域別にみると、県北、県央では約七〇%、鹿行エリアで約六〇%、県南では約五〇%、県西では五〇%以下であった（図2）。図3は「ごじゃっぺ」を自分自身で使うかを尋ねた結果である。年代別にみていくと一〇から三〇代では「よく使う」「まあ使う」といった約五〇%の使用にとどまる。四〇代以上ではその使用も増えていく。図4は「ごじゃっぺ」を方言として認識しているかどうかであるが、地域や年代に関係なく九〇%以上が認知している。「ごじゃっぺ」は昨今のマンガ[10]やお笑い芸人[11]の影響で茨城だけの方言のように捉えられがちであるが、関東でいえば栃木県でも使用がみられる。また、千葉県でも同じような意味で「ごじゃまんかい」「ごじゃらっぱ」といった方言がある。

日本語（方言学）学者の田中ゆかりは、「「方言コスプレ」にみられる、「共通語」に方言的要素をちりばめるという「技法」と、そこで使用される文末表現や典型的な短い表現、感情表現や地域性の高い物産や行事などに関わる特定の語彙といったような「参照枠」の

（10）　豚もう『茨城ごじゃっぺカルテット』（小学館、二〇二〇年〜）や、真枝アキ『茨城ってどこにあるんですか？』（芳文社、二〇二〇年〜）などがある。

（11）　茨城県鉾田市出身の「カミナリ（お笑いコンビ）」など。

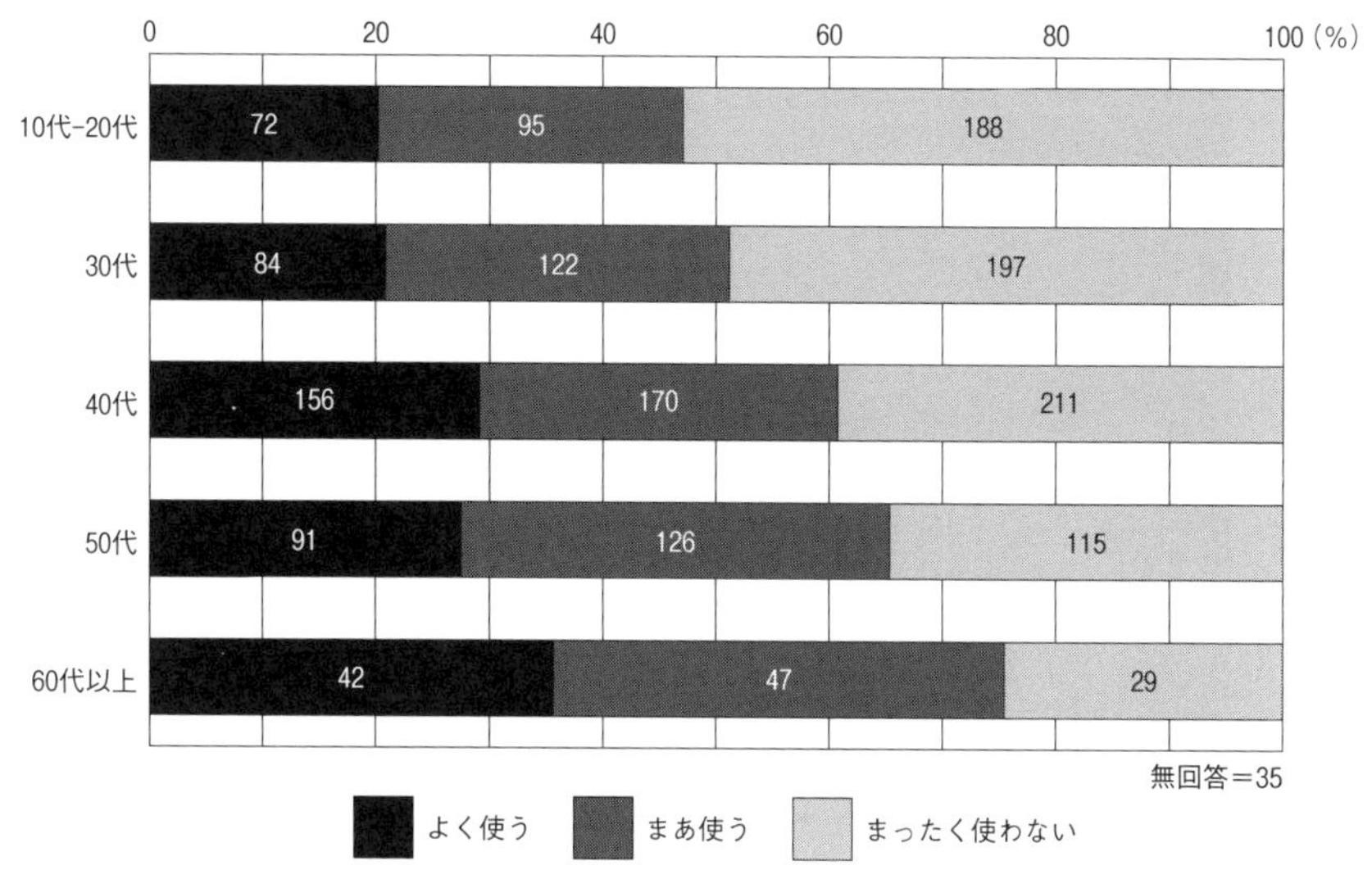

図3　「ごじゃっぺ」を自身で使用するかどうか（グラフ内は実人数）

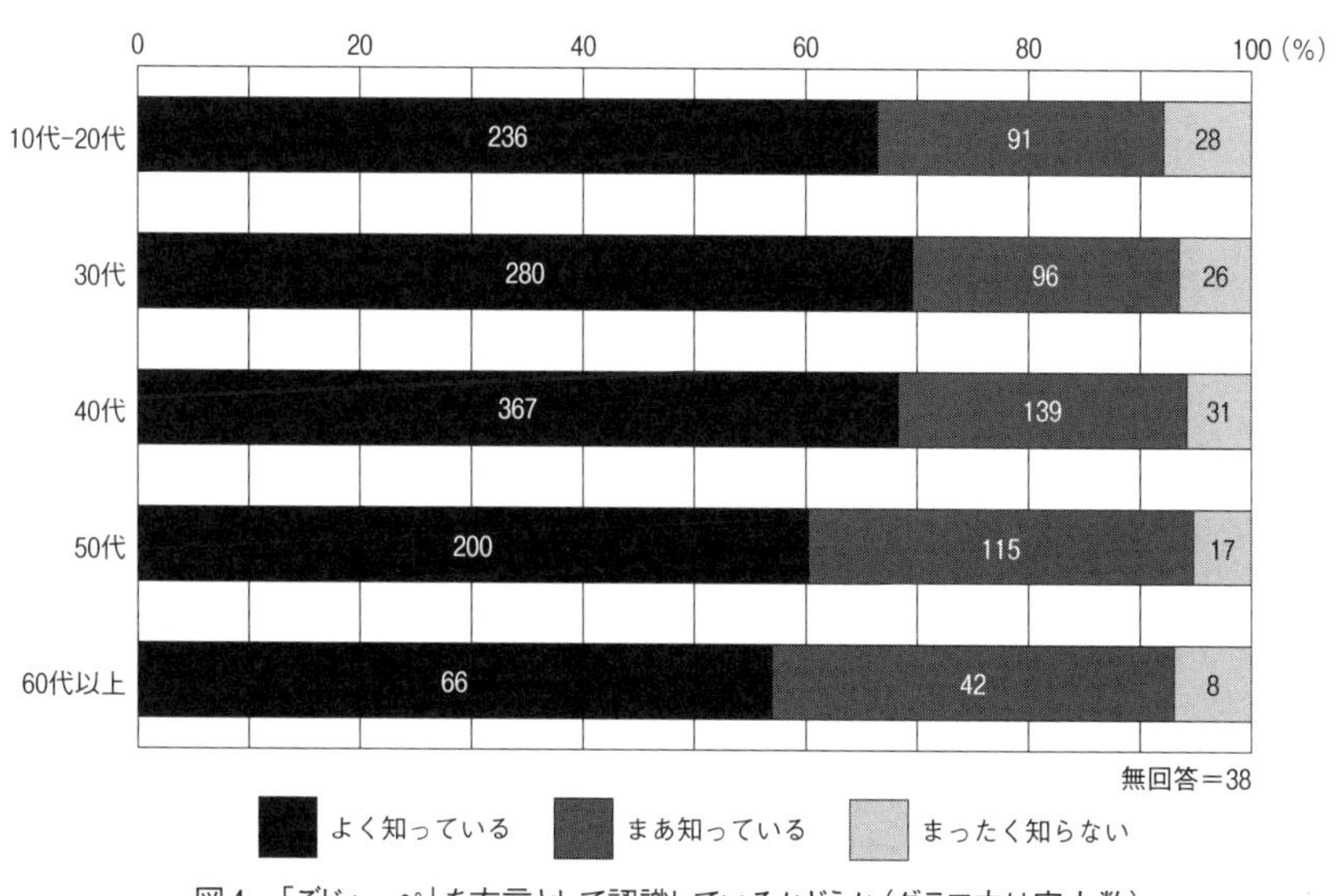

図4　「ごじゃっぺ」を方言として認識しているかどうか（グラフ内は実人数）

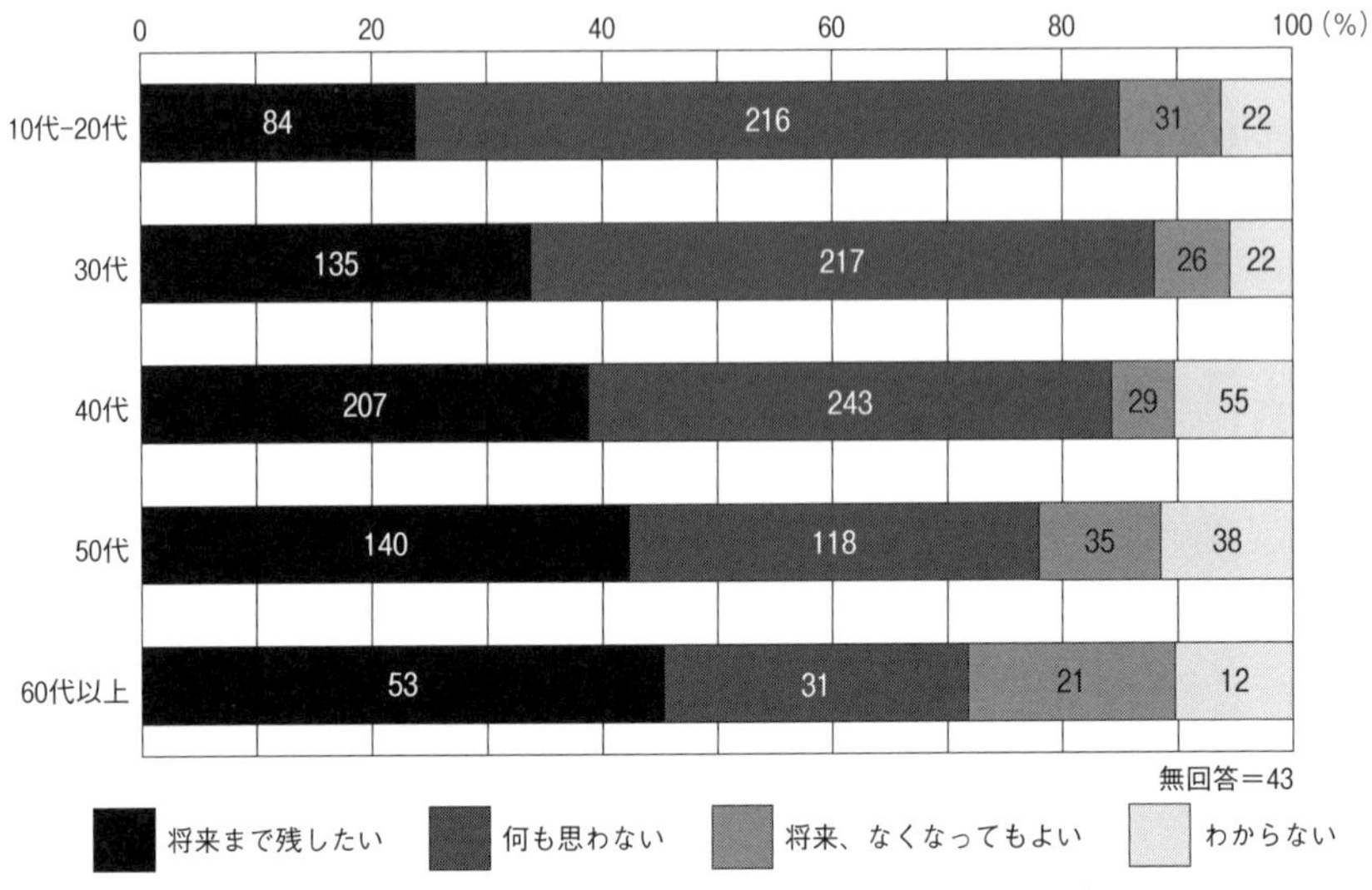

図5　茨城県の方言を残していきたいか（グラフ内は実人数）

限定化は、共通語化に伴い弱化していくリアル方言の向かう方向性も指し示しているように思う」と述べている。[12]生育地方言と「共通語」を使い分けることが一般的になった結果として「共通語」のなかに方言をちりばめて使う用法が生まれた。それを田中ゆかりは、「方言のアクセサリー化」と呼び[13]、「方言コスプレ」「方言のおもちゃ化」も進んでいることをあげている。図3のような高い認知度を持つ「ごじゃっぺ」も茨城県の「ご当地らしさ」を表現するものとして捉えられているのであろう。

次に回答者の方言についての意識をみてみよう。茨城県のことばについての自由回答は、「故郷のことばで親や祖父母を思い出す」や「あたたかい」といったプラス評価の意識もある一方、「汚い」「よくない」「乱暴」といっ

(12)　田中ゆかり『「方言コスプレ」の時代——ニセ関西弁から龍馬語まで』岩波書店、二〇一一年、二五四頁

(13)　田中ゆかり、前掲書(12)、二五一頁

たマイナス評価の意識も持っている。

県内で行った調査では、方言の使用のほかに意識についてもたずねている。図5は、茨城県の方言についての結果である。年代があがるにつれ「将来まで残したい」という回答が二〇%から四〇%ほど上がる。一方で「何も思わない」という回答は、若い年代になるほどその割合は高い。方言に触れる機会も少なくなっている現代においては、方言を意識することも少なくなっているだろう。

おわりに――茨城のことばのゆくえ

近年、「いがっぺ市」(茨城県龍ケ崎市)、「よかっぺまつり」(茨城県日立市常陸多賀)、「よかっぺまつり」(千葉県匝瑳市)、「ごじゃっぺ音楽祭」(茨城県ひたちなか市、勝田)、「ごじゃっぺナイト」(茨城県水戸市)、「ごじゃっぺ春祭り」(茨城県水戸市)のように、方言がイベント名に冠されている。

商品に関しても、芋焼酎「ごじゃっぺ」[14]や奥久慈米「うまかっぺ」[15](図6)[16]、「うまい米(べい)」[17]、岩井市の「うまかっぺレタス」のように茨城らしさ、地元感を演出するネーミングとして多用されている。また地元の個人商店にも「ごじゃっぺ」のような茨城を代表することばを看板にしているところが見受けられる。

方言は失われていくもので、茨城のことばも同様である。茨城の方言は、東北の色が濃く、素朴さがあり、イントネーションの影響か「田舎っぽい」「土着の」といったイメー

(14) 茨城県利根町で酒販店を営む「たかくま商店」が手がけたオリジナル商品。全国二位の出荷量を誇る茨城県産のさつまいも(紅あずま)を使用した芋焼酎で、製造は、江戸時代から続く、常陸太田市の老舗造り酒屋の剛烈富永酒造店。

(15) 茨城県大子町のコシヒカリ米。

(16) 常陸大宮市HP「奥久慈の恵「うまかっぺ」」(https://www.city.hitachiomiya.lg.jp/tokusanhin/ninshou/page002716.html 二〇二三年一〇月一〇日閲覧)

(17) 常陸太田市特産品の認証を受けた銘菓(同市のコシヒカリを使用)で、製造は玉喜屋。

図6　奥久慈米「うまかっぺ」

ジの強いことばだが、人によっては「温かい故郷」「文化」を感じることばでもある。前にあげたようなイベントや特産品などの名称に生活に結びついた方言が短く切り取られ、使われる事象は、地元の人々のアイコンとしての方言が、ほかの地域の人々にも一つの「その土地らしさ」を示すアイコンとして機能していることのあらわれでもある。

このことは、田中ゆかりも「日本語社会における「方言」の位置づけが「恥ずかしいもの・隠すもの」から「かっこいいもの・みせるもの」に変化してきたことによって、二〇〇〇年代以降、地元の方言を用いることは、「方言」を共有する人々にとっての地域の紐帯として機能するばかりではなく、「方言」を共有しない人々にとっても魅力的なものとして機能する時代になったからである」とのべている。[18]

共通語化が進むとリアル方言は失われていくが、一方で今後も観光を中心にして「茨城のことばを楽しむ」「茨城のことばで盛り上がる」ということはなくならないだろう。

(18) 田中ゆかり、前掲書(12)、二五八頁

〔謝辞〕
本章で取りあげた調査にあたり、茨城県の市町村役場で働く職員の皆さまから多大なるご協力をいただきましたことを感謝申しあげます。

〔ご協力いただいた自治体〕
高萩市、日立市、東海村、ひたちなか市、那珂市、常陸太田市、常陸大宮市、大洗町、水戸市、茨城町、小

美玉市、笠間市、城里町、鉾田市、鹿嶋市、神栖市、潮来市、行方市、桜川市、結城市、古河市、八千代町、下妻市、五霞町、境町、坂東市、常総市、河内町、利根町

〔参考文献〕

青木智也『ごじゃペディア――楽しく学ぶ茨城弁』茨城新聞社、二〇一一年
井上史雄・田中宣廣・日高貢一郎・山下暁美・大橋敦夫『魅せる方言――地域語の底力』三省堂、二〇一三年
江端義夫・加藤正信・本堂寛編『最新ひと目でわかる全国方言一覧辞典』学習研究社、一九九八年
金田一春彦『小学生のまんが方言辞典』学習研究社、二〇〇四年
佐藤亮一『標準語引き日本語方言辞典』小学館、二〇〇三年
佐藤亮一『都道府県別　全国方言辞典CD付き』三省堂、二〇一九年
杉本つとむ・岩淵匡編『新版　日本語学辞典』おうふう、二〇〇三年
東條操『全国方言辞典』東京堂、一九八四年
徳川宗賢・真田信治編『新・方言学を学ぶ人のために』世界思想社、二〇〇六年

interview

茨城人でくっちゃべっと！

秋山智美

二〇二三年七月、茨城県（県央の）小美玉市にあるM夫妻のご自宅で茨城のことばについてインタビューし（くっちゃべっ[1]）た。インタビュー対象者は、YMさん（八〇代男性、茨城県行方市生まれ）と、KMさん（八〇代女性、茨城県行方市生まれ）である。M夫妻はともに茨城県出身で、現在まで茨城に住み続けている。今回の依頼について「何でも聞いてよ」と快諾してくれた。

KMさん：有名な「あおなじみ」は、「青あざ」だけど、打撲などでのケガによる青あざをいうね。

YMさん：もともとのあざについてはいわねえな。赤ん坊の蒙古斑のことは「青ケツ」っていうなあ。

――「あくどい」は「あくどい商売」といった意味でも使いますね。

KMさん：「派手な」って意味で使うね、「あくどい化粧」みたいな。

――千葉県北や茨城県南だと「油っこい、味が濃い」みたいな意味でも使うように思いますけど。「そんなあくどいもん、食えねえよ。」のような。

YMさん：それは県南のほうかな。

――「え（い）し」は共通語だと「あなた」「おまえ」のような二人称で使いますね。

YMさん：俺が高校卒業して車乗り出したときに、神栖でな、若い姉ちゃんが俺に「それ（その車）、いし（あなた）のか？」と話しかけてきて、たまげたな……。

――へえ〜じゃあ、今、その女性が生きていたら、九〇歳くらいになっているでしょうね。

KMさん：最近じゃあ、TVもインターネットもあるから。私たちも「現代人」だから方言は少なくなっているね。だけど北海道や九州、東北に旅行したときには、そこの（土地の）人に「母ちゃん、茨城か？」っていわれたっけ（笑）。

YMさん：福島からずっと東北のほうまで言葉は同じだけどな。変わんねえーよ。

――県南でも「酸っぱい」を「すっかい」、「柔らかい」を「やっこい」といったりしますね。福島でも同じように使っていますね。「わんぱく」を「きかんぼう」というとか、「出発する」ことは「出だす」とか。あと「見苦しい格好」のことを「みだぐねえ格好」といいますよね？

KMさん：それは、ここらもいうかもね。「柔らかい」は「やーこい」かな。

――ちなみに、（方言の）意識としてはどうなんですか。

KMさん：好きも何も聞きなれているから何も思わずそのまま使っているよ。長いこと商売していたから[2]、お客さんに合わせて話していると自然とそうなるし。

YMさん：前に客が「今日はいしこい天気だなあ」っていってて笑っだな。

KMさん：「いしこい」は器量が悪い人の容姿とか物の見た目が不格好、の意味なんだけど。その人は天気が悪いというのも「いしこい」っていってたな。

KMさん：あ、そうそう。お父さん（YMさんのこと）は、「えんどう」[3]を「いんどう」っていうんだよ。

――年配の方だと「i」と「e」の区別がないといわれていますね。あとはカ行とサ行が濁音化していますかね。私はあまり実感がないのですが、ほら、有名な「カスミ」[4]は東京の人からすると「ガズミ」に聞こえるらしいですよ。

YMさん：戦中、東京から疎開でやってきた連中が、菓子を「くれてあげっから」っていってきてびっくりしたな。「くれてあげる」っちゃーなんだ？って。茨城だったら「出す」だな。

KMさん：そうだな。

――たしかに。ところで、県内外の人から茨城は丁寧な感じがしない方言が多いと言われることが多いですね。

KMさん：「ごじゃっぺ」とか。

――同じく「バカ」のような意味で使う「ごじゃっぺ」と「でれすけ」の違いは何でしょうね。

KMさん：相手が失敗したときに、「……ちっ、このでれすけが」っていう感じで使うね。「ごじゃっぺ」は「訳わかんないどうしようもない」みたいな感じ。

――栃木県でも「ごじゃっぺ」は使っていますね。「ごじゃ」も使いますが四国[5]でもあるみたいですね。千葉県だと「ごじゃまんかい」や「ごじゃらっぱ」といった似ているものもありますね。

YMさん：栃木も茨城と変わんねえよな。

――茨城で使われる方言をみると、結構強めのものが多いですね。「ちょーしこむ」や「ずのぼせ」は、叱られるときによく聞きました。「うすらうすら歩いてんじゃねーよ」とか。「うすらうすら」は「ぼーっと」の意味ですがやはり非難される場面で使いますね。

KMさん：怒るとか文句いうとか説教するときに使うんだな。

――「いっぱし」は「一人前」という意味ですが、親に怒られたときに「いっぱしのことといってちょーしこんで。このずのぼせが（＝一人前のようなことをいって調子に乗って。この調子に乗ったバカが）」のような感じでいわれた記憶が……（笑）。

――逆に挨拶なんかだとどうでしょうね。「よぐ来だな」っていうと歓迎されている言葉ですよね。共通語であれば「いらっしゃい」が近いでしょう？

YMさん：んだな。

KMさん：会話では、大洗町や東海村ちかくだと「いや、どうも」を使うね。人と会ったときや、褒められたときに「いや、どうも」って。多くの場面で人と会ったときに「いや、どうも」って。

――なんでも使える感じですね。挨拶とか謙遜したりとか、遠慮や驚きであったり。便利！

YMさん：逆に使わねえもんは消えるな。「がんだめし」どかな。あれは、昔、火起こして飯炊いたときに失敗して芯、残っときがあんだよ。それが「がんだめし」だ。

――今は炊飯器があるから、そんな

失敗はないですね。

KMさん：そうそう。私たちは「現代人」だから（笑）。親の世代に使っていた方言もいっぱいあるけど、使わないのは「天国のことば」だな（笑）。親と一緒に天国へ行っちゃった。

一同：じゃんぼ[6]のことばね（笑）！

〔注〕

（1）「くっちゃべる」は茨城のことばで「話す」。

（2）M夫妻は、自宅前の国道沿いで、ガソリンスタンドを三五年のあいだ営んでいた。

（3）遠藤は一九九〇年生まれの大相撲力士。石川県鳳珠郡穴水町出身、追手風部屋所属。

（4）茨城県つくば市（筑波研究学園都市）に本社がある食品主体のスーパーマーケット。主として茨城県南部を中心に県内、東京ほか関東地方に複数の店舗を持つ。

（5）岡山県や徳島県では「でたらめ、いい加減」といった意味で「ごじゃ」が使われる。

（6）「じゃんぼ（ぽ）」「じゃーぼ（ぽ）」「じゃんぼ（ぽ）ん」ともいう。葬式のこと。鳴り物を鳴らして葬場まで練り歩く習慣からの由来（鳴り物の音「ジャーン」と「ボーン」）とされるが、「邪事」の訛ったことをいうという説もある。M夫妻、筆者含め、茨城人だが使わない。ただ、知識として「葬式」のことだと知っている。

若者は「ちばらき」をどう感じるのか？
——都道府県魅力度ランキングを見直してみる——

澤海崇文

はじめに——都道府県魅力度ランキングについて

はじめに断っておくが、筆者は「ちばらき」地域を専門領域とする研究者でもなく、そもそも地域研究者でもなく、比較文化研究やコミュニケーション研究を専門とする社会心理学者である。そのような者が「ちばらき」と聞き、まず思いついたのは都道府県魅力度ランキングである。ちばらきという言葉が指す地域は千葉県北部と茨城県南部とされ、茨城県はこのランキングで最下位を占めることが多い。

都道府県単位のランキングで我々の耳目に触れることが多いものとして、幸福度や地価の高低に基づいて都道府県を順番にリストしたものがあげられ、本章で着目するのはブランド総合研究所が実施している魅力度ランキングである。このランキングは二〇〇六年から毎年実施されており、当初は市区町村単位でのランキングであったが、二〇〇九年より都道府県ごとの魅力度も算出している。当該ランキングはたかがランキング、されどランキングであり、特に魅力度得点で下位であった地域の地方自治体の観光政策や産品プロモーション事業に大きな影響を与えているように見受けられる。その実例が、茨城県が二〇二一年に発表した「魅力度最下位の過ごし方」という自虐的とも解釈できる表題の冊子であり[1]、最下位を抜け出すために茨城県の納豆や国営ひたち海浜公園の魅力をいかに発信していったかが綴られている。

さて、ブランド総合研究所が二〇二二年に公表した最新のランキングによると、ちばらき地域のうち、総合的な魅力度において千葉県は一三位であるものの、茨城県は四六位であった[2]。ランキング結果をマスコミが取りあげることで、それが人々の信じる社会的な現実や共有されている文化となってしまう。たとえ、そのランキングの基となっている調査が信ぴょう性に欠けるものであったとしても、マスコミが面白おかしく報道することで受け手の記憶に残ってしまうであろう。実際に、茨城県の大井川知事は当該調査に対し「完全にエンターテインメント化しており、信ぴょう性、価値に疑問があると言わざるをえない」と発言している[3]。

本章では都道府県魅力度ランキングの信ぴょう性そのものについて議論することは避けるが、その調査方法について触れ、二つの観点からランキングを見直してみる。

(1) 茨城県営業戦略部プロモーションチーム「魅力度最下位の過ごし方」二〇二一年(https://www.pref.ibaraki.jp/eigyo/proteam/documents/miryokudosaikainosugoshikata-1004.pdf 二〇二三年七月二九日閲覧)

(2) 地域ブランドNEWS編集部「地域ブランド調査二〇二二都道府県の魅力度ランキング等結果」二〇二二年(https://news.tiiki.jp/articles/4782 二〇二三年七月二九日閲覧)

(3) 朝日新聞クロスリサーチ『知事「一喜一憂はナンセンス」都道府県魅力度ランキング、茨城四六位』二〇二二年一〇月二六日朝刊

1　都道府県魅力度ランキング調査

ブランド総合研究所の地域ブランド調査二〇二二年版のウェブページをみると、以下のように調査概要が記載されている[(2)]。四七都道府県に一〇〇〇市区町村を加えた計一〇四七地域を対象にして、各地域に対する認知度、魅力度などについてインターネット上で回答してもらうもので、専門家ではなく一般人が参加し、全国から約三万人の有効回答を収集した。ただし、一人の回答者が全地域について回答するのではなく、当該研究所が指定した二〇の地域について答えるように指示がなされた。そして、一地域あたりの平均回答者は六三二人であった。魅力度に関して、各回答者は割り当てられた二〇地域について、「とても魅力的」「やや魅力的」「どちらでもない」「あまり魅力的でない」「まったく魅力的でない」の五つの選択肢から一つを選んだ。各地域に対して「とても魅力的」を選んだ回答者の割合に一〇〇点を乗じ、「やや魅力的」を選んだ回答者の割合に五〇点を乗じ、それらを合算してその地域の魅力度得点を算出している。

2　二つの観点

先述のように計算される魅力度得点について、そもそも非常に主観的なランキングであることは簡単に理解できる。また、各地域に対する魅力度といっても、人の見た目や食事の好みと同様で、人によりけりであることは明白である。筆者自身は賑やかな地域やレジャーが盛んな地域ではなく、日々の喧騒から逃れるために宍道湖の周りを散歩したいという理由で島根県を最も好きな地域と答えるが、当該ランキングの二〇二二年版では三九位である。

本章では二つの観点から議論したい。一つは、回答者が各都道府県のことをそもそも十分に知ったうえで回答しているのか否か。もう一つは、日本人の調査回答にみられる特定の回答傾向が影響している可能性である。

一つ目に、調査回答者が割り当てられた地域のことをよく知らずに答えている可能性がある。地域ブランド調査二〇二二年版の結果について記載されているウェブページを眺めると、あることに気づく。それは、先述の五つの選択肢のうち、圧倒的に多数の回答者が「どちらでもない」を選んでいる点である。ランキング上位の北海道、京都府、沖縄県などは「どちらでもない」の選択率はそこまで高くないものの、順位を下っていくと、回答者のうち四〇%以上が「どちらでもない」を選択している県が少なくない。魅力度ランキングを分析した田中耕市も、各都道府県について深く知らないままに回答している者が多いと指摘している[4]。各地域に関する知識欠如のまま調査に参加することで、割り当てられた地域が魅力的か否かの判断ができずに結局「どちらでもない」を選び、この選択肢は魅力度得点を上昇させることには貢献せず、結果として魅力度得点が低く算出されるという構図が想像できる。

二つ目に、準拠集団効果（reference group effect）が生じている可能性がある。この効果

（4）朝日新聞『茨城が魅力度ランキング最下位を脱す 識者は「まじめに捉えないで」』二〇二二年一〇月一〇日号

は簡単にいうと、人々は自分の態度や行動、考え方を回答するときに、同じグループに所属する他者がどう考えるかを参考にしながら回答するといわれている。比較文化研究によると、この傾向は世界的にみて日本人で強いといわれている[5]。これをふまえると、日本人がある地域に対する魅力を答える際に、魅力度の高い地域は自分の考えに基づいて回答するものの、魅力度の低い地域については特に自分自身では思いつかずに、ほかの日本人がどのように考えているかを参考にして回答する可能性が高いと指摘できる。

（5） Heine, S. J., Lehman, D. R., Peng, K., & Greenholtz, J. What's wrong with cross-cultural comparisons of subjective Likert scales?: The reference-group effect. *Journal of Personality and Social Psychology* 82 (6) : 903-918, 2002.

3 調査実施

方法

以上の二つの観点をふまえ、筆者は二〇二三年七月四日から七月一七日までインターネットで調査を実施した。調査のプラットフォームはクラウドワークスで、日本最大級のクラウドソーシングサービスである。このサービスを利用し、東京都、千葉県、茨城県のいずれかに在住の若者を対象とし、各都道府県の魅力度に関していくつかの質問に回答してもらい、最後にちばらき地域に関する質問にも回答してもらった。調査概要は表1に記載した。その他にも本章では報告しない質問も含まれていた（表1）。

結果

魅力度の高い地域を問うた設問一や設問四の回答をざっとみると、都道府県魅力度ランキングの上位を占める北海道、沖縄県、京都府といった地域が多くあげられていた。一方で、魅力度の低い地域を尋ねた設問二や設問五の回答を眺めると、ランキングの下位に位置しがちな群馬県、茨城県、佐賀県といった地域が多くあげられていた。

知識欠如の可能性

さて、先述した二つの可能性を検討していく。一つ目の知識欠如の可能性を検討するため、設問三で収集されたデータを説明する。この設問は経県値と呼ばれる値を算出する際に使われる質問を参考にして作成した。経県値とは、各都道府県の経験を未踏、通過、接地、訪問、宿泊、居住の六つのレベルに分けて判定し、全都道府県の合計得点を計算するものである。[6] 本分析では、得点が高いほど回答者の都道府県の経験が豊富であるように計算し、各数値の間隔が等しい尺度とみなして平均値を算出したところ表2のようになった。統計的に計算したところ、魅力度上位三県は魅力度下位三県に比べて、調査回答者が多く経験していた。経験と知識は同等ではないものの、魅力度が低いと自分で思っている地域にわざわざ訪れることは少なく、その結果としてその地域に関する知識も浅いものであることが予測される。以上より、知識欠如という仮説を支持するような結果であったといえる。都道府県魅力度ランキングの調査参加者は、ランキング下位に位置することが多い地域について魅力があるかどうかを問われた際に、その地域に関して知識が不足しているために「どちらでもない」を選択した結果、魅力度得点の計算の仕方によって魅力度が低く算出されているのかもしれない。

（6）都道府県市区町村「経県値　四七都道府県の宿泊・訪問・通過経験を得点化」二〇〇五年（https://uub.jp/kkn　二〇二三年七月二九日閲覧）

表1　東京都、千葉県、茨城県のいずれかに住む若者を対象としたアンケート調査

調査期間	2023年7月4日～7月17日
参加者人数	60名（男性33、女性26、回答したくない1）
参加者年齢	20～42歳（平均26.30歳） 茨城県在住39歳1名、愛知県在住42歳1名が回答していたため、この2名を除く58名を分析対象とした。
設問1	あなたの思う、魅力度が（最も／2番目に／3番目に）高い都道府県をお答えください。
設問2	あなたの思う、魅力度が（最も／2番目に／3番目に）低い都道府県をお答えください。
設問3	魅力度が（最も／2番目に／3番目に）（高い／低い）と答えた都道府県について、以下のどれが当てはまりますか？（「1　行ったことがない」「2　通過したことがある（鉄道、自動車による通過や船による寄港など。航空機による上空通過は除く）」「3　降り立ったことがある（乗り換えやSA／PAでの休憩など）」「4　歩いたことがある（泊まったことはない）」「5　泊まったことがある（夜行通過は除く）」「6　住んだことがある（3か月程度の長期滞在も含める）」から択一）
設問4	一般的な日本人が考える、魅力度が（最も／2番目に／3番目に）高いと思われる都道府県をお答えください。
設問5	一般的な日本人が考える、魅力度が（最も／2番目に／3番目に）低いと思われる都道府県をお答えください。
設問6	あなたは「ちばらき地域」に対して、観光地としての魅力はどのくらいあると思いますか？（「1　全く魅力的ではない」「2　あまり魅力的ではない「3　どちらともいえない」「4　やや魅力的である」「5　とても魅力的である」から択一）
設問7	あなたは「ちばらき地域」に対して、居住地としての魅力はどのくらいあると思いますか？（「1　全く魅力的ではない」「2　あまり魅力的ではない」「3　どちらともいえない」「4　やや魅力的である」「5　とても魅力的である」から択一）
設問8	あなたは「ちばらき地域」に対してどのくらい詳しいでしょうか？（「1　全く詳しくない」「2　あまり詳しくない」「3　どちらともいえない」「4　やや詳しい」「5　とても詳しい」から択一）

表2　設問3の魅力度上位・下位3県の経験の平均値

上位1位	上位2位	上位3位	下位1位	下位2位	下位3位
4.98	4.48	4.47	2.47	2.22	2.41

準拠集団効果の可能性

次に、二つ目の準拠集団効果の可能性、つまりほかの日本人がどのように考えているかを参考に自分も回答するという点を検討するため、設問四と設問五で収集されたデータを説明する。設問一では回答者自身の考える魅力度の高い都道府県、設問四では一般的な日本人の考えるそれを回答としていたため、それらが一致しているとほかの日本人の考えを参考に調査参加者も同様に回答していたと考えられる。そこで、設問一と設問四との回答の一致度に着目し、以下のように一致度を計算した。設問一では魅力度の高い三地域をあげてもらっており、そこでの回答のうちいくつが設問四でもあげられていたかを計算した。つまり、一致度の最大値は三、最小値は〇となる。たとえばある回答者は設問一にて魅力度上位の地域として順に京都府、北海道、静岡県を回答していて、設問四では順に東京都、京都府、大阪府をあげていたため、その場合の一致度は一と計算される。このように設問二と設問五の一致度も計算した結果、魅力度上位の一致度は一・四八、魅力度下位の一致度は一・三六となった。この値自体の解釈は難しいが、魅力度上位と下位の都道府県を三つずつ考える際に、魅力度高低にかかわらず、そのうちの約半分は一般的な日本人が答えるであろう回答を自身も答えていたというふうにみなせる。筆者は、魅力度の低い地域を回答する際に特に準拠集団効果が生じると予想していたが、このデータは準拠集団効果の仮説を支持しないような結果であった。

ちばらき地域のデータ

最後に、ちばらき地域に着目した設問六から設問八のデータを説明していく。これらの設問ではちばらき地域の観光地としての魅力、居住地としての魅力、知識を尋ねており、値が高くなるほど各変数の意味するものが高くなるように算出した。また、これらの平均値と相関係数も算出して、表3にまとめた。相関係数とは二つの値の関係性のことで、相関係数が大きいほど二つの値が密接に連動して変化することを意味する。まず平均値に着目すると、調査参加者を東京都、千葉県、茨城県在住の若者に限定していたためか、値はそこまで低くなかった。そして相関係数に着目するとどの値も統計的にみて十分に大きく、これら三つの値は互いに連動していることがわかる。たとえば、ちばらき地域に関する知識をたくさん有している者ほど、この地域の観光地および居住地としての魅力を高いというように回答している傾向が明らかになった（表3）。

表3　ちばらき地域の観光地としての魅力、居住地としての魅力、知識の平均値と相関行列

	観光地魅力	居住地魅力	知識	平均値（1～5）
観光地魅力	1			3.26
居住地魅力	0.59	1		3.64
知識	0.36	0.46	1	2.91

おわりに――調査からみえてくるもの

本章ではブランド総合研究所が実施する都道府県魅力度ランキングを題材にして、魅力度の高い地域および低い地域に着目し、そこで生じている回答のバイアスの可能性について論じた。二〇二二年版のランキングが発表された際、茨城県の大井川和彦知事はブランド総合研究所の調査を信ぴょう性に疑問があるといわざるをえないとのコメントをしている。[3] 本調査結果に基づくと、これはけっして

負け惜しみではなく、的を射た発言であると考えられる。本調査前半では、茨城県や佐賀県など魅力度ランキングで下位に置かれがちな地域に着目し、回答者の当該地域に関する経験や知識の欠如が原因で、魅力度の高さを問われた際に「どちらでもない」の選択肢を選びがちで、魅力度得点が低く算出されている可能性を指摘した。もちろんこれは逆の方向性も考えることが可能で、一般的に魅力が低いといわれている地域に観光客がわざわざ足を運ぶことが少なく、その結果、依然としてそれらの地域の情報や知識が十分に得られないという状態が維持されてしまうのであろう。また、本章で触れた二つ目の可能性、つまり自身が魅力度の低い地域について回答する際に、ほかの日本人が考える回答を参考にして答える傾向について触れたが、本調査の結果からはどうやらそのような傾向は生じていないようである。

本調査の限界としてあげられるのは、これまでの研究でも指摘されているように魅力度という概念を細分化して尋ねるべきであった。つまり、本調査前半では魅力度の高いおよび低い都道府県を回答者に尋ねていたが、その魅力度というのが観光地としての魅力なのか、居住地としての魅力なのかを定義せずに尋ねていた。田中耕市の研究では、ブランド総合研究所の実施する都道府県魅力度ランキングで取りあげられている魅力度の構成要素を統計的解析により一一種類に分類している[7]。その研究によると、魅力度に最も影響を与えるのが観光・レジャーであり、続いて農林水産・食品、生活・買い物の利便性、歴史であるという。本調査では、回答者自身の考える魅力度の高いおよび低い地域と、一般的な日本人の考えるそれらとがあまり一致していなかったが、もしかしたら前者を聞かれた際には観光・レジャーという側面で判断し、後者を聞かれた際には産品や利便性など別側面

(7) 田中耕市「「地域ブランド調査」における地域の魅力度の構成要素」『E-journal GEO』一二(一)、二〇一七年、三〇―三九頁

で判断していたという可能性も否めない。

本調査後半では、ちばらき地域にフォーカスを当て、この地域の観光地としての魅力、居住地としての魅力、どの程度詳しいかを回答者に尋ねた。データ分析の結果、興味深いパターンが得られ、ちばらき地域に詳しい人ほど、この地域の魅力が高いと回答していた。これを良いように解釈すると、ちばらき地域、特に都道府県魅力度ランキングで下位争いをしている茨城県であっても、この地域をまだ知らない人々に対して情報発信をしていき、魅力を理解してもらうことで魅力度アップにつながると考えられ、本章では実際に調査を行ってその傾向を実証的に示した。このようなランキングに一喜一憂して振り回されること自体に意味がないと思われるが、ランキングの公表が一般社会に与える影響は小さくなく、ユーチューブ（YouTube）やティックトック（TikTok）といったＳＮＳを活用して、老若男女問わず、日本人だけでなく外国人に向けてもちばらき地域の魅力的な情報を発信する必要性が再確認された。

column

日本でイチバン菊を育てやすい街

中村美枝子

茨城県南に位置する牛久市に、女化（おなばけ）という地区がある。近隣に住む私にとって、女化はサクラの季節に毎日行きたくなる場所である。三月下旬、女化神社のサクラが満開になるのを心待ちにするのが毎年の春の日課である。今回調べるうちに、女化神社の一画だけ、隣接する龍ケ崎市の飛び地になっていると知った。それで合点がいったのだが、じつは以前から牛久のような龍ケ崎のような不思議な感覚を持っていた。観光スポットとして、どちらの市からもおススメされているのはそういう事情からだろう。

さて、このコラムで紹介したいのは女化神社のごく近くにある「うしく菊花公園」である。うしく菊花公園は年に一度、一〇月から一一月にかけて二週間、一般公開される。二〇二二（令和四）年が六度目の開催で、二〇一七年に牛久市女化青年研修所内に土地を借りて開拓し、現在にいたる。以前は別の場所にあったのだが、菊花公園が女化に引っ越してきたおかげで私の行動範囲内にピタリとおさまり、こうしてコラムを書きたいほどの強い思いを抱く存在になった。

菊花公園を紹介するにあたり欠かせないのは上村遥（かみむらはるか）氏である。牛久菊花会の会長・顧問であり、菊愛好家が集う上村研究所の所長である。菊花公園の一般公開に何度も足を運ぶようになり、何ともいえないオーラのある人物が気になり始めた。それが上村氏であった。長年菊作りに没頭していた筆者の知人の書棚にも上村氏の著書が何冊かある。菊作りの専門家や愛好家に手ほどきするほどの菊の達人が上村氏であった。

菊花公園は一般公開しているので、誰でも自由に園内を歩き回れる。上村氏は誰となく話しかけて菊の説明をしている。そばに近寄って一緒にうなずいているうちにほかの人々がいなくなり、上村氏を独り占めできたので、どういう経緯で菊花公園を始めたのか突撃インタビューを試みた。せっかくの機会なので、コラムを念頭に菊花公園のことを原稿にすることへの許可もいただいて、根掘り葉掘り詳しく教えていただくことにした。

上村氏は元・宮崎県総合農業試験場長である。仕事柄、菊に興味をもったのだろうと推測していたが、そうではなかった。中学生のころに菊作りの会に参加したところ、数少ない若手として非常にかわいがられ、おおいなる期待と信頼を寄せられ、ご自身も菊作りの奥深さに魅せられて、人生を菊とともに歩むことになったという。そして定年にあたり、菊作りに適した土地を日本中探し歩いた末に、日本でイチバン菊を育てやすい街「牛久」にたどりついた。というのは少々いいすぎで、関東圏内で気候温暖、台風の被害が少ない、広い土地を入手しやすい、知人と交流しやすい、などの諸条件を検討した結果、茨城県南の牛久市に落ち着いたようである。牛久市の市花が菊というのも決め手の一つになったようである。牛久市内に居を構えて菊作りに専念しつつ、愛好家の育成と菊の普及活動に着手した。最初の作戦は、自宅で栽培した一〇〇〇本もの苗を牛久カッパ祭りで無償配布するというものだった。もしこの作戦が成功していれば、菊花公園は生まれなかっただろう。上村氏の目算では、無償配布された苗たちが、牛久の秋を菊であふれさせるはずだったのだが、そうはならなかった。そこで上村氏は作戦を変更することにした。有志を募って菊を育て、花好きの人々のための菊花公園を作って、菊の苗を有償・無償で譲ることにしたのである。十数名の有志とともに土地を開拓し三年かけて作った公園は、中学校設立のために引っ越すことになり、二〇一七年から女化地区で新たなスタートをきった。上村氏から有志の皆さんへ、有志の方々から花好きの人々へと菊作りの輪を広げるアイデアは大成功をおさめつつある。

こうして私も、秋のシーズンには菊花公園に毎日のように通い詰めることになり、菊花公園の盛況ぶりを年々体感している。最近では駐車するのが難しいほど混雑していることが多い。丹精込めて育てられた色とりどりの菊たちがみごとな花を咲かせている。そして隣接する畑には、株ごとお持ち帰りできる、牛久生まれの新種の菊たちが並んでいる。上村氏と有志の皆さんの作戦は、牛久や龍ケ崎近辺に住む花好きの人々に確実に受け継がれつつある。上村氏の沼にすっかりはまりこんだ私も、任務を遂行すべくせっせと菊を購入し（枯らしてしまうことが多いのだが）、菊作りにいそしんでいる。もちろん、小さなベランダを菊であふれんばかりにして、牛久の秋を菊で飾るのに一役買うためである。

〔謝辞〕

インタビューに快く応じていただいた上村遥氏に深謝いたします。なおインタビューは、二〇二二年一一月四日、菊祭りの会場にて行いました。

〔参考文献〕

牛久市観光協会HP「うしく菊まつり」(https://www.ushikukankou.com/kikufes/　二〇二三年一一月一日閲覧)
上村遥『はじめてのスプレーマム』農山漁村文化協会、二〇一八年

第2部

「ちばらき」で暮らす

子育て世帯が住みたくなる地域コミュニティ
――町を活性化させる子育て支援――

佐藤純子

はじめに――「ちばらき」の子どもと家庭を取り巻く現状

核家族世帯が増加するなかで、地域とのつながりが希薄化しており、子育てをめぐる環境は大きく変容している。子育て中に地縁のある近隣住民に頼ったり、相談や交流のできる関係性を持ったりすることは、親だけではなく、子どもにとっても大切な他者との関わりの機会となる。地域全体で、子育てを支えあう仕組みづくりは、誰にとっても生活しやすいまちづくりにつながることから、さまざまな自治体で、地域子育て支援の取り組みが進められている。近年、「ちばらき」は流山市をはじめ、松戸市やつくば市など子育て世代に選ばれるまちづくりで注目を集めている。そこで本章では、「ちばらき」の各地域では、実際にどのような子育てに優しい取り組みが行われているのかをみていきたい。その結果、「ちばらき」が子育てのしやすい地域といえるのかどうかを紐といていくことにする。

茨城県の一部地域では、高度成長期に再開発が進められ、工場や工業団地などの造成が行われた。その代表例がつくば市に誘致された研究学園都市の形成となるだろう。その後、常磐自動車道や東関東自動車道が全通すると、首都圏のベッドタウンとして発展を遂げていった。また、二〇〇五（平成一七）年のつくばエクスプレス（以下、TXとする）の開通により、東京へのアクセスがしやすくなり、沿線の「ちばらき」エリアでは子育て家庭の流入が進んだ。特に流山市は、それまで市境をなぞるように鉄道が走っていたことから「へそのないまち」と呼ばれてきた。だが、TX開通後は、南流山駅、流山セントラルパーク駅、流山おおたかの森駅などの新駅ができ、地域の再開発が進められた。その結果、都心から三〇キロメートル圏内を縦断するTX沿線では、新規の転入者が増え、高齢者の数を子育て世代が上回った。

以下、茨城県と千葉県の人口動態を示してみたい。

茨城県の人口は、二〇〇〇（平成一二）年の二九八万五六七六人がピークとなっている。特に、二〇一一（平成二三）年の東日本大震災の後は、減少率が高まり、二〇二三（令和五）年二月時点では二八三万四九七〇人までに減少している。「ちばらき」エリアに相当する茨城県南、茨城県西地域は、一五四万一四七六人で県全体の約六〇％の人口数を占めている[(1)]。

千葉県の人口は、二〇二三（令和五）年三月現在、六二六万五二三一人となっている。ピークは、二〇二〇（令和二）年の六二八万四四八〇人であり、茨城県と比較すると緩やかな

（1）　茨城県「茨城県の人口と世帯（推計）——令和五年二月一日現在」二〇二三年（https://www.pref.ibaraki.jp/kikaku/tokei/fukyu/tokei/betsu/jinko/getsu/jinko2302.html　二〇二三年四月一日閲覧）

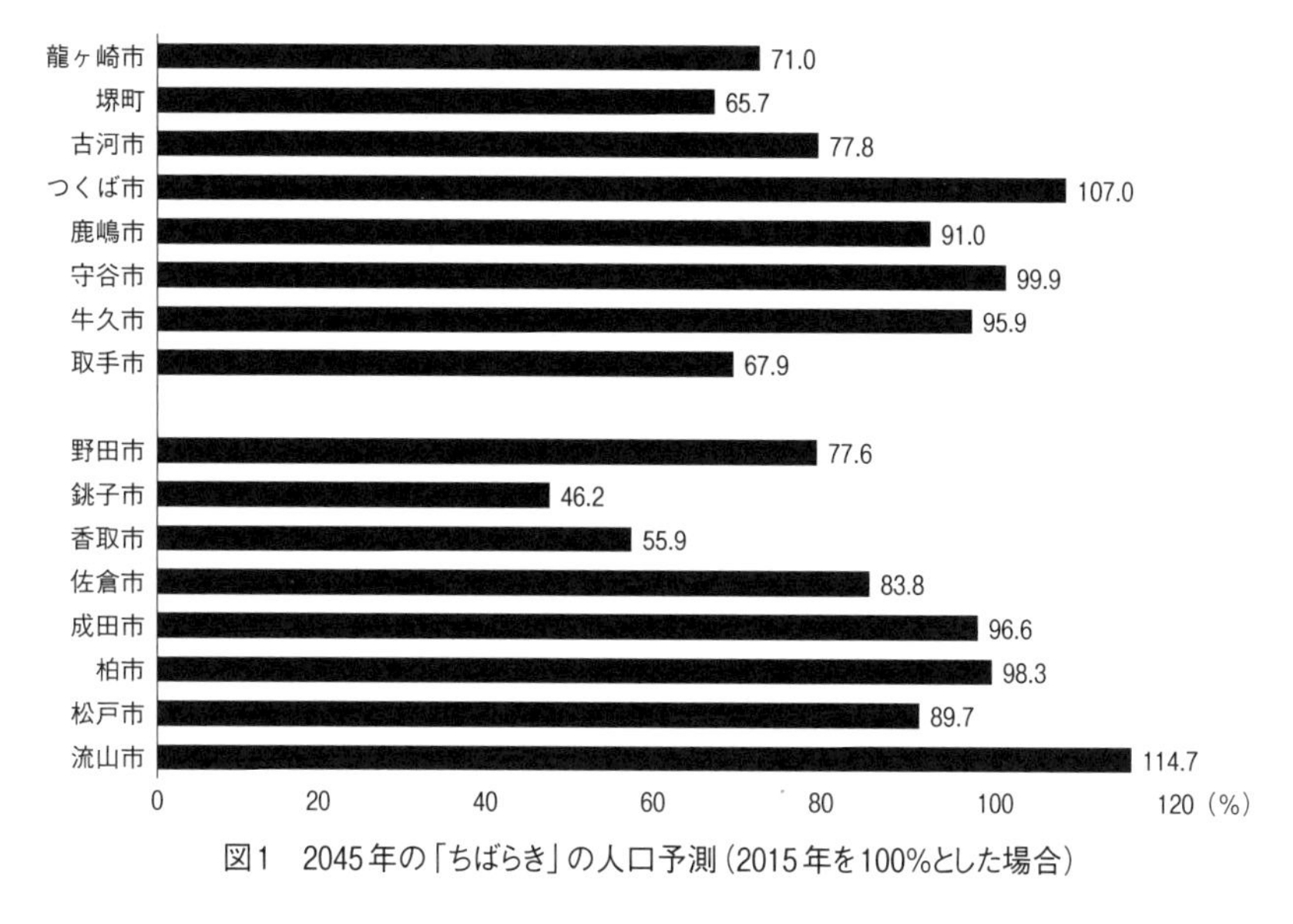

図1　2045年の「ちばらき」の人口予測（2015年を100%とした場合）

減少となっている。二〇二二（令和四）年中の人口増加数では、流山市が三八八九人で最も多く、次に柏市二四六六人、印西市二三二〇人、八千代市一三六三人、船橋市一三一九人と続いており、「ちばらき」の地域が上位を独占している。[2]

〇～一四歳の子どもの人口率については、茨城県県南・県西地区（一一・四五%）、千葉県（一一・六八%）のどちらの県も同等の割合となっているが、将来的には「ちばらき」地域の多くの自治体で人口減が予測されている（図1[3]）。そのため、少子化対策を進めていくことが必須となるが、子育て支援を政策の目玉として取り組んでいる自治体ほど人口が増えており、地域の活性化が進んでいる。こうした動向からも、今後の持続可能な街づくりの鍵を握っているのは子育て支援制度の充実度と

（2）千葉県「千葉県毎月常住人口調査」(https://www.pref.chiba.lg.jp/toukei/toukeidata/joujuu/index.html　二〇二三年四月一日閲覧）

（3）国立社会保障・人口問題研究所「日本の地域別将来推計人口（平成30（2018）年推計）」をもとに筆者作成

いっても過言ではない。

1 地域における子育て支援制度

二〇二三（令和五）年四月から「こども家庭庁」が設置となり、「異次元の少子化対策」が打ち出されるなど、全国的に子ども関連の予算を倍増していく動きが各地域でみられている。日本テレビは、関東の六八の自治体に独自アンケートを実施し、その回答を特設ページに掲載している。調査項目では、来年度の「子育て支援策」に関する予算規模について聞いており、「二〇二二年度に比べて増額する」と答えた自治体は、六八の自治体のうち六二の自治体と約九割にのぼっていた。とりわけ、産前産後のケアや母親の孤立支援、給食費・医療費の無償化に予算を充てる方針の自治体が多くなっている。他方で、自治体単独の策には限界があることから、地域間格差がさらに広がっていくことが指摘されている。[4]

こうした地域による格差は、「ちばらき」地域においてもみられている。ここでは、龍ケ崎市と松戸市の取り組み実態を概観する。

龍ケ崎市は、茨城県南部に位置し、市民一人あたりの公園面積は県南トップとなっており、緑豊かな自然のなかで子育てできる環境を市の強みとしている。龍ケ崎市の人口は、七万五七二一人であり、そのうち一五歳未満の子どもの数は一万三六七一人と、全人口の約一八％となる。[5]「子育て環境日本一！」を目指し、子育て支援に特化したウェブサイト

（4） 日本テレビNEWS24特設ページ「子育て支援、どの街が手厚い？ 関東六八自治体に独自アンケート」（https://news.ntv.co.jp/category/society/930172d306ca44b9900fe8c33ab8dbdd 二〇二三年四月二十二日閲覧）

（5） 二〇二三（令和五）年四月一日現在

を開設している。また、「大学のあるまち」ということを強みとし、①大学生によるスポーツ指導、②講習・講座の実施、③ボランティア活動など、連携を通じた世代間交流の実施に力を入れている。

龍ケ崎市人口ビジョン（二〇二二年度改訂版）では、龍ケ崎市の人口移動の傾向は変わらないものの、長期的には、転入数が減少し、転出数（特に二〇～五〇代）が増加していくことが懸念されている。二〇二〇年の龍ケ崎市の合計特殊出生率は、一・〇五であり少子化が着実に進んでいる。この数値は、日本全体（一・三三）や茨城県（一・三四）の水準と比較してみても低い[6]。龍ケ崎市では、子育て世代の転出の増加と少子化の進行を食い止めるために、さらなる子育て支援の充実が必須であると市の担当者は語っている。

松戸市の状況はどうだろうか。松戸市の人口は、四九万七三四二人[7]となっている。そのうち一五歳未満の子どもの数は五万五四九六人[8]であり、全年齢人口の約一一％程度となっている[9]。合計特殊出生率については、二〇二一年の数値で一・一六であり、全国一・三〇、千葉県一・二一よりも下回っている[10]。

松戸市は、子育てしやすいまちづくりを政策の最重要項目として掲げており、その取り組みは、各種子育て支援のランキングにも反映されている。日本経済新聞社と日経クロスウーマン「共働き子育てしやすい街ランキング」では、二〇二〇年、二〇二一年と二年連続全国編一位、二〇二二年には二位を獲得している。さらに、日本子育て支援協会による「第二回日本子育て支援大賞二〇二一（自治体・プロジェクト部門）」や一般財団法人ベビー&バースフレンドリー財団による「第一回ベビー&バースフレンドリーアワード」二〇一七年二月では、ベビー&バースフレンドリータウン賞を受賞している。松戸市の強みとし

（6）龍ケ崎市「龍ケ崎市人口ビジョン（二〇二二年度改訂版）」二〇二三年

（7）二〇二三（令和五）年三月三一日現在

（8）二〇二二（令和四）年一二月末日現在

（9）松戸市HP「松戸市の人口・統計」(https://www.city.matsudo.chiba.jp/profile/jinkoutoukei/jinkou/zyuukizinnkounenrei.html 二〇二三年四月二二日閲覧)

（10）千葉県HP「合計特殊出生率」(https://www.pref.chiba.lg.jp/kenshidou/toukeidata/kakushukousei/tokushusshou.html 二〇二三年四月二二日閲覧)

ては、地域の小規模の病院やクリニック、高度医療を担う医療施設の数が多いことがあげられる。[11]さらに、地域子育て支援拠点については、松戸市認定の「子育てコーディネーター」が市内二八か所の全拠点に常駐し、そのうち一時保育利用者が無料で使用できる個人ブースを併設する施設は六か所ある。次節では、「ちばらき」で子育て支援政策に力を入れ、子育て世帯の移住者を増やしている事例として堺町を紹介していく。

2　ファミリー層に優しい街づくりを目指して――茨城県境町

境町は関東平野の中心部にあり、茨城県の県西部、千葉県と埼玉県の県境に位置している。町内には利根川が流れており、利根川をはさんで千葉県に面している。また、茨城県古河市、坂東市、五霞町、千葉県野田市に隣接している。利根川と江戸川の分岐点という立地にあることから、江戸時代には水運を利用した利根川随一の「河岸のまち」として人や文化が行き交う文化交流の拠点として栄えてきた。

境町の人口は、二万三九〇〇人、世帯数は九〇〇三世帯となっている。[12]二〇二三（令和五）年一月一日現在、一五歳未満の子どもの数は、一四一一人で全年齢人口の一一・九％であった。この数値からも特に子どもの数が際立って多い自治体ではないことがわかる。[13]境町の合計特殊出生率は、市町村統計において確認できる最新のデータとして二〇一八年のものがある。その数値は、一・五七であり、全国・茨城県全体の水準よりも高い。しかし「境町人口ビジョン」では、人口減少を抑制するためには十分な水準とはいえないと分析され

（11）　松戸市HP「松戸市子育てサイト　まつどDE子育て」（https://www.city.matsudo.chiba.jp/kosodate/matsudokosodate/index.html　二〇二三年四月二三日閲覧）

（12）　二〇二三（令和五）年四月一日現在

（13）　茨城県HP「茨城県の年齢別人口（茨城県常住人口調査結果）四半期報」（https://www.pref.ibaraki.jp/kikaku/tokei/fukyu/tokei/betsu/jinko/nenrei/index.html　二〇二三年四月二三日閲覧）

ており、さらなる政策に取り組む必要性が示されている。[14]

小さい自治体ながらも境町は、「子育て支援日本一」を掲げている。しかし、かつては人口減少が著しく、借金の多い自治体であった。二〇一三年の時点では、地方債が一七二億円にまでのぼり、財政的にも非常に厳しい状況に置かれていた。ところが、二〇一四年に橋本正裕氏が町長に就任すると、斬新な改革が進められるようになっていった。特に、企業誘致や干し芋などの商品開発を行い、ふるさと納税の返礼品として活用したり、ＥＣショップなどの販路拡大にむけた取り組みに投資することで町が活発化していった。その結果、ふるさと納税による寄付金は、二〇一四年の三〇〇〇万円から、二〇二一年には四八億円と関東トップの額となった。境町は、このふるさと納税の寄付金を原資として、子育て支援事業や若い世代の移住・定住促進の強化に注力した。とりわけ、英語移住[15]や英語教育の強化推進を町のアピールポイントとし、子育て世帯の移住者が急増したことで、全国でも注目を集めるようになった。近年では、メディアでの掲載も増え、二〇二三年二月号第一一回「住みたい田舎」ベストランキングでは、「移住者の割合が高い」部門で関東第一位（全国第三位）を獲得している。[16]また、日本子育て支援協会主催の「第三回　日本子育て支援大賞二〇二二」（自治体部門）で大賞を受賞している。テレビ番組では、「ヒルナンデス」や「news every.」などでも取りあげられている。3節では、境町の子育て支援センターについて紹介していく。

(14)　境町「境町人口ビジョン」平成二七（二〇一五）年一〇月（令和二（二〇二〇）年三月改訂）

(15)　境町では、平成三〇（二〇一八）年から英語教育に力を入れた「スーパーグローバルスクール事業」を実施している。フィリピン人の英語講師を採用し、公設保育園と全小中学校で実用的な先進英語教育の導入と、実用英語技能検定（英検）受検料を無料（年一回まで）とする事業を行っている。このように、海外に移住しなくても、町内のすべての子どもが、質の高い英語教育が受けられることから「英語移住」と称し、英語教育を目的とする子育て世代の移住者を町内に呼び込む独自の取り組みに着手している。

(16)　宝島社「田舎暮らしの本 Web」（https://inakagurashiweb.com/archives/24881/3　二〇二三年四月二九日閲覧）

3　子育てと社会をゆるやかにつなぐ親子の居場所——さかい子育て支援センター

茨城県境町に二〇二〇（令和二）年九月、「さかい子育て支援センター　S-WORK+KIDS」が開館した（図2）。同地には、もともと「境町親子ふれあい館　キッズハウスさかい」があったが、対象者が主に乳幼児とその親に限定されていたため、リニューアルされることになった。指定管理者としては、NPO法人子育てスタイル推進協会が選出され、業務委託されている。施設の利用対象者は、小学校低学年までの子どもとその保護者に拡大し、屋内は、乳幼児用のスペースと幼児・学童用のスペースに分割されている。屋外には、電気ゴーカートのコースが設置されている。

正規スタッフは、八名（保育士五名、幼稚園教諭一名、助産師一名、その他一名）おり、このほか市のシルバー人材スタッフ二名がパート勤務している。通常は、正規スタッフ三〜四名と、シルバースタッフ一名の、計四〜五名体制で利用者をサポートしている。

増設された施設には、大型室内遊具が完備された主に幼児・学童用の遊びのスペースと事前登録制のコワーキングエリアやフリーキッチンが用意されている。一階のコワーキングスペースは、ガラス窓越しにプレイエリアが併設されており、子どもの遊ぶ様子をみながら仕事ができる環境となっている（図3）。二階には、キッチン付きワークスペースのほか、個室が設置されており、オンライン会議などにも適したブースが用意されている（図4）。勤務中に託児を希望する場合には、境町社会福祉協議会を通して、子育てサポーター

図2　さかい子育て支援センター（2023年、筆者撮影）

図3　ガラス越しに遊び場が見えるワークスペース（2023年、筆者撮影）

を派遣することもできる。その他にも助産師による育児相談、弁護士相談会、英語講師による English kids day、外部講師による講座、季節の製作教室、読み聞かせタイムなどの各種イベントが定期的に行われている。センターの開館時間は、九～一七時（月曜休館）、土日も開館している。無料エリアは、混雑を避けるため一家族九〇分間の利用制限を設けている。この施設は、「イクハク（育児助成金白書）」による二〇二〇年度の「ベスト育児制度賞（茨城県）」を受賞しており、家族との時間、働く時間、どちらも大切にし、子どもも親も緩やかに多くの人とつながれる場をつくった点で評価されている。[17]

境町出身で自身の子どもも境町で育てた経験を持つ飯田副館長（元幼稚園教諭・学童保育職員）は、「自分たちのときと違って、本当に便利で子育てしやすい町になっている。英語教育にも力を入れていて、子育て中にこうした施設が身近にあったらどんなによかったか」と語る。二〇二〇年九月のオープン当時は、利用者が少なかったため、インスタグラム（Instagram）やライン（LINE）などのSNSを活用し、

（17）イクハク「二〇二〇年度茨城県ベスト育児制度賞」（https://www.ikuhaku.com/mains/best_2020ibaragi_detail　二〇二三年五月一日閲覧）

図4　個室ワークスペース（2023年、筆者撮影）

若者層へのアピールを積極的に行ってきたという。現在は、利用制限をかけるほど、にぎわいをみせているとのことであった。利用者のうち、三分の一は境町の住民、残りの三分の二は町外者であり、近隣の古河市や坂東市からも遊びに来るという。境町が盛り上がればよいとのことで、町外利用を断らず、受け入れているとのことであった。

当館の館長であり、指定管理責任者（NPO法人子育てスタイル推進協会代表理事）の光畑由佳さんは、「授乳服」の製作や「子連れ出勤」の仕組みを会社に取り入れるなど「子育てと社会」をつなげる活動を長年手掛けてきた。こうした経緯は、「さかい子育て支援センター　S-WORK+KIDS」のコンセプトにも活かされ、仕事場と遊び場の共存を実現させている。光畑館長に今後の課題を尋ねてみたところ、以下の三点をあげていた。第一に、町から一時保育事業の実施が求められており、保育士の確保が課題になるとのこと。第二に、一時保育事業を実施していくうえで、これまで施設の方針として大切にしてきた「子連れ」とのバランスを維持していくこと。第三に、公的な子育て支援施設で、子連れで働ける場があることは価値ある取り組みであるが、子連れで働く親が少ないことである。子どもを持つ親の働き方についての課題は、日本全体が抱える問題とはなるが、地域の特性上、在宅勤務の家庭が少ないこと

（18）光畑由佳『働くママが日本を

も子連れ勤務の増えない一因になっていると指摘する。

今後は、子育て世代への起業支援なども視野にいれながらの運営が期待されている。光畑館長の著書『働くママが日本を救う！』でも指摘されているように、生活そのものに仕事が入り込んできている現代社会だからこそ、オンオフの境を少しゆるめにつなげる「ワーククライフミックス」という考え方が大事になってくるのであろう。[18]

おわりに――「ちばらき」流子育てのススメ

子育てのしやすさから「ちばらき」をみてみると、子育てを意識したまちづくりや乳幼児家庭の外出・移動に伴う公共交通機関の整備、労働環境および住環境整備、独自の教育プログラム実施、高年齢児童の医療費の無償化などの諸点で充実していることが確認できた。[19] とりわけ、つくば市、松戸市、流山市、柏市、守谷市は、子育てのしやすい都市として紹介されることが多く、子育て世帯が一定数居住する地域となっていた。しかしながら、「ちばらき」地域でも特に銚子市、香取市などの千葉県北東部では、人口減少率が顕著であり、子育て世帯の割合も低いことが明らかであった。

人口が集中し、都市開発がさかんなエリア、すなわち交通網が発達し、首都圏へのアクセスのよいエリアは、子育て支援制度も盤石であった。特に、千葉県の北西部、茨城県の南部は、街の再開発が進んでおり、子育てのしやすさは日本全国でみても群を抜いて高いエリアとなっていた。[20]

救う！「子連れ出勤」という就業スタイル』毎日コミュニケーションズ（マイコミ新書）、二〇〇九年

(19) 内閣府「少子化社会対策白書」（平成三〇年（二〇一八）七月）。第三章「子育てしやすい社会の実現に向けて【特集】」においては、先進事例として、千葉県流山市の取り組みが紹介されている。

(20) 『都市データパック 二〇二三年版』（東洋経済新報社、二〇二三年）では、「子育てしやすい自治体ランキング」が公表されている。子育てのしやすさを評価する方法として、「住民の評判」と、〇〜一四歳人口（年少人口）の比率や伸びを基にした「実績」の二つの軸を採用し、評価がなされている。その結果、東京圏（東京都・神奈川県・埼玉県・千葉県）では、一位印西市、二位流山市となり、「ちばらき」がトップ二を独占した。茨城県を含む全国総合版では、二位につくば市、四位印西市、六位流山市がランクインしている。印西市は、震災に強い地盤の硬さ、BCP対策の拠点として企業進出が進んだことや人口増加率、大規模ショッピングモールなどが充実している点が高く評価された。

便利な交通網がなくても独自の取り組みで成果を上げたのが、本章でも紹介した茨城県の境町である。境町は、長年負債を抱え財政危機にあり、町内からの転出による人口減、少子高齢化に苦悩する自治体であった。ところが、橋本町長の舵取りのもと、東京駅と境町をつなぐ高速バスを走らせ、通勤・通学の利便性を謳い各種事業を行ってきた。町のスローガンを「子育て支援日本一」とし、「ふるさと納税」を原資とした移住支援や英語教育強化などの事業に注力してきたのである。

このように子育て世帯への取り組み方は、各自治体によって大きく異なることから、一言で「ちばらき」が子育てしやすい地域と断言することは難しい。しかしながら、公園などの緑あふれる環境下にありながら、首都圏へアクセスがしやすい点は「ちばらき」の強みとなっている。また、ソフト面での充実も着実に図られおり、多くの「ちばらき」地域では、のびのびと子育てや暮らしができる環境（ライフ）と職場（ワーク）が併存すること、つまり財とサービスの近接性が重要視されている点で共通していた。

「ちばらき」流の子育てのしやすさは、先述の特徴を最大限に生かし、子育て世帯にとっての利便性を追及しつつ、各家庭の最善の方法が選択できる点に尽きる。家族のライフステージに合わせて、働き方や暮らし方、子どもの育て方など、選択肢が豊富に用意されていることは、間違いなく「子育てのしやすさ」につながっていく。

column

つくばエクスプレスが変えた学校の風景

――――桜井淳平

近代社会の都市化・産業化と鉄道交通は、切っても切り離せない関係にある。日本においては、二〇世紀に入ってからの鉄道の整備によって、都市は飛躍的な拡大をみせた。高度経済成長期には、中心部から放射状に伸びる鉄道網に沿って開発が進み、郊外化の時代が加速した。そして二一世紀、新たな大規模郊外開発となったのが、つくばエクスプレス（以下、TXとする）の沿線開発である。

TXは首都圏新都市鉄道が運営し、秋葉原駅・つくば駅間を最短四五分で結ぶ鉄道として、二〇〇五年八月二四日に開業した。開発総面積は三県一八地区にまたがって三〇一九ヘクタール。これは六〇年代に進められたどのニュータウン開発よりも大規模なものとなった。[1] このうち千葉県は六地区一〇八一ヘクタール、茨城県は八地区一五六三ヘクタール。まさに「ちばらき」を貫く大事業である。

なかでも、開発面積が全体の四三・三％を占めるのがつくば市である。茨城県県南に位置するつくば市は、一九八七年に、合併により誕生したが、同年に筑波鉄道筑波線が廃線となったことで、市内を走る鉄道は筑波山の観光鉄道のみとなった。そのため、TXはつくば市の悲願であった。

TX開通に伴う特筆すべき変化として、子育て世帯の流入があげられる。沿線自治体では小学校の「マンモス校」化も進み、「教室が足りない」事態が現在進行形で生じている。文部科学省は、三一学級以上を「過大規模校」として速やかに解消するよう促しており、それに沿って小学校の新設が生じた。千葉県柏市では二〇二三年度に一校が移転・新設、千葉県流山市ではすでに二校が開校し、二〇二四年度にも二校増える。

つくば市については、表1と図1で詳しくみていこう。表1には、TX関連によって児童数が大幅に増えた学

表1　TX開通に伴うつくば市立小学校の児童数（人）の推移

周辺駅	小学校名	2005	2011	2012	2017	2018	2022	2023（年度）
つくば駅・研究学園駅	竹園西	464	661	651	778	790	871	846
	葛城	182	546	56	294	329	492	485
	沼崎	345	609	625	702	524	415	392
	春日学園（義務教育学校）			810（開校）	1,594	947	693	688
	学園の森（義務教育学校）					1065（開校）	1,818	1,384
	研究学園							508（開校）
万博記念公園駅	島名	233	287	291	550	616	814	273
	香取台							600（開校）
みどりの駅	谷田部	749	869	886	1,101	676	686	733
	みどりの学園（義務教育学校）					622（開校）	1,650	1,918
	みどりの南							（2024年度開校）

注）つくば市情報公開制度にもとづき開示請求を行い、データの提供を受けた。紙幅の都合から、TX 関連の新設校が開校した2005年度、2012年度、2018年度、2023年度とその前年度のみ掲載した。また廃校となった学校は省略した。

校、およびそれに伴って新設された小学校について、児童数の推移を整理した。図1の地図もあわせて参照いただきたい。

まずはつくば駅・研究学園駅周辺についてみていく。つくば駅にほど近い竹園西小学校は、児童数が断続的に増え続けている。二〇一二年度に開校した春日学園は、TX開通で児童が増加した葛城小学校の受け皿となった。開校の際に葛城小学区からの転入を一時的に認めたことで、葛城小は想定外に児童数が減少し、逆に春日学園はすぐに過大規模校となった。そのため、二〇一八年度には学園の森を新設して対処することとなった。これにより、沼崎小学校の児童数の増加も落ち着いた。しかし、その学園の森も将来二〇〇〇人を超えると推計され[2]、今後に備えて二〇二三年度には研究学園小学校が新設された。万博記念公園駅周辺では、島名小学校の児童数の増加への対応として、二〇二三年度に香取台小学校

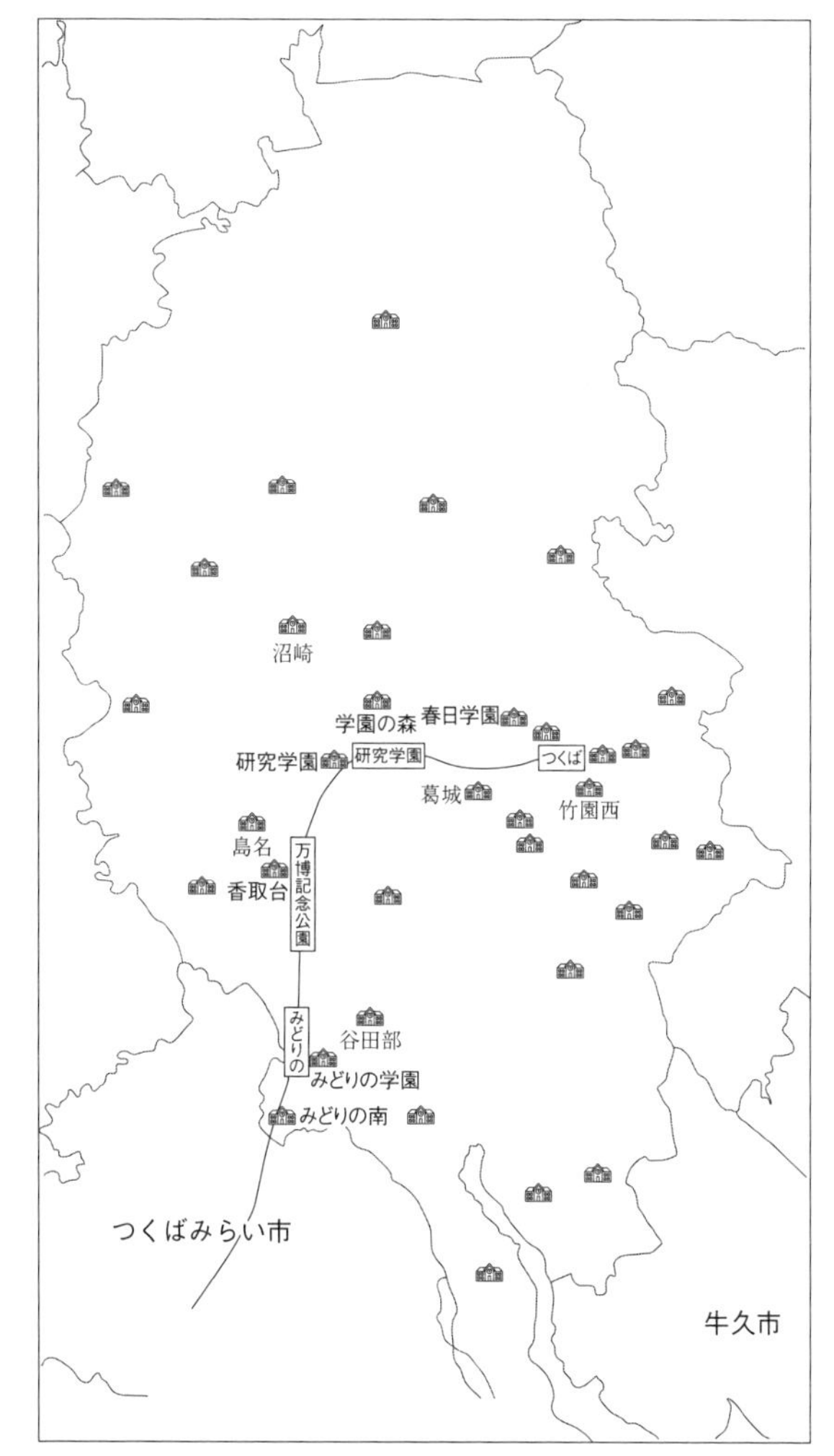

図1　つくば市立小学校・義務教育学校の所在地（略図）

注）国土地理院「電子国土 WEB」の白地図を利用して筆者作成。

が新設された。

最も深刻なのが、みどりの駅周辺である。谷田部小学校が一〇〇〇人を超えたため、二〇一八年度にみどりの学園を新設して対応した。しかしながら、二〇二三年度に早くも一九一八人に到達、二〇二八年度にはなんと三〇〇〇人を超えてしまうと推計され、[3]新たにみどりの南小学校が必要となった。二～三〇〇〇人にも達するような小学校は、子どもたちの目にどう映るのだろうか。

以上にみてきたのはTX関連の「恩恵」である。しかしその「光」の一方で、「影」もある。つくば市の小学校は表1のほかに二五校あり、その大半は児童数が減少の一途にある。また、TX開通後に合計九校が廃校となっている。これはおそらく、少子化が進む日本全国で共通にみられる風景である。だとしたら、TX沿線の小学校のマンモス化と新設は、特異的な風景ともいえるのだ。鉄道は極めて局所的にまちの風景を変え、地域や学校間の格差を生み出していくことを、つくば市がたどった二〇年弱が教えてくれている。

〔注〕
（1）乾康代「つくばエクスプレス沿線開発の経緯と特徴——二一世紀の郊外住宅地まちづくりに関する検討」『茨城大学教育学部紀要（人文・社会科学・芸術）』六六、二〇一七年、三五—五〇頁
（2）つくば市「つくば市学校等適正配置計画（指針）」二〇二〇年
（3）つくば市、前掲書（2）

醤油づくりのまち
——銚子と野田のブランド化——

谷口佳菜子

はじめに——日本の食文化「醤油」

日本各地で発展してきた調味料の一つに醤油がある。本章でとりあげる千葉県銚子市、野田市は濃口醤油の生産地として知られ、ヤマサ醤油株式会社やヒゲタ醤油株式会社、キッコーマン株式会社（以下、ヤマサ、ヒゲタ、キッコーマンとする）がある。醤油は、JAS（日本農林規格）によると、濃口醤油、淡口醤油、たまり醤油、白醤油、再仕込み醤油の五つに分類される。濃口醤油は、生産量が約八〇%と最も多く一般的な醤油である。[1]濃口醤油は全国で生産されているが、その特徴は各地域によって差があり、たとえば九州地方で生産される醤油は甘みがある。

（1）しょうゆ情報センター「醤油の統計資料　二〇二一年実績」(https://www.soysauce.or.jp/wp-content/uploads/2018/06/toukei2021.xlsx　二〇二三年六月五日閲覧)

淡口醤油は関西でよく使用されており、濃口醤油と比べて色や香りが抑えられているため、素材を生かした調理に使用される。淡口醤油は兵庫県の龍野地方で主に作られている。たまり醤油の主産地は東海地方で、濃厚な醤油は佃煮や煎餅などの調理に使われる。白醤油は主に愛知県で生産されており、淡口醤油よりも色が淡く、吸い物や茶碗蒸しに使用される。生産量が最も少ない再仕込み醤油は中国地方や九州地方で生産されており、刺身や寿司などに使用される。

地域の特色を持つ醤油のなかでも、広く普及している濃口醤油を生産する銚子と野田が、醤油醸造業の中心となっていく様子をみてみよう。

1　醤油づくりが関東へ

二〇二一（令和三）年の都道府県別の醤油等出荷数量のシェアは、一位が千葉県で三七・八〇%、二位が兵庫県で一五・六二%、三位が群馬県で六・五五%となっている。[2]千葉県の醤油の主な生産地としては、キッコーマンがある野田市、それからヤマサとヒゲタがある銚子市となる。なお、ヒゲタは、野田醤油株式会社（現キッコーマン）と一九三七（昭和一二）年に資本提携し一九四七（昭和二二）年に経営分離、一九六六（昭和四一）年にはキッコーマンと販売委託契約を締結、二〇〇四（平成一六）年には資本提携している。二〇二〇年度の出荷数量からみた国内醤油市場におけるシェアは、表1[3]の通り、キッコーマンが約三割、二位のヤマサが約一割となり、正田醤油（群馬県館林市）、ヒゲタ、ヒガシマル（兵庫

（2）　しょうゆ情報センター、前掲サイト（1）

（3）　「しょうゆの出荷集中度（二〇一八〜二〇年度）」『酒類食品産業の生産・販売シェア——需給の動向と価格変動（二〇二一年度版）』日刊経済通信社、六九〇頁および各社HPをもとに筆者作成。シェアの数値は出荷量から筆者が再計算した。

県たつの市）を含めた上位五社でシェアの半分以上を占める。

　醤油の起源は明確ではなく、宋から紀州湯浅（現和歌山県湯浅町）に伝わった径山寺味噌から溜が見出されて醤油が始まったという説もある[4]。銚子にあっては、摂津西ノ宮出身の江戸豪商真宜九郎右衛門から田中玄蕃が教わり、たまり醤油の製造販売を開始した一六一六（元和二）年がヒゲタの創業年とされている。また、ヤマサは湯浅に隣接する紀州有田郡広村から初代濱口儀兵衛が銚子へ下り、醤油の醸造を行なったのが始まりで一六四五（正保二）年が創業年である。濱口家の屋号は「広屋」であるが、「広屋」はほかの醤油醸造家も屋号として使用していた。

　一方、野田の醤油は、永禄年間（一五五八～七〇年）に飯田市郎兵衛が最初に

表1　2020年度の国内醤油市場におけるシェア（出荷数量）

順位	銘柄	出荷量(kℓ)	シェア(%)	醤油の主要工場所在地
1	キッコーマン	203,200	28.9	千葉県野田市
2	ヤマサ	82,700	11.8	千葉県銚子市
3	正田醤油	46,700	6.6	群馬県館林市
4	ヒゲタ	35,700	5.1	千葉県銚子市
5	マルキン	28,540	4.1	香川県小豆郡
6	ヒガシマル	25,900	3.7	兵庫県たつの市
7	ワダカン	23,670	3.4	青森県十和田市
8	イチビキ	22,500	3.2	愛知県東海市・豊橋市
9	フンドーキン	16,800	2.4	大分県臼杵市
10	ヤマモリ	16,530	2.4	三重県桑名市
11	フジジン	12,650	1.8	大分県臼杵市
12	マルシチ	10,100	1.4	青森県南津軽郡
13	サンビシ	8,600	1.2	愛知県豊川市
14	ちば醤油	7,620	1.1	千葉県香取市
15	テンヨ武田	5,920	0.8	山梨県中央市
16	サンジルシ	5,140	0.7	三重県桑名市
17	マルテン	5,060	0.7	兵庫県たつの市
18	キノエネ	5,050	0.7	千葉県野田市
19	長工醤油味協	4,680	0.7	長崎県大村市
20	トモエ	4,520	0.6	北海道札幌市
総出荷量		702,423	100.0	

（4）二〇一七年に和歌山県湯浅町は、文化庁により日本文化遺産に「『最初の一滴』醤油醸造の発祥の地紀州湯浅」として認定されている（文化庁「日本遺産ポータルサイト」(https://japan-heritage.bunka.go.jp/ja/stories/story047/ 二〇二三年六月五日閲覧）。

図1　「野田の醤油発祥地」の記念碑（2023年、筆者撮影）

醤油を醸造し、その醤油は武田信玄に納められて「川中島御用溜醤油」と称されるようになったという。飯田家の醸造蔵「亀屋蔵」は、後にキッコーマンとなる野田醤油会社を構成した醸造家の一つである茂木房五郎家が一八五五年に借り受け、一八八四年に譲り受けた後、一九一七年には第五工場となった。この工場跡には記念碑が建てられており、一九七一年に野田市の史跡に指定されている（図1）。近世の醤油醸造としては、一六六一（寛文元）年に一九代髙梨兵左衛門が醤油醸造を開始したとされる。

江戸時代には、上方から江戸に物資が送られており、それらは「下り物」と呼ばれた。醤油も下り物の一つであり「下り醤油」と呼ばれた。しかし、近世中期以降になって江戸では、銚子や野田を含めた関東の「地廻り醤油」が下り醤油に取って代わることになった。関東の醤油は、原料の塩は「下り塩」が多く使用された一方、大豆や小麦は関東地域から仕入れることができた。醤油の原料となる生産地が関東で形成され、十分な仕入れが可能だったのである。日本経済史が専門の井奥成彦によれば、ヤマサの場合、霞ヶ浦沿岸（土浦、真鍋、府中、高浜、小川、若栗、木原など）や川通（藤蔵、安食、十里、安西、佐原、小見川、銚子など利根川筋、および宮本、府馬など近在）から仕入れていた。[5]

江戸への物流は、利根川と江戸川の水運が利用されていた。原料や容器の樽、燃料となる薪の調達、醤油の輸送に川船が使用された。消費地である江戸に近く、舟運が発達した

（5）　井奥成彦「醤油原料の仕入先及び取引方法の変遷」林玲子編『醤油醸造業の研究』吉川弘文館、一九九〇年、一一四―一一八頁

ことも関東の醤油が発展した理由の一つである。

江戸では蕎麦、鰻、天ぷら、寿司といった江戸前の料理が現れ、醤油のニーズも高まっていたと考えられる。原料の産地としての発展と、原料の調達やでき上がった醤油の輸送に欠かせない利根川や江戸川の水運の発達が加わって関東の醤油醸造業は活発化していった。

2 銚子の醤油醸造業の発展

現在、銚子電鉄の仲ノ町駅からヤマサの工場がみえる。ヤマサの工場の前を経営危機に陥り副業でぬれ煎餅の販売を始めた銚子電鉄が走っている。[6] ぬれ煎餅の醤油にはヤマサの醤油が使用されている。

一七五三（宝暦三）年、銚子の醤油醸造の仕込石高ではヤマサの広屋（濱口）儀兵衛が八三一石四斗で三位、ヒゲタの田中玄蕃は三〇七石五斗で七位であった。[7] 一八八八（明治二一）年にはヒゲタやヤマジュウ醤油と同等の製成石高で三〇〇〇石以上となるが、一八九八（明治三一）年には銚子ではヤマサのみが五〇〇〇石以上となり、ヤマサは銚子での醤油業界において重要な地位を確立していく。[8]

銚子で造られた醤油は、問屋を通して江戸へ向けて出荷されていた。醤油醸造業者から問屋に醤油が出荷され、帰り船に塩と明樽[9]が積まれるという方法が取られていた。[10] 江戸の有力な問屋は限られていたため、交渉では問屋が有利であった。そこで、醤油醸造家たち

（6） 銚子電気鉄道ＨＰ「銚電ストーリー（奇跡のぬれ煎餅）」（https://www.choshi-dentetsu.jp/railway/1905/ 二〇二三年七月二七日閲覧）

（7） 一位は宮原屋太兵衛で九八三石五斗、二位は広屋理右衛門で八八四石四斗である。林玲子『関東の醤油と織物――一八―一九世紀を中心として』吉川弘文館、二〇〇三年、一〇頁

（8） 谷本雅之「銚子醤油醸造業の経営動向――在来産業と地方資産家」林玲子『醤油醸造業史の研究』吉川弘文館、二四七―二五一頁

（9） 明樽とは空樽のことで、樽は再利用されていた。

（10） 林玲子、前掲書（7）、三三頁

は団結することで交渉を行うことになる。銚子では、一七五三（宝暦三）年に「銚子醤油仲間」が結成され、領主層への対応や新規参入の規制、販売先との交渉を行なっていた。野田が同様に造醤油仲間を結成したのは一七八一（天明元）年のことである。一八二〇年代には銚子、玉造、水海道、千葉、野田、松尾講、川越、江戸崎の八組が「関東八組造醤油仲間」を結成しているが、これを主導したのは銚子組で、銚子組は競合する醸造家への仲間統制の意図も持っていた。[11] しかしながら、問屋が主導権を持つ時代は長く続き、メーカー側が価格決定権を持つのは東京市場の販売協定の締結が行われる一九二六年以降のこととなる。

一八世紀なかごろから一九世紀はじめごろには江戸への出荷が増加したため、醤油醸造家は専属の船である手船を持っていた。銚子の醤油は利根川を使って関宿まで遡り、江戸川を下り日本橋の河岸に至るルートで運ばれた。ヤマサの江戸までの輸送期間は、一八二八（文政一一）年では一二日から一か月以上と時期によって変動があったようだ。[12] 明治期になっても銚子からは船での輸送に数日から十数日かかるのに対し、近世より江戸川から出荷された野田の醤油は前晩に積み込んでおけば翌日には東京へ到着するという早さであった。[13] ヤマサが醤油を東京に向けて鉄道輸送するのは、東京―銚子間を総武鉄道株式会社線が開通した一八九七（明治三〇）年である。大正期になると関東から東京への味噌と醤油の輸送は、水上輸送から鉄道輸送に移り変わっていった。[14] 江戸市場の競争が激化すると、ヤマサは利根川流域の地方市場に向けても販売した。関東の醤油醸造業の中心であった銚子であるが、江戸市場において立地条件で野田に大きく差をつけられることになったのである。

（11）篠田壽夫「江戸地廻り経済圏とヤマサ醤油」林玲子編『醤油醸造業史の研究』吉川弘文館、一九九〇年、八三頁

（12）林玲子、前掲書（7）、八〇―八一頁

（13）林玲子、前掲書（7）、一五八頁、山口和雄監修、高村直助編『近代日本商品流通史資料第七巻「東京市貨物集散調査書」』日本経済評論社、一九七八年

（14）林玲子、前掲書（7）、一六七―一六八頁

3　野田の醤油醸造業とマーケティング

野田では、髙梨家と分家した茂木家が醤油醸造家として重要な役割を果たした。野田の醤油醸造業には、山下平兵衛家（現キノエネ醤油）などを除き同族が多かったが、それぞれがブランドを持つ競争関係にありながら、ときには造醤油仲間の結成や経営危機に陥った際の協力関係を持っていた。たとえば、茂木七郎右衛門家が大火で窮地に陥ったときに、七郎右衛門家から分家した茂木房五郎家は、醸造蔵や商標「キハク」を返上して本家再興に寄与した[15]。また、初代茂木勇右衛門は早世したため事業を本家の茂木七左衛門家が行い、二代勇右衛門が七郎右衛門家で修行した後に家業を継いだ[16]。

一九一七（大正六）年に合同により野田醤油株式会社が誕生した。同社は、野田の醸造家である茂木七左衛門、髙梨兵左衛門、茂木七郎右衛門、茂木佐平治、茂木房五郎、茂木勇右衛門、茂木啓三郎、そして流山の堀切紋次郎[17]の八家により成立した。同社が現在のキッコーマンへとつながる[18]。

現在、東武鉄道の野田市駅周辺には野田の醤油醸造業に関連する建物が残っている。キッコーマンの野田本社、中央研究所、工場群、国際食文化研究センター、旧茂木佐平治家住宅（現野田市市民会館）、キノエネ醤油の工場群、旧髙梨兵左衛門邸（現上花輪歴史館）、旧茂木七左衛門家の工場跡地に建つ茂木本家美術館、また一八八七（明治二〇）年に設立された野田醤油醸造組合が設立した旧野田商誘銀行[19]の建物（現株式会社千秋社）などがある。

（15）　キッコーマン株式会社一〇〇年史編纂委員会『キッコーマン株式会社百年史』キッコーマン、二〇〇〇年、五五八頁
（16）　キッコーマン株式会社一〇〇年史編纂委員会、前掲書（15）、五五八頁
（17）　堀切紋次郎家は、茂木佐平治家と姻戚関係にあった。
（18）　野田醤油株式会社は、一九八〇年に現在の社名であるキッコーマン株式会社へと社名を変更した。
（19）　醸造家の資金調達のために設立された銀行で、「商誘」は、「醤油」の語音にちなんでつけられた。一九四四（昭和一九）年に千葉銀行に営業権が譲渡された。キッコーマン株式会社一〇〇年史編纂委員会、前掲書（15）、五七七頁

醤油業界では、醸造家の印や問屋の手印が醤油に付与され販売されており、ブランド化が進んでいた。たとえば、髙梨兵左衛門家は、最も多い一八三八（天保九）年には六六種類を販売していた[20]。

一九世紀なかばには、髙梨兵左衛門家と茂木佐平治家の醤油は、江戸城本丸と二の丸への納入を許された「幕府御両丸御用」とされており、幕府が品質を認めていた。江戸における物価が高騰し、一八六四（元治元）年に幕府が物価引き下げ命令を行ったころ、醤油には、「極上」「上」「並」のランク付けがされていた。醤油醸造家は、極上の上に「最上」という醤油があり、最上醤油を従来の「極上」の値段で販売することの許可を幕府に求めた。そして、野田の「キッコーマン」（茂木佐平治家）「キハク」（茂木七郎右衛門家）「ジョウジュウ」（髙梨兵左衛門家）、銚子の「ヒゲタ」（田中玄蕃家）「ヤマサ」（濱口儀兵衛家）「ジガミサ」（古田庄右衛門家）「ヤマジュウ」（岩崎重次郎家）の七つの銘柄（ブランド）が最上醤油と認められ幕府からお墨付きを得たのである。現在でもヤマサとヒゲタの印には、「上」の字があるが、これは「最上醤油」として品質が認められた証として付け続けられている[21]。

一八六八（明治元）年に茂木佐平治家は、キッコーマンのラベルに「天下一品」という文字を入れることで、ほかのブランドとの差別化を図った。九代茂木佐平治は、合同で各家の商標の扱いを検討する際に、「キッコーマン」ブランドはすでに国内市場でもよく知られ高い評価を得ていたとして、「キッコーマン」商標料支払いの要求を主張している。

野田醤油株式会社の誕生時、二一一あった醤油の商標を整理して一九二〇（大正九）年には「キッコーマン」「キハク」「ジョウジュウ」「クシガタ」「ミナカミ」「フジイッサン」「ジョ

(20) 石崎亜美「近世における醤油生産と取引関係」公益財団法人髙梨本家（上花輪歴史館）監修、井奥成彦・中西聡編『醤油醸造業と地域の工業化――髙梨兵左衛門家の研究』慶應義塾大学出版会、二〇一六年、一二四頁

(21) ヤマサ醤油株式会社HP「ヤマサのこだわり　伝統と品質」(https://www.yamasa.com/enjoy/kodawari/ 二〇二三年七月三〇日閲覧)。ヒゲタ醤油株式会社HP「経営理念　ヒゲタ印の由来」(https://www.higeta.co.jp/company/philosophy/ 二〇二三年七月三〇日閲覧)。

ウトリ」「テンジョウ」の八つを残していたが、市場評価の高い「キッコーマン」を中心に販売していくことになる。[22]「キッコーマン」という商標は、一九二七（昭和二）年には東京市場で統一されている。そして、キッコーマンはブランドを浸透させるための広告宣伝を積極的に行い、他社製品との差別化を図っていった。

(22) キッコーマン株式会社一〇〇年史編纂委員会、前掲書(15)、一二三頁

おわりに――醤油ブランドの形成

銚子市と野田市は、二〇〇七（平成一九）年に経済産業省により柏市、流山市、香取郡神崎町とともに「激しい産地間競争等を通じ近代産業へと発展した利根川流域等の醸造業の歩みを物語る近代化産業遺産群」として認定されている。[23]明治期には、野田では六代茂木七郎右衛門が化学試験所をつくり、その後、銚子ではヤマサ、ヒゲタ、ヤマジュウが共同による試験所を、そして野田醤油醸造組合が醸造試験所を開設しており、科学技術を用いて醤油を研究・開発する基礎が形成された。また、新設の工場、機械化が進んでいくことになった。

野田醤油株式会社の誕生後、東京市場では、野田のキッコーマン、銚子のヤマサ、ヒゲタを「三印」と呼んだ。生産力を拡大していた「最上醤油」を販売する三印は、全国市場に向けて販売を行ない、なかでもキッコーマンが大きな成功を収めていくことになる。キッコーマンは一九五八（昭和三三）年にマーケティング委員会を発足させており、醤油の市場の成熟化、消費量の限界に危機感を持ってマーケティング重視で事業が行われた。醤油

(23) 経済産業省「平成一九年度近代化産業遺産群三三――近代化産業遺産が紡ぎ出す先人達の物語」経済産業省、二〇〇七年（https://www.meti.go.jp/policy/mono_info_service/mono/creative/kindaikasangyoisan/pdf/isangun.pdf 二〇二三年六月二日閲覧）

醸造業において、近代的マーケティングの導入が[24]行われていったのである。

二〇一三（平成二五）年には、和食がユネスコ無形文化遺産に登録された。醤油は和食に欠かせない調味料である。今や日本の食は世界に知られるところとなり、醤油は輸出や現地生産が行われている。市場の多様なニーズに対応し、グルテンフリーの醤油やイスラーム教徒の多い中近東市場向けのノンアルコールの醤油なども製造・販売されている。

銚子や野田の工場の周辺を歩くと醤油の香りが漂ってくる。銚子と野田は、日本の食を支えてきたと実感できるまちなのである。

（24）キッコーマンでは、企画宣伝課の新設や卓上びんの開発、品質を訴求する広告など様々な取り組みが展開された。キッコーマン株式会社一〇〇年史編集委員会、前掲書（15）、一一一頁。

〔謝辞〕
執筆にあたって、キッコーマン株式会社国際食文化研究センター長の山下弘太郎氏から貴重な資料と示唆に富むアドバイスをいただいた。ここに記して感謝申し上げる。

〔参考文献〕
キッコーマン株式会社一〇〇年史編纂委員会『キッコーマン株式会社百年史』キッコーマン、二〇二〇年
公益財団法人髙梨本家（上花輪歴史館）監修、井奥成彦・中西聡編『醤油醸造業と地域の工業化――髙梨兵左衛門家の研究』慶應義塾大学出版会、二〇一六年
篠崎四郎編『銚子市史』国書刊行会、一九八一年
林玲子『東と西の醤油史』吉川弘文館、一九九九年
林玲子・天野雅敏編『日本の味　醤油の歴史』吉川弘文館、二〇〇五年

column

鹿嶋市における、中心商店街の持続可能性

──岩井優祈

商店街の活性化に向けた「観光振興」の賛否

地方都市における商店街の衰退問題は、少子高齢化の影響を受けて深刻さを増している。大型チェーン店の進出や新業態の台頭など、さまざまな要因が商店街の存続を脅かしている。そのなかで、商店街の活性化を図るために注目されているキーワードが「観光」である。地域資源を活用した観光振興が、商店街の衰退対策に有効であると考えられている。

しかし、まちなかの商店街は地元密着型であることが多く、観光化に積極的な店主ばかりとは限らない。したがって商店街の観光振興に取り組む際には、観光客と地元客の調和を考慮した戦略が求められる。以上をふまえながら本コラムでは、茨城県鹿嶋市の中心市街地に位置する「宮中地区商店街」を事例に、商店街の持続可能性について検討する。

鹿嶋市宮中地区商店街の盛衰と観光振興

商店街が立地する宮中地区は、鹿島神宮の門前町として栄えてきた。宮中地区商店街の発展期は、鹿島開発が実施された一九六〇年代にみて取れる。大規模工場の開所に伴い、町全体で急激な労働人口の流入を迎えると、同商店街では精肉店や理髪店などの地元客志向の業種が集積をみせた。しかし、一九八〇年代から一九九〇年代にかけて市内にショッピングセンターが相次いで開業した結果、同商店街の商業機能は相対的に弱まった。さらに二〇〇〇年代には、鹿嶋市と神栖市をつなぐ国道一二四号線沿いに、いわゆるロードサイド型店舗が次々とオー

プンし、同商店街の衰退に拍車をかけた。これらの地域変化を受けて、宮中地区商店街では、次第に商業以外の価値、すなわち観光化が注目されるようになった。二〇〇〇年初頭には、鹿島神宮の門前通りの無電柱化や、鹿島神宮の雰囲気に合わせた灯篭型外灯の設置などの景観整備が実施された。さらに二〇一三年には、鹿島神宮にゆかりのある塚原卜伝をモチーフとした「卜伝にぎわい広場」が開設された。こうして年間訪問者数が百万人を超える、鹿島神宮の参拝客をターゲットとした観光振興が、商店街全体で進められた。しかし、それらの取り組みが個々の店舗の売上増加に十分結び付いたとは言い難い。その理由について詳しくみていこう。

宮中地区商店街が抱える観光振興の諸問題

二〇二〇年現在、宮中地区商店街には一〇八の店舗が軒を連ねる。筆者が二〇一九年に同商店街の店主を対象に実施したアンケート調査（配布数が九一、回収率が四五・〇％）によると、客層に観光客が含まれる店舗は約三割であった。それでは客層の違いはどのように生じたのか。まず、観光客を取り込めるかどうかは業種に大きく依存する。飲食業や菓子製造業は、ほかの業種に比べて多くの観光客を取り込むことに成功していた。しかし、同じ飲食業や菓子製造業のなかでも、家族経営の店舗では人手不足を理由に十分な観光客対応が困難であることが判明した。そして、アンケート調査の結果、宮中地区商店街の約半数が家族経営であることがわかった。日用雑貨店を経営する店主は「過去にはより多くの観光客を取り込むために、鹿島神宮の催事に合わせて鳥居の側に出店を開いたものの、従業員が限られているため本店の人手が不足し、収入以上に労力の負担が大きかった」と語る。

店主による地元志向の経営方針もまた、商店街の観光化を妨げる要因となる。宮中地区商店街の店舗開業年の平均は一九六一年であり、長い年月をかけて地元客との信頼関係を築いてきた。そのため、一過性の観光客に頼るよりも地元客を大切にしたいと考える店主は少なくない。喫茶店を営む店主Kは「テレビで鹿島神宮が取りあげられたとき、観光客で店内がごったがえしたことでお得意さんに迷惑をかけた」と語った。

宮中地区商店街のように厳しい経営環境に置かれた商店街は、昨今の地方都市において普遍的にみられる。特に千葉県や茨城県などの大都市圏郊外では、若者の人口流出が深刻化しており、商店街の人手不足に拍車をかけている。そのため、観光振興に向けた新たな取り組みの実施がますます困難となっている。

「地元密着」を活かして持続可能な商店街へ

最後に、商店街の持続的な発展に向けた将来のビジョンを提案したい。それは、地元密着型の経営を維持しつつ観光振興を図るという二刀流路線である。従来の報告書では、観光と商業のどちらか片方に絞ることで商売の効率化を図ることが望ましいとの論調が強かった。しかし、この方針では来訪客の多様なニーズに応えられないばかりでなく、リスクの分散を難しくさせる。では、どうすれば二刀流路線が実現するのか。その手掛かりとして「無理しない観光」の理論は有益な知見を提供している。この理論に基づくと、地元密着型商店街によくみられる「店主との雑談」といった親しみやすい距離感は、スーパーマーケットや通販での買い物が浸透した現代において「非日常」を演出する装置として再評価される。したがって、商店街の観光振興を図る際には、地域資源(店主の人柄を含めて)を最大限に生かすことが大切である。商店街が地元の人々や観光客にとって魅力的な場所であり続けるためには、幅広い視点での取り組みが求められよう。

〔参考文献〕

中井郷之『商店街の観光化プロセス』創成社、二〇一五年
福井一喜『「無理しない」観光——価値と多様性の再発見』ミネルヴァ書房、二〇二二年

「千葉の渋谷」の現在地
——ちばらき最大の若者の街「柏」——

幸田麻里子

はじめに——「千葉の渋谷」と呼ばれて

柏は、「東の渋谷」や「千葉の渋谷」と呼ばれることがある。ここでいう渋谷とは、「若者の街」という意味である。柏には若者が好む個性的な店舗が集積し、ストリートミュージシャンらが演奏するにぎわいがあることからこう称される。柏は、どのようにしてちばらき最大の「若者の街」となったのだろうか。ひも解いてみるとそこには、昭和時代に鉄道とともに発展し、モータリゼーションの進展に影響を受けながらも、地元の人の街への思いに支えられてきた、ここにしかない魅力があった。

1　ベッドタウンとしての発展と変遷——鉄道とともに

かつて柏は、水戸街道の宿場町である小金宿（現松戸市）と我孫子宿（現我孫子市）の中間にある、千代田村、豊四季村という小さな農村集落にすぎなかった。一九二六（大正一五・昭和元）年に柏町となった後、一九五四（昭和二九）年に小金町、[1]土村、田中村と合併して東葛市を新設、同年に富勢村の一部を編入後、柏市に改称した。二〇〇五（平成一七）年、平成の大合併により沼南町を合併し、現在に至る。現在の柏市は、人口四三万人を超える、[2]千葉県内でも中核都市の一つとなっている。

人の移動が街道歩きを基本とし、宿場町が人の集う場所であったころ、小さな集落にすぎなかった柏が、このように多くの人を集めるようになった背景には、鉄道の敷設がある。一八九六（明治二九）年に鉄道駅ができ、のちのＪＲ常磐線が通った。常磐線は、ちばらきエリアと東京を結ぶ幹線である。これに加え、一九一一（明治四四）年、一九二三（大正一二）年に[3]現在の東武アーバンパークラインとなる鉄道も通り、柏駅はターミナル駅となった。東武アーバンパークラインは、埼玉県の大宮、千葉県の船橋と柏を結ぶ。ＪＲ大宮駅は、三つの新幹線のほか、埼玉県以北と東京都を結ぶ幹線である東北本線が通り、埼玉県で最大の乗降客数を誇る。またＪＲ船橋駅は、千葉県と東京都を結ぶ幹線・総武本線が通り、隣駅の西船橋駅に次いで、乗降客数は千葉県で第二位となっている。東武アーバンパークラインは、これらの東京都につながる幹線を縦断する形で結んでおり、ターミナル駅で

（1）小金町はいったん柏町に編入後、まもなく松戸市に移管されている。

（2）柏市ＨＰ「令和五年一一月一日現在の人口を公表します」(https://www.city.kashiwa.lg.jp/databunseki/shiseijoho/toukei/jinko/20231101.html　二〇二三年一二月二五日閲覧)

（3）一九一一年に、後に大宮駅まで延伸する野田方面へ、一九二三年に逆方向の船橋駅までの鉄道が開通した。

ある柏は交通の要所となっている。

こうした鉄道の敷設に伴い、周辺に町が形成された。なかでも旧日本住宅公団による住宅団地の造成は大きな人口増につながった。柏市内には光ケ丘団地、豊四季団地の二つがつくられ、特に豊四季団地は柏駅から徒歩圏内にあることから、柏駅周辺の発展に貢献した。豊四季団地は、一九六四（昭和三九）年に管理が開始された、四六六六戸からなる大規模団地であり、二〇〇四（平成一六）年から老朽化に伴う建て替え事業が行われるも、依然三〇〇〇戸を超える。このように柏は、鉄道とともにベッドタウンとして人口を増やし、発展した。

柏の人の流れをふたたび変えたのも、鉄道であった。ＪＲ柏駅の一日平均乗降客数は、最も多かった一九九〇年代には一五万人を超えていた。しかし、二〇〇五（平成一七）年につくばエクスプレスが柏市内北部に開通すると、柏駅の乗降客数は減少した。それまで市内北部から東京都内へのアクセスは、バスで柏駅まで移動する必要があったが、つくばエクスプレスにより直通が可能となったためである。これにより柏駅は、長らく続いていた一日平均乗降客数千葉県内第一位を明け渡すこととなった。柏駅の二〇二二年度の一日平均乗降客数は一〇万八〇〇〇人であり、新型コロナウイルス感染症に影響を受け始めた二〇一九年度よりも前は一二万人程度で推移していた。減少したとはいえこれは、千葉県内では西船橋駅、船橋駅に次ぐ乗降客数である。

つくばエクスプレスの開通で都内への通勤通学のアクセスが向上したことに伴い、柏の葉キャンパス駅や、隣接する流山市の流山おおたかの森駅など、沿線駅周辺に大規模高層マンション群が造成され、市内北部への新たな人口増につながった。従来、柏駅を利用していた人のアクセスルートが変わるとともに、柏市北部へ新たな人々が流入した。

2　ここにも訪れたモータリゼーションの影響

鉄道とともに人口を増やした柏における、小売店の状況をみてみよう。

大規模小売店舗立地法に基づき、一〇〇〇平方メートルを超える、届け出されている大規模小売店舗は、柏市内に二〇二二年一二月末現在で八六棟ある。[(4)] なかでも一万平方メートルを超える大規模店は一二棟、このうち、二万平方メートルを超える超大規模施設は六軒である[(5)]（図1）。

日本初の高架型の歩道であるペデストリアンデッキ（柏ではダブルデッキと呼ばれる。以下、ダブルデッキとする）が柏駅東口に併設された一九七三年、ダブルデッキと結ばれた「スカイプラザ柏」が開業した。同年、駅東口側には「そごう柏店」、西口側には「高島屋柏店」と二つの百貨店が開業、高島屋は一九九二年に柏高島屋ステーションモールとしてリニューアルして現在に至る一方、そごうは二〇一六年に閉店した。

市内を通る国道一六号線近くに、二〇〇四年「モラージュ柏」、二〇〇六年には国道六号線沿線に「イオンモール柏」、つくばエクスプレス柏の葉キャンパス駅前の国道一六号線近くに「ららぽーと柏の葉」、二〇一六年にやはり国道一六号線沿線に「セブンパークアリオ柏」が開業した。

二〇〇〇年以降に開業した施設は、いずれも国道から近く、一〇〇〇台を超える大規模

（4）　千葉県ＨＰ「千葉県市町村別大規模小売店舗名簿（令和四年一二月末）」(https://www.pref.chiba.lg.jp/keishi/daiten/h28/h28tenpo-meibo.html　二〇二三年一二月二五日閲覧）

（5）　二万平方メートルに満たない、一万平方メートル以上の施設六軒のうち、五棟は柏駅周辺に立地し、一九九〇年代までに開業したものである。一棟は二〇〇四年に国道一六号線沿いに開業。

駐車場があるのに対し、七〇年代に開業した「スカイプラザ柏」は、専用駐車場はなく、「柏高島屋ステーションモール」は、最も大きな第一駐車場で四三〇台、第三駐車場まで合わせても八七〇台にとどまる。

日本におけるモータリゼーションの進展は、一九六四年に開催された東京オリンピックに向けたインフラ整備に伴い、高速道路網が整備された一九六〇年代ごろからといわれる。自家用車は同時期、カラーテレビ・クーラーとともに「3C」と呼ばれ、憧れの存在の一つであった。その後、自家用車の一世帯当たりの普及率は、一九七六年にはじめて〇・五台を超え、一台を超えたのは一九九六年のことであった。二〇〇五年の一・一二台をピークに、二〇二一年現在は一・〇三二台と漸減傾向にはあるものの、一家に一台の時代となっている。[6]

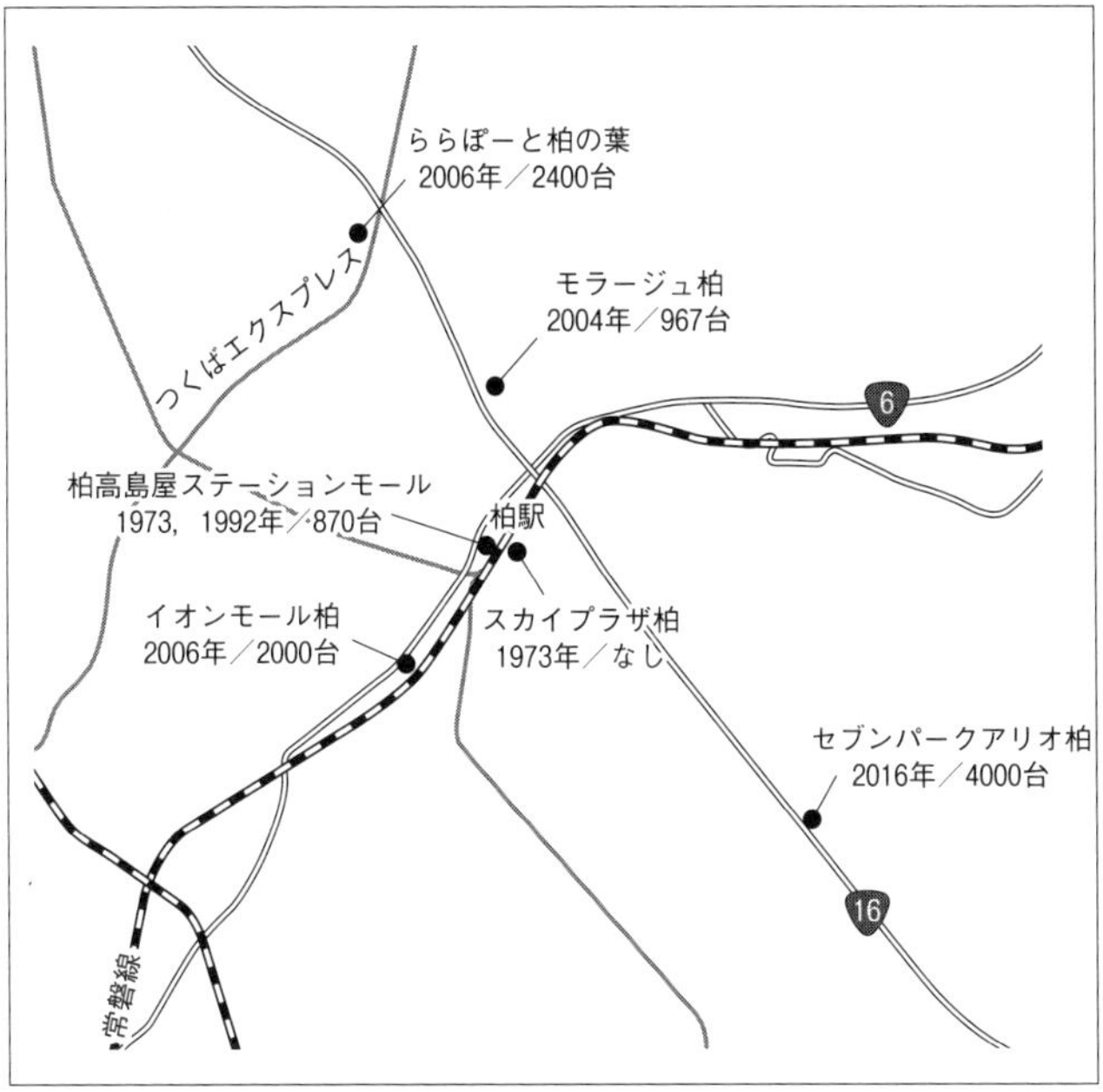

図1　大規模店舗の立地と開業年、駐車場台数

（6）一般財団法人自動車検査登録情報協会「自家用乗用車の世帯当たり普及台数の推移」二〇二一年

一九七〇年代に開業した大規模小売店は、鉄道駅近くに立地し、駐車場整備が十分ではない一方、モータリゼーションが進んだ二〇〇〇年以降の施設は、国道近くに立地し、大規模駐車場を有することに特徴があるのはこの影響といえよう。

モータリゼーションの進展にしたがい、かつて人の動きの中心となっていた鉄道駅周辺がシャッター通り[7]となり、全国展開するチェーン店を主とする大規模小売店舗が国道などの主要道路周辺に位置する構図は、全国的な流れであり、社会問題にもなっている。自家用車での移動は、人の移動を時間的に自由にするだけでなく、空間的にも自由にするものである。人の移動をドア・ツー・ドアでしやすくすることに加え、買い物においては購入した物の移動も容易にする。また、全国展開する大規模なチェーン店の出現は、都市に限らず全国どこでも同様の商品を手に入れやすくなることにつながり、消費者に一定の利便性を提供する。柏にみられる国道周辺への大規模店舗の出店も同様の傾向であろう。しかしながら柏ではこの傾向がみられるにもかかわらず、柏駅周辺は、シャッター通りとなることはなく、にぎわいを保っている。柏は地方都市と異なり、東京とちばらきエリアを結ぶJR常磐線の快速停車駅で、私鉄も乗り入れるターミナル駅でもあり、一定の人口、乗降客数が保たれていることが要因の一つではあるが、それに加えて、この背景にあるのが「千葉の渋谷」といわれる「若者の街」としてのにぎわいである。

(7) 人の流れが変わり、商店などが閉店することによってシャッターを下ろした状態が目立つ状態で、かつて栄えた中心市街地が空洞化することをいう。

3 「千葉の渋谷」ここに始まる

柏駅前には、先述の二万平方メートルを超える「スカイプラザ柏」「柏高島屋ステーションモール」のほか、一万平方メートルを超える大規模施設が一九九〇年代までに五棟開業しており、リニューアルなどを繰り返しながら現在に至る。特に「ファミリかしわ」と「柏モディ」は、若者向けの服飾、雑貨、飲食店などが入るファッションビルとなっている。「ファミリかしわ」は「スカイプラザ柏」と同様、やはり東口のダブルデッキと隣接して一九七三年に開業し、若い客層を迎えてきた。そもそも自動車免許をもたない中高校生や、車離れが指摘される若者たちには、モータリゼーションが進展するなかでも、鉄道ターミナル駅周辺がアクセス至便であり、都心部と同様の流行の商品が提供されるこれらの大規模施設内の店舗は人気となった。また、ダブルデッキでは駅前の人通りがあり、歩行者専用であることや、広場のような空間的特徴から、ストリートミュージシャンによる演奏もみられ、にぎわいを形成した（図2）。

図2　柏駅前ダブルデッキの様子（2023年、筆者撮影）

さらにこうした大規模施設内の店舗などの駅

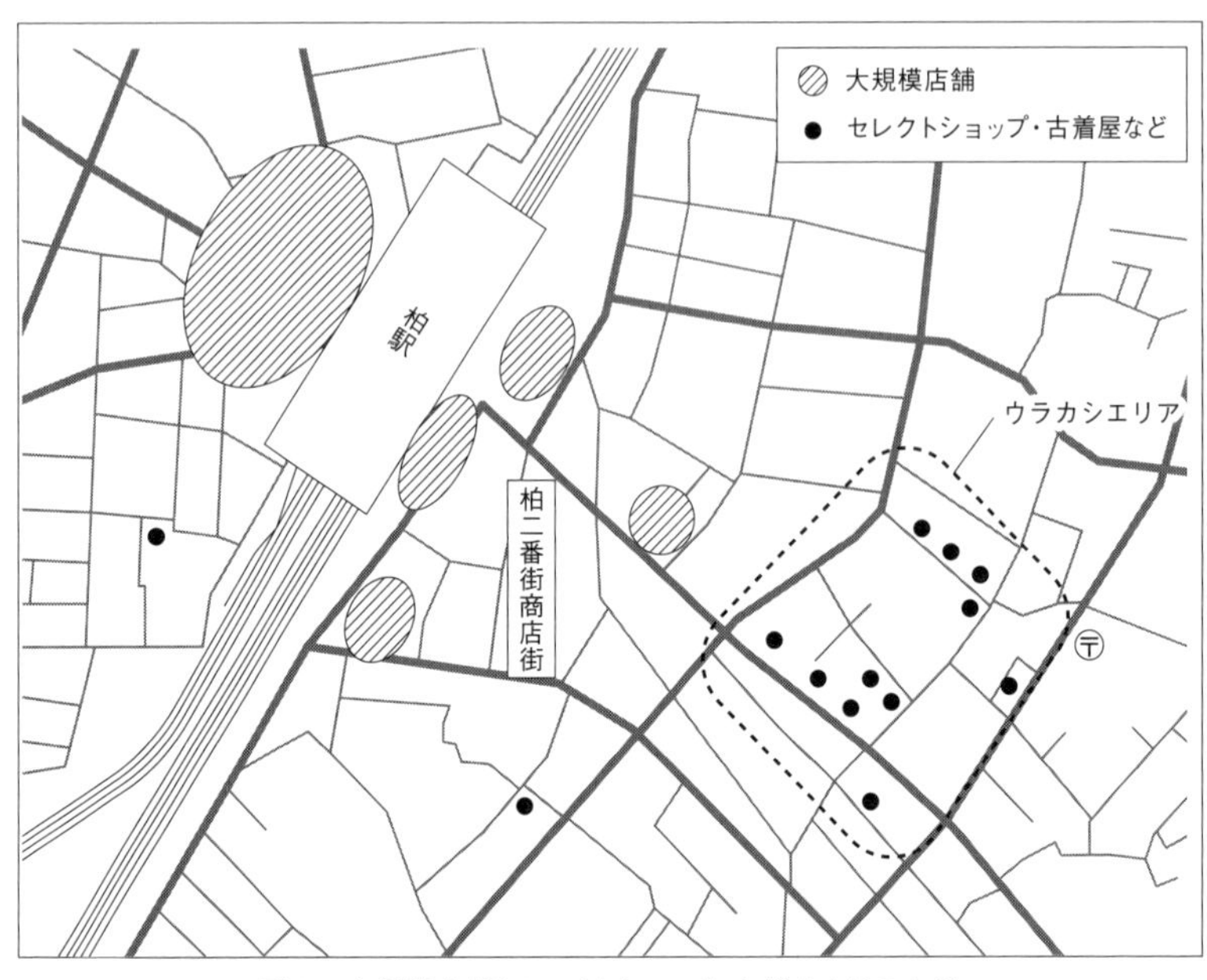

図3　大規模店舗とセレクトショップ、古着店などの立地

前における集客、にぎわいに加え、一九九〇年代終わりごろから若者向けのセレクトショップ(8)、古着屋、雑貨店などの店舗が現れ始めた（図3）。これらの多くは、柏駅東口側から柏郵便局までの約六〇〇メートル、徒歩一〇分程度の圏内にあり、特に集積するエリアは「裏柏（ウラカシ）」(9)と呼ばれる。これらの店舗を紹介する地図が制作、配布され、二〇〇五年ごろには一般紙でも「ウラカシ」について取りあげられる機会が増えるなど、「若者の街」としての柏の存在が広まっていった（図4）。

「ウラカシ」のピークは同時期といわれ、当時に比較すると現在、店舗数の減少は否めない。しかしながら、現在もセレクト

(8)　特定のブランドやメーカーの商品ではなく、店舗のコンセプトに合わせて、複数のブランド、メーカーの商品を販売する小売店のこと。量産商品ではない、小規模なメーカーや海外ブランドなどの商品を、少しずつ取り扱っていることが多い。

(9)　もともと若者の街として知られている東京の原宿において、原宿駅からアクセスがよい竹下通りを中心としたエリアは、多くの買い物客や観光客でにぎわってきた。これに対し、原宿通り付近には一九九〇年代に小規模な、個性的な服飾を扱う店舗やカフェなどが現れ、個性的なおしゃれを楽しめるエリアとして発展し、「裏原宿（ウラハラ）」といわれるようになっている。これに倣い、駅から少し離れた、小規模で、個性的な商品を扱う店舗が集積したエリアが「裏柏（ウラカシ）」と呼ばれるようになった。

図4　ウラカシの小売店舗の様子（2023年、筆者撮影）

ショップや古着屋などの店舗が軒を連ねており、ダブルデッキではストリートミュージシャンが演奏し、にぎわいを形成している。そして、ピークから一五年以上経った今、当時の若者の成長とともに、若者だけではない、より広い世代の、ほかとは違うファッションを楽しみたい人々がここに集う。交通の利便性によって得られる一定の定住人口だけではない、ここにしかない魅力を求めて、人が訪れている。むしろかつてのピークは一時のブームの現れであり、それを過ぎた今、柏はもはやブームではない、個性あるファッション、音楽、文化の街であるといえよう。それは、ちばらき最大の「若者の街」というだけではない、モータリゼーションの進展のなかで個性を失う街が多いなか、ここにしかない個性が魅力となった街となっている。

4　「千葉の渋谷」を支えた人たち

「千葉の渋谷」といわれ「若者の街」として認知され、さらに広い世代の人が集まるようになったこの街は、自然に発生したものではない。交通ターミナル駅として栄え、一九九〇年代にすでに存在していた百貨店が若者向けにリニューアルし、またセレクトショップが現れ始めたことはきっかけにすぎない。

一九九八年、柏市が「柏市商業振興ビジョン」を策定し、首都圏における広域商業拠点として、駅周辺のさらなる発展の必要性を指摘した。同時に、東口にある二番街商店街の理事長を中心に「柏駅周辺イメージアップ推進協議会」を、柏商工会議所青年部が「ストリート・ブレイカーズ」を設立した。これらの団体を中心に、小規模な店舗が個別に存在するだけでなく、地域全体として「ウラカシ」としてブランド化し、「若者の街」として知られるようになった。これらに端を発する、官民一体となる活性化への取り組みが、柏のにぎわいには欠かせなかった。

このほかにも二〇〇一年、柏市が「かしわインフォメーションセンター」を開設することとなると、「柏市インフォメーション協会」が有志の民間で設立され、官民での協議を経て、インフォメーションセンターの運営にあたるようになった[10]。また、柏駅東口のダブルデッキで催されるストリートミュージシャンの演奏は、二〇〇五年、柏駅周辺イメージアップ推進協議会と自治体との協議によりルール化され、実施は登録制となっている。このルールで、ストリートミュージシャンの活動場所、時間、禁止事項などを取り決めることにより、ストリートミュージシャンが活動しやすい条件を整え、街のにぎわいとなる一方、一般の人との共存を可能にしている。

「ウラカシ」のピークであった二〇〇五年ごろ、これらを紹介するマップを制作したのは、柏市インフォメーション協会のほか、学生ボランティア団体「エンズプロジェクト」などであった。そして現在も、柏の事業者やここに魅力を感じる人で形成される「ウラカ

(10) 柏市インフォメーション協会は、二〇〇三年に特定非営利活動法人化されている。なお、二〇一九年三月をもって、インフォメーションセンター運営業務からは撤退している。

シ百年会」は、柏を盛り立てようというさまざまな活動を行っている。団体は個別に存在するだけでなく、それぞれの役割を担いながら協力し、ウラカシ百年会と柏二番街商店会とで、紙媒体の情報誌に加え、ウェブでも発信するなどの活動を行っている。

このように柏は、街を愛する人々の取り組みにより支えられ、ここにしかない魅力を持つ、人が集まる街となっていった。

おわりに――令和、そしてその先も

大型の施設は、さまざまなものを内包し、人を施設内に取り込む。かつて温泉旅館が大規模化し、館内で宿泊・飲食だけではない、カラオケやボウリングなどのアミューズメントを備えたことで、宿泊客が施設内にとどまり、街歩きが限定され、街の活気が失われるという現象が各地でみられた。しかし、職場や地域の団体旅行が減少し、個人旅行が主流になるなかで、温泉旅館が個人をターゲットとして小規模化すると、宿泊客は施設を出て温泉街の情緒を楽しみ、街歩きをするようになり、街全体がにぎわうようになった事例も少なくない。都市観光においても、古くは銀ブラ[11]、近年では浅草や秋葉原、鎌倉、川越など、それぞれ個性ある魅力をもった都市の街歩きは、来訪者にとっての楽しみであるとともに、来訪者自体が街の性格を表象し、にぎわいの一つにもなっている。

ここにしかない代替性の低さは、人を誘致する大きな力となるものである。柏は、ターミナル駅としての交通利便性を活かした駅前の大規模施設を「表(オモテ)」とし、都心と同様の今

(11) 銀座の街をぶらぶら散歩すること。

どきの流行をとりいれられる環境で、ファッション分野におけるライトファン層を迎え、買い物の利便性を備える。それに加え、量産化されていないファッション、音楽が集積した「ウラカシ」が「裏」となり、ディープ層にとって、ここでしか出会えない魅力を提供する。ここでしか出会えない魅力、すなわち代替性の低さは、この街の個性となり、街歩きの誘発源となっている。そしてこの街のにぎわいは、魅力にとりつかれた人々と街への思いとともに、令和以降も続くものと期待される。

interview

「母になるなら、流山市。」は本当なのか――

佐藤純子

千葉県流山市は、二〇〇三年に現市長の井崎義治氏に政権交代したが、そのころの流山市は財政の危機を迎えていた。井崎市長は、市長就任後、流山市のマーケティング対象を共働き子育て世帯とし、「母になるなら、流山市。」「父になるなら、流山市。」を市のキャッチコピーとして掲げ、流山市改造計画に着手した。こうした斬新なブランディング戦略は、着々と成果をあげ、今や人口二二万人超えの都市へと成長を遂げている。人口増加率は県内トップの座を死守し、今もなお成長をし続ける流山市だが、街づくりのターゲットとなる子育ての当事者にとって、流山市はどのような街として捉えられているのだろうか。「母になるなら、流山市。」という言葉は、本当にその通りなのか、流山市で子育てをしている現役ママにインタビューを試みた。

インタビュー対象者はＴＳさん（三二歳）で、現在、会社員の夫（三三歳）と娘（一歳）と三人で暮らしている。ＴＳさんは大手商社に勤務しており、産休育休を経て二〇二三年五月から職場復帰した。娘は、二〇二三年から小規模保育所の一歳児クラスに入園している。ＴＳさんの両親も流山市在住である。

――なぜ流山市で子育てをしようと思ったのですか？

もともと、生まれも育ちも流山で、就職したときに都内に引っ越して、結婚してしばらく都内にいたんですけど、子どもが生まれて流山に戻ってきました。越してきた理由は、二つあります。一つは実家が近いこと、もう一つは子育てのしやすさですね。待機児童ゼロで公園とかも結構近くにあるのを知っていたので。都内の小さな公園よりも緑の多い環境で育てたい、子どもが生まれたら流山で住みたいとずっと思っていました。

――実際に流山市で子育てがスタートして、子育てのしやすさを実感しますか？

　ふらっと公園に行けたりしてますし、子連れが多い街なのでショッピングセンターで子どもが泣いちゃっても、あまり申し訳ないと思うことなく入れるのがいいです。都内の友人は、生後四か月で保育園に入れたり、戦略的に無認可に入れたりしている人が多いですね。彼女たちは四月に会社に復帰して保育園に入れたいけど、それだと激戦になっちゃうから、早めに復帰して、無認可に入れて、点数[1]を稼いで行きたい認可に入れています。私は、一年間は自分で育てたいなと思っていたので、無事一歳児クラスに入園できてよかったです。駅に送迎保育ステーション[2]があるのも流山市の子育て支援でよいなと思う部分です（図1）。

図1　おおたかの森送迎保育ステーション。フォレストキッズガーデン内（2023年、筆者撮影）

――保育園は第四希望の保育園になったようですが、不満はないのでしょうか？

　マンション内に保育園があって、そこを第一希望にしていたのですが、結局、その園には入れませんでした。そしたら、マンションで「令和四年度生まれの子どもを持つ親で保育園の情報交換会をしませんか」という貼り紙をみつけまして。その会に参加してみると、参加していた約二〇組のうち二組ぐらいしかマンション内の保育園に入れていないことがわかりました。私は、ここだったらいいなと思える希望の四園だけに利用申し込みをしました。娘の保育園はそのなかの一つですから、特に不満等はないです。

――流山市の子育て支援で、ここは課題かなと思うようなところはありますか？

　送迎保育ステーションは、週に一回は必ず自分で園への送迎が必要と書いてありました。最初は、ステーションを利用すれば、遠くの園でもいいかなと思っていたんですけど、そういうわけにもいかないのですね。あと、いろんな園から子どもが集まるので感染症の心配もあると聞きました。それでも、兄弟で別の園になることもあるので、ワンストップの送迎は便利ですよね。

子どもが増えすぎて、小学校不足とも聞きます。うちのマンションの子どもが行く小学校は、木造でちょっとこだわった建築になっています。その前にできた一校もおしゃれな造りになっていますが、その後増築中の小学校は普通の造りになっているようです。市民の間では予算が足りなくなってきたのでは？　という噂も囁かれています。

――では、現時点で直面している問題はないということですね？

心配事としては習い事です。マンションに住む子どもを持つ親たちと集まったときに、上の子がいるママに何を習うのも大変と聞きました。スイミング・スクールもごく短時間しか泳げませんが、それでも良ければどうぞという感じだそうです。新しくできたショッピングモールでもスイミングの教室は、すぐ埋まっちゃうと聞きました。流山は習い事の激戦区なので、習い事への紹介枠を持っている園まであるようですよ。

――「母になるなら、流山市。」というキャッチフレーズはどうですか？　その通りだと感じていますか？

流山では子育てコンサートが頻繁にあって、子連れで参加できます。市の子育て情報ライン（LINE）でお知らせがきます。音楽を聞きたいけど、小さい子どもがいるとなかなか行けないのでありがたいです。子どもが泣いても、ほかの子も泣いているので気にしないでいられます。

このように、今は子育てのしやすさを感じているので、今後、保育園に留まらず、小学校や習い事なども子どもの人口増加に合わせてきちんと受け皿が増えれば、流山市で母になれてよかったと思える日が来るのではないかと思っています。

〔注〕

（1）指数（点数）とは認可保育園に入るための選考に用いられる家庭状況を点数化したもの。利用指数が高い順に内定となる。

（2）送迎保育ステーションとは、駅前の利便性の高い所に保育室を設置し、専用バスで市内の各保育施設に送迎する事業を指す。

「ちばらき」は日本の玄関口
——成田空港がつなぐ、今、ヒト、未来——

髙橋伸子

はじめに——成田空港と新東京国際空港

成田空港は日本最大の国際空港である。一九七八年に開港し二〇二三年五月二〇日に開港四五周年を迎えた。

成田空港の正式名称は成田国際空港であるが、本章では通称の成田空港と記す。成田空港の歴史を語る際に欠かせないのは、場所の選定、用地買収の遅れ、反対運動などにより開港まで紆余曲折があったことや、開港予定の四日前に過激派による管制塔への侵入・破壊事件が勃発し、開港が一か月遅れた事などがあげられる。本章では詳しく触れないが、設立経緯の複雑さは、他空港に例をみない。滑走路一本とターミナル一棟で開港した成田空港が、現在では二本の滑走路と第一・第二・第三の三つのターミナルビルを擁するまでに発展したのである（図1）。

図1　第2ターミナルビル　出発掲示板前（2023年、筆者撮影）

さて、日本にある空港の数（ヘリポート・非公共用飛行場除く）をご存知だろうか。航空法の分類にしたがって示すと、拠点空港が二八、地方管理空港が五四、その他の空港が七、共用空港が八、計九七の空港がある。(1) 拠点空港二八のうち、会社管理空港が四、国管理が一九、特定地方管理が五である。会社管理空港は、成田国際空港、関西国際空港、中部国際空港、大阪国際空港の四空港であり、国管理の代表的な空港には東京国際空港（羽田空港）がある。

(1)　国土交通省HP「空港一覧」(https://www.mlit.go.jp/koku/15_bf_000310.html　二〇二三年七月二八日閲覧)

現在、成田空港は会社管理の空港であるが、最初から会社管理の空港ではなかった。一九六六（昭和四一）年七月に新東京国際空港建設が閣議決定され、空港の建設と運営を担う「新東京国際空港公団」が設立された。新東京国際空港公団法に業務内容などが定められており、政府が全額出資した特殊法人であった。国管理の空港として設立され、名称は「新東京国際空港」となった。新東京国際空港が国際線の離発着、東京国際空港（羽田空港）が国内線用の空港（一部国際線も残った）として運用開始となった。

その後、二〇〇三年に「成田国際空港株式会社法」が成立し、二〇〇四年四月に成田国際空港株式会社が発足した。その際、空港名を「成田国際空港」に改め、会社管理空港へと転換した。開港時の「新東京国際空港」については、「成田市にあるのに、なぜ東京の名称がはいっているのか？」などといわれたが、民営化によって成田市にある国際空港「成田国際空港」になったのである。

1　成田空港の今

一九七八（昭和五三）年に新東京国際空港として開港した成田空港は、四〇〇〇メートルのA滑走路一本と第一旅客ターミナルビルのみであったが、現在では二五〇〇メートルのB滑走路に第一・第二・第三ターミナルを擁する空港へと変貌した（図2）[2]。航空機の発着回数は、開港時（一九七八年度）は年間約五万回であったが、二〇一九年度は年間約二六万回と約五倍になった（図3）[3]。航空旅客数の推移をみても、二〇〇一年のアメリカ同時多発テロや二〇一一年の東日本大震災などで減少した年度もあるものの、二〇一八年度までは増加し続けた。二〇一九年度以降は新型コロナウイルス感染症の影響を受け、二〇二〇年度は約三二四万人という成田空港開港以来最低旅客数を記録したが、二〇二一年度以降は再度旅客数が増加に転じている。

成田空港の現在を語る際に欠かせないのが第三ターミナルの存在である（図4）。第三ターミナルはLCC専用ターミナルとして二〇一五年四月八日にオープンした。ここで、図3「成田空港「航空機発着回数」「航空旅客数」「国内線旅客数」の推移」の国内旅客数の推移について触れる。二〇一二年から国内線旅客数が増加しているのは、第三ターミナルに就航しているLCC国内線によるものである。新型コロナウイルス感染症拡大の影響

（2）成田空港株式会社ＨＰ「成田空港全体のレイアウト図」（https://www.naa.jp/jp/airport/about_layout.html　二〇二三年七月二八日閲覧）を筆者修正。こちらは二〇一九年時点の図面。

（3）成田国際空港株式会社ＨＰ「成田空港運用状況一九七八―二〇二二（年度別）」（https://www.naa.jp/jp/airport/pdf/unyou/n_1978-2022_230622.pdf　二〇二三年七月二八日閲覧）をもとに筆者作成。

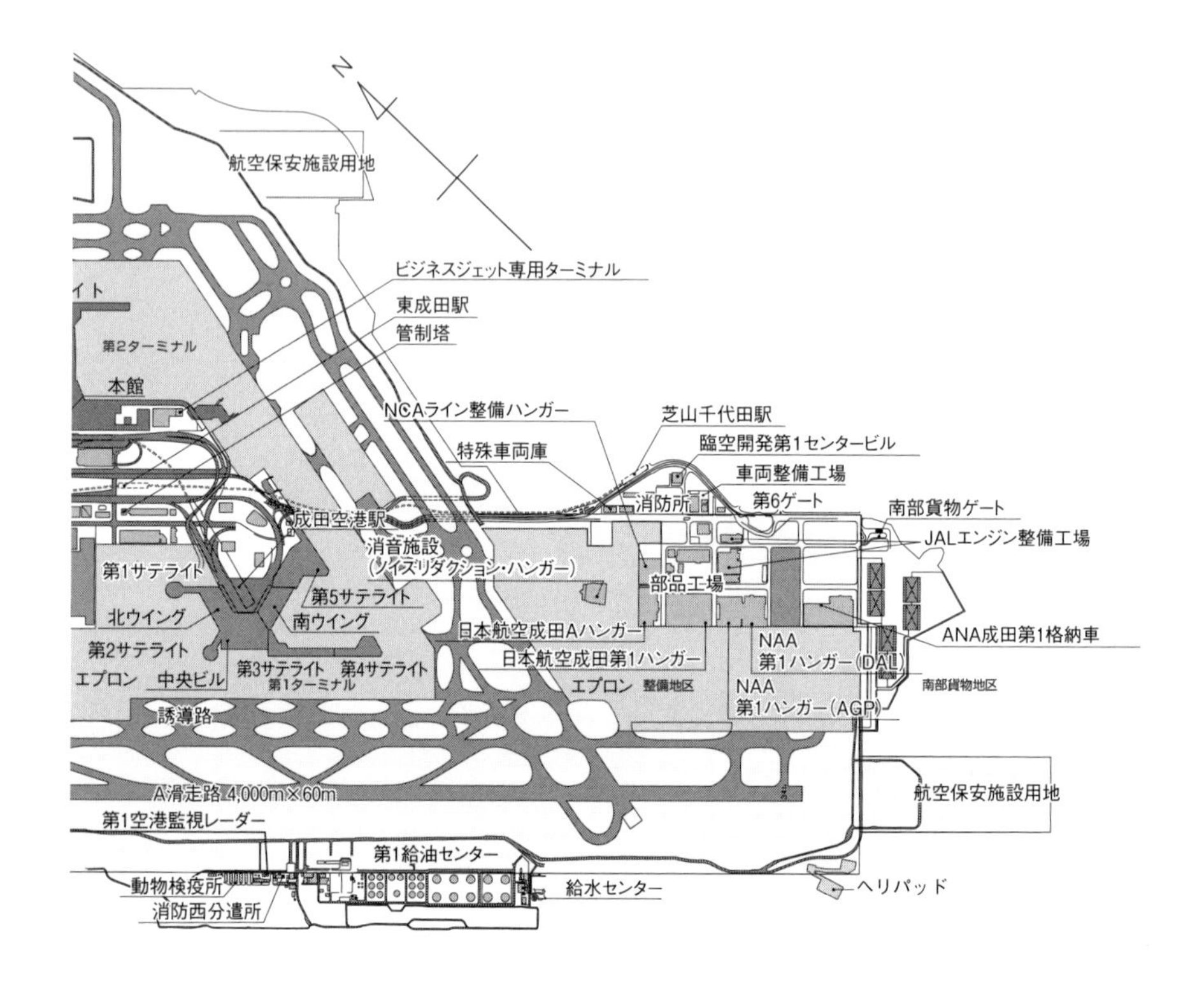
航空保安施設用地
ビジネスジェット専用ターミナル
東成田駅
管制塔
第2ターミナル
本館
NCAライン整備ハンガー
芝山千代田駅
臨空開発第1センタービル
特殊車両庫
車両整備工場
消防所
第6ゲート
南部貨物ゲート
成田空港駅
JALエンジン整備工場
消音施設
(ノイズリダクション・ハンガー)
第1サテライト
部品工場
第5サテライト
北ウイング
南ウイング
日本航空成田Aハンガー
ANA成田第1格納車
第2サテライト
日本航空成田第1ハンガー
NAA
第1ハンガー(DAL)
エプロン
中央ビル
第3サテライト
第4サテライト
第1ターミナル
エプロン
整備地区
南部貨物地区
NAA
第1ハンガー(AGP)
誘導路
A滑走路 4,000m×60m
航空保安施設用地
第1空港監視レーダー
第1給油センター
動物検疫所
給水センター
ヘリパッド
消防西分遣所

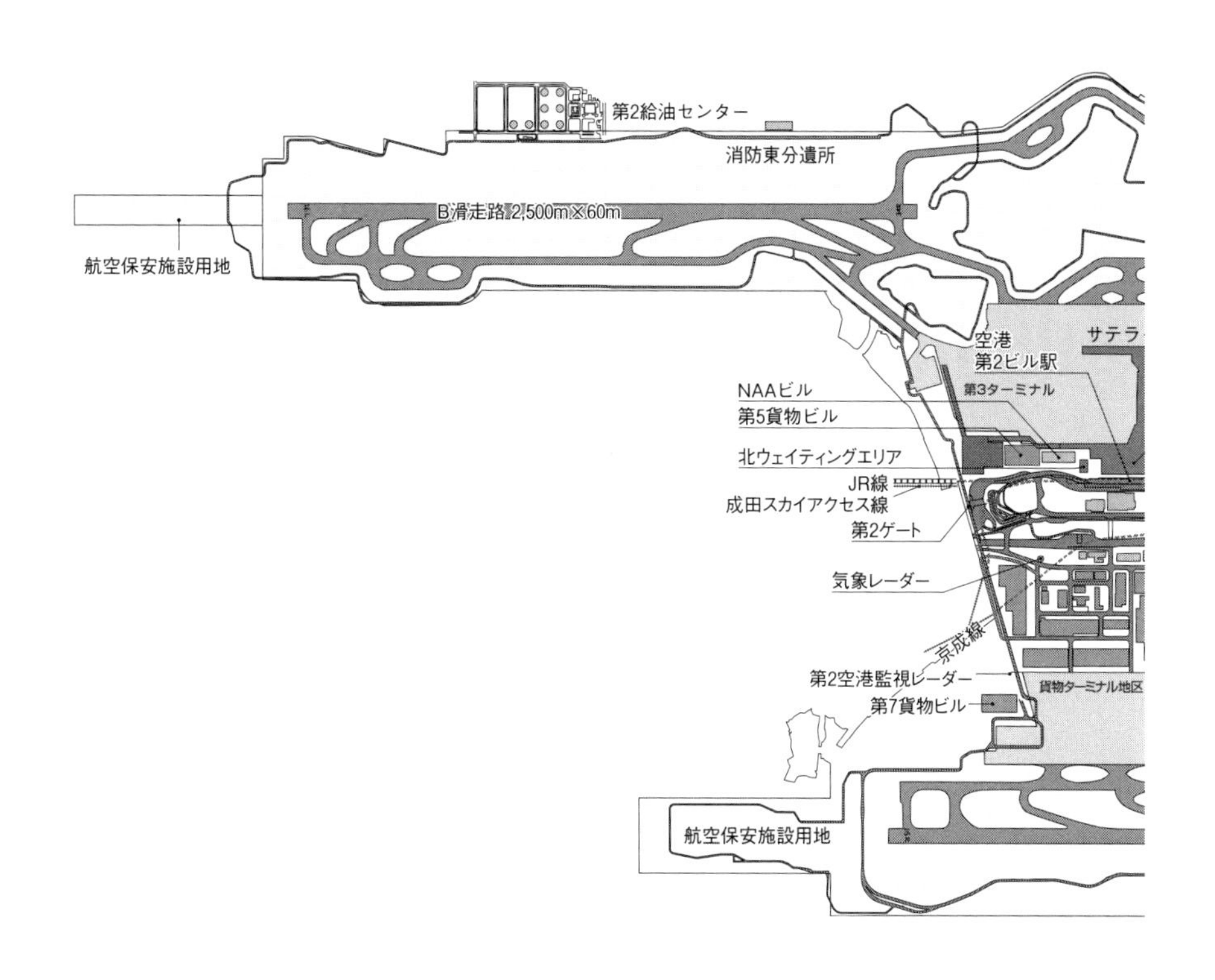

図2　成田空港全体のレイアウト図
©提供：成田国際空港株式会社

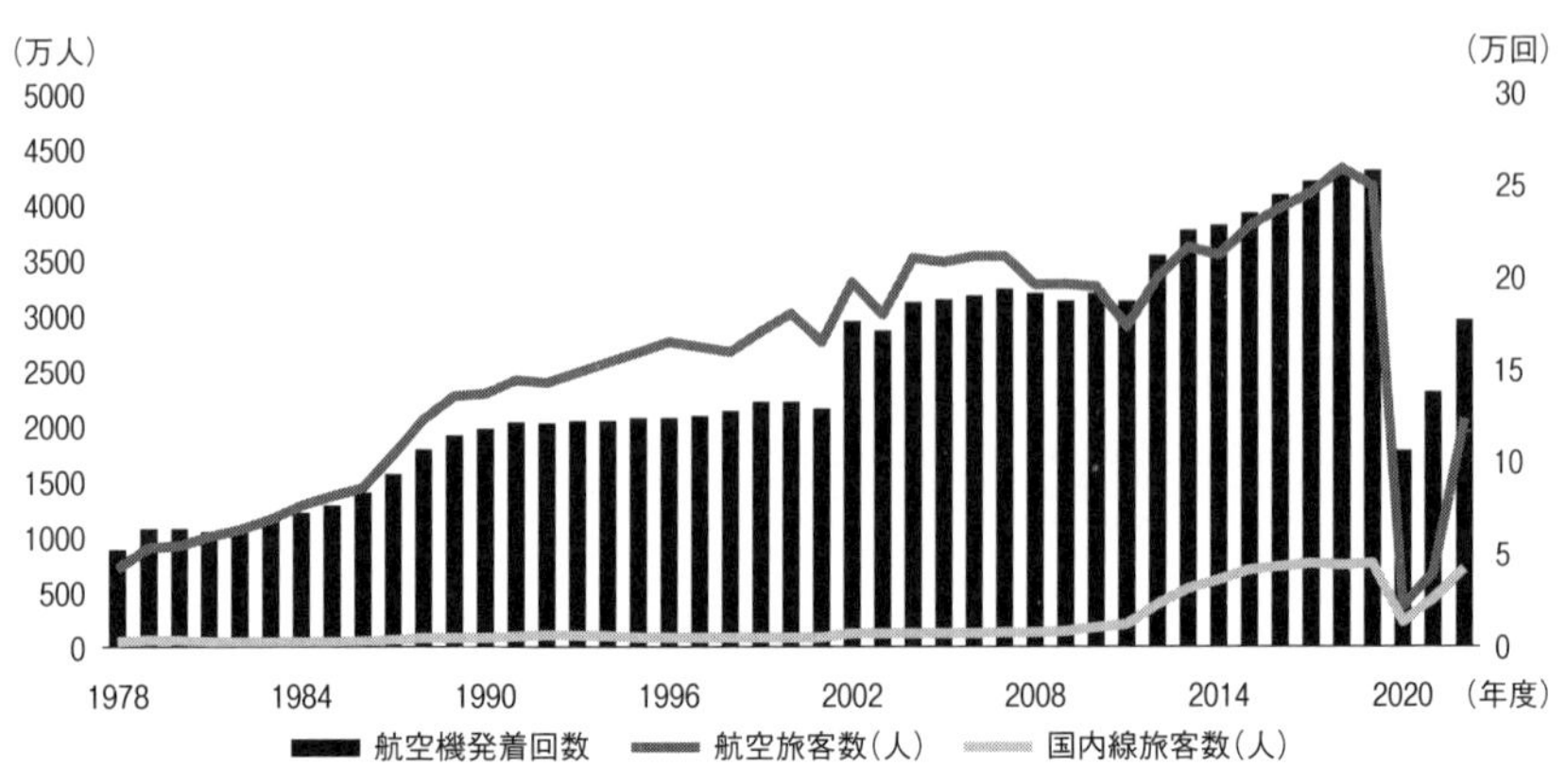

図3　成田空港「航空機発着回数」「航空旅客数」「国内線旅客数」の推移（1978～2022年度）

を受けて、二〇二〇年度は旅客数を減少させているが、二〇二二年度には二〇一五年度並みに国内線旅客数は回復している。

ＬＣＣの最大のウリは格安な運賃設定である。ＬＣＣ航空会社は運賃を押さえるため、運航コストである空港使用料も安い方が良い。そのようなニーズにこたえるため、成田空港の第三ターミナルでは、第一・第二ターミナルにみられるようなデジタルサイネージなどの華美な装飾はせずに、必要最低限の案内掲示を徹底している。成田国際空港株式会社は、予測を上回るＬＣＣ需要の拡大を受け、二〇一九年に到着ロビーを拡張した。さらに、二〇二二年四月には第三ターミナルの出発ロビーを増床した。その結果、第三ターミナルの面積は約七万四〇〇〇平方メートルから約一一万平方メートルへと拡充したのである。二〇二三年三月には、不便だったバス乗り場までのアクセス改善のために、到着ロビーに近接する新たなバス乗り場を設置して運用を開始した。ターミナルビルや連

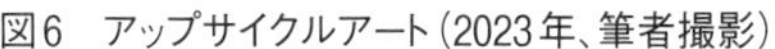
図6　アップサイクルアート（2023年、筆者撮影）

図4　第3ターミナルビル内の様子（2023年、筆者撮影）

絡通路には、床面を色分けし行先表示をするなどの工夫がみられる（図5）。第三ターミナル拡充の際に、ＳＤＧｓの視点で、不要になったものを新たな価値のあるものに変える「アップサイクルアート」を展示、現在でも観ることができる（図6）。三つのターミナルのなかで、シンプルでありながら機能的で、変化し続けているターミナルといえるだろう。

図5　連絡通路の床表示（2023年、筆者撮影）

2 成田空港で働くヒト

「空港で働きたい」「航空業界に憧れている」という学生にその理由を尋ねると、空港の醸し出す非日常空間の魅力をあげる場合が多い。空へ向かって飛び立つ航空機の魅力、世界に開く日本の玄関口としての機能、さまざまな国の人々が行き交う雰囲気などがそのようなイメージを作っているのかもしれない。成田国際空港株式会社が二〇二三年二月に実施した調査によると、成田空港内の事業所で働く人の数は三万六三一五人である。これだけ多くの人が成田空港の安全と安心を支えている。そのなかでも官公署で働く人は四〇四五人で、飲食業の一三五四人や物品販売業の一九四五人よりも多くの人が働いて

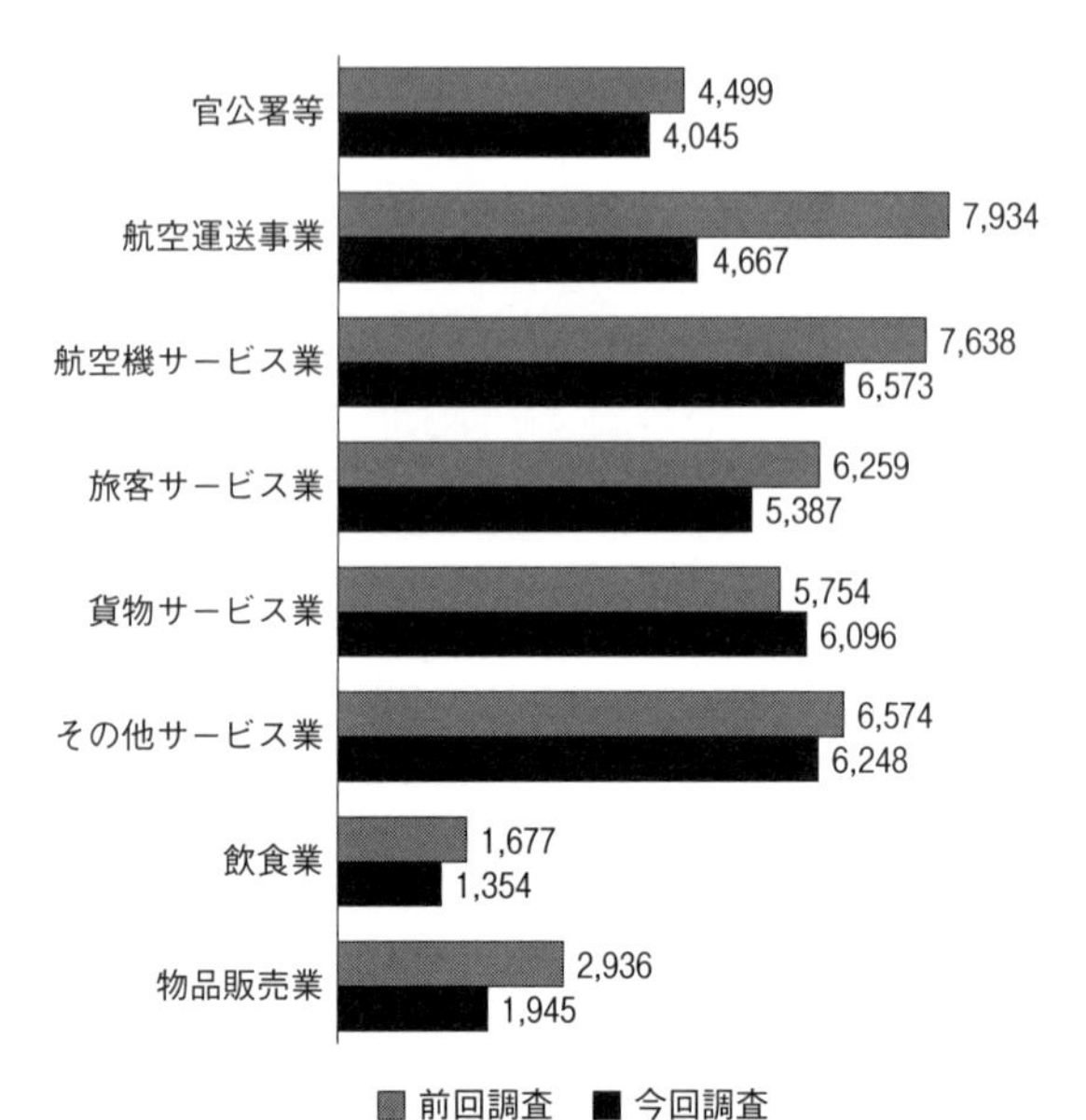

図7　成田空港内事業区分別従業員数（人）

（4）　成田国際空港株式会社「二〇二三年度成田空港内従業員実態調査結果」をもとに筆者作成。
（5）「覚醒剤二四キロ密輸　容疑者を起訴　成田空港で現行犯逮捕」『朝日新聞』（千葉全県）二〇二三年七

いるのである（図7）[4]。

空港へ行く目的のほとんどは航空機に搭乗するためである。国際線に搭乗する場合は、空港のセキュリティゲートを通り、税関・出国審査を経て搭乗口へ行く。途中、免税店などでの買い物もできる。このような制限エリアには公務員も働いている。イメージしやすいのは、税関の職員であろう。日本への持ち込みが禁止されている品が持ち込まれないように検査をするのが当該職員の業務の一つである。事例をあげると、朝日新聞は「二〇二三年七月一日の成田空港で、カナダから到着した航空機に搭乗していた旅客が覚せい剤二四キログラムを密輸しようとしたところを、税関係員がみつけ現行犯逮捕に至った」と報じた[5]。そのほかにも、一般旅客が「持ち込み禁止品」とは知らずに海外旅行のお土産として購入したものを持ち込むケースがある。ハワイなどで売られているビーフジャーキーなどが、その一例である。このように、海外から持ち込まれるさまざまなモノ（感染症のウイルスなども含まれる）を水際で阻止し国益を守るために多くの公務員が働いている。「空港を職場とする公務員一覧表」をご覧頂きたい（表1）[6]。空港で働く公務員の業務を簡単にまとめたものである。先述した税関係員のほかにも、新型コロナウイルス感染症の検査をする厚生労働省「検疫官」の様子がテレビなどで報じられたので、「検疫官」は認知されているのではないだろうか。このように成田空港には厚生労働省の「検疫官」「食品衛生監視員」や、農林水産省の「植物防疫所　植物検疫官」「動物検疫所　家畜防疫官」、先述した財務省の「税関職員」などが配置されている。海外への出入り口である国際空港だからこそその公務員である。

空港に関係する主な公務員は、空港の運営や航空機の運航等航空法に関わる所轄の国土

月二二日朝刊

（6）以下の資料をもとに作成。すべて二〇二三年七月二九日閲覧。成田航空地方気象台ＨＰ「航空気象とは」(https://www.data.jma.go.jp/narita-airport/soumu/general.htm)、国土交通省ＨＰ「航空管制官公式」(https://www.mlit.go.jp/koku/atc/work.html)、厚生労働省　成田空港検疫所ＨＰ「成田空港検疫所の役割」(https://www.forth.go.jp/keneki/narita/soumu/narita_information.html)、厚生労働省ＨＰ「食品衛生監視員」(https://www.mhlw.go.jp/general/saiyo/shokukan.html)、東京税関ＨＰ「東京税関の管轄・機構」(https://www.customs.go.jp/tokyo/kankatu/3.htm)、植物検疫所ＨＰ「植物検疫のご紹介」(https://www.maff.go.jp/pps/)、動物検疫所ＨＰ「動物検疫とは」(https://www.maff.go.jp/aqs/hou/aq51.html)、出入国在留管理庁ＨＰ「入国審査官とは」(https://www.moj.go.jp/isa/supply/recruitment/juken_shinsakan.html)、出入国在留管理庁ＨＰ「入国警備官とは」(https://www.moj.go.jp/isa/supply/recruitment/nyukan_nyukan06.html)。

交通省の職員である。成田空港で働く国土交通省の国家公務員には、「気象庁職員」「航空局航空管制官」などの専門的な職種がある。ここでは航空管制官の業務の一部を成田国際空港株式会社の社員が担う、成田空港独自の航空管制の仕組みについて述べたい。

成田空港には管制塔のようなタワーが二つあるのをご存知だろうか。航空管制を行うタワー（航空管制塔）と、ランプコントロールを行うランプセントラルタワーである。ランプコントロールについて説明する前に、航空管制官の業務内容について説明する。

一般的に航空管制官の主な業務は次の通りである。[7]

一　飛行場管制業務……管制塔から空港近辺を飛行する航空機、滑走路に離着陸する航空機、地上を走行している航空機に対しての管制業務

二　進入管制業務……空港周辺の空域（進入管制区）を飛行する航空機に対し、進入・出発の順序、経路、方式の指定及び上昇・降下等を指示する業務

三　ターミナル・レーダー管制業務……レーダーを用いて行う進入管制業務

四　着陸誘導管制業務……着陸する航空機に対し、レーダーを用いて飛行のコースと適切な高度を指示し、地上から滑走路への誘導を行う業務（戦闘機など）

五　航空路管制業務……空港周辺の空域を除く、高い上空を飛行する航空機に対して飛行経路、高度の指示等を行う業務

一の飛行場管制業務には、グランドコントロールという地上を移動する航空機の管制業務も含まれる。出発する航空機がスポットを離れてから離陸滑走に向かうまでの経路やタ

（7）国土交通省ＨＰ「航空管制業務について」（https://www.mlit.go.jp/common/001164767.pdf　二〇二三年七月二八日閲覧）

表1　空港を職場とする公務員一覧表

官庁	職掌	主な業務内容
国土交通省	気象庁職員	気象庁は空港に航空地方気象台や航空観測所などを設置している。航空機の安全・経済的な運航のために様々な航空気象情報を提供するのが気象庁職員の仕事である。現場の観測業務は、国家公務員総合職か一般職である。
	航空局 航空管制官	航空機同士の安全な間隔を設定するため、無線を使用してパイロットと通信し、離着陸の順位付けや許可、経路や高度などの指示を行う。主な業務は次の3つである。「飛行場管制業務」「ターミナル・レーダー管制業務」「航空路管制業務」。
厚生労働省	検疫官	入国時の旅行者への検疫・健康相談、出国者に対する保健情報の提供、航空機や空港区域における媒介動物等に対する衛生管理、輸入食品に対する厳正かつ効率的な監視、動物由来感染症侵入防止対策の強化のための、動物の輸入届出制度等が主な業務である。
	食品衛生監視員	輸入食品の安全監視及び指導（輸入職員監視業務）、輸入食品等に係る微生物の検査と理化学検査（検査業務）検疫感染症の国内への侵入防止（検疫衛生業務）に従事する。
財務省	税関職員	成田空港においては、旅客手荷物の通関業務及び密輸の取締りを行う。成田航空貨物出張所においては輸出入貨物の通関業務及び密輸の取り締まり業務等。
農林水産省	植物防疫所 植物検疫官	海外からの病害虫の侵入を防ぐために輸入される植物に対して検疫を実施する。成田空港においては、旅客携行品の輸入検査等を行う。
	動物検疫所 家畜防疫官	動物検疫は、動物の病気の侵入を防止するため行われている検疫制度である。肉製品などの畜産物を対象に輸出入検査を行う。犬等飼い主と一緒に渡航するペットの検疫も行い、動物の病気の侵入を防ぐ。
法務省	出入国在留管理局 入国警備官	自ら得た情報や一般の方から寄せられた情報に基づき、出入国管理及び難民認定法に違反している疑いのある外国人を調査したり、必要な情報の収集等を行う。
	出入国在留管理局 入国審査官	日本に入国しようとする外国人の所持する旅券及び査証が有効であること、一定の在留資格については省令に定める基準に適合しているかどうか等の審査を行う。出国する外国人に対しての確認と日本人の出帰国についても事実の確認を行う。

イミングを指示したり、着陸した航空機がスポットに移動するまでを誘導したりする。成田空港では、このグランドコントロール部分を成田国際空港株式会社の社員が担当している。「ランプ」という空港内における飛行機の駐機エリアおよび、飛行機が地上で移動する場所のコントロールを担当しているので「ランプコントロール」ともいわれる。

このような成田空港独自のしくみは、成田空港の特別な事情が関係している。スポットが多いうえに航空機が通る誘導路も複雑で、特にB滑走路近くの誘導路は「への字」に湾曲した部分がある。航空管制官のグランドコントロールにおける心理的負担を軽減し、航空機の動きを専門に担当するランプコントロールが必要になったのである。

現在、成田国際空港株式会社では、選抜された社員が資格を取得し、ランプセントラルタワーにてランプコントロールの仕事を担っている。航空管制官の業務の一つであるランプコントロールを民間の空港職員が担っているのは国内では成田空港だけである。航空管制塔には国家公務員である航空管制官が管制業務にあたり、ランプセントラルコントロールタワーでは成田国際空港株式会社の社員がランプコントロールを行い、両者の共同作業によって空の安全運航が保たれている。

3　成田空港のミライ

成田空港ターミナルでは、二〇二一年七月から顔認証技術を活用した新しい搭乗手続き「Face Express」が導入された[8]（図8）。Face Expressとは、チェックイン時にパスポー

（8）成田国際空港株式会社HP「顔認証システム」（https://www.narita-airport.jp/jp/faceexpress/ 二〇二三年七月二八日閲覧）

トと旅客の顔を照合し顔情報を登録することで、それ以降の手続きでパスポートと搭乗券の提示が不要となるサービスである。出国審査は対象外であり、全日本空輸株式会社（ANA）と日本航空株式会社（JAL）が当該システムを開始した。最先端のシステムを導入し旅客の利便性を高めるとともに、空港ロビー内の混雑緩和に寄与し、コロナ禍以降奨励されている非接触の要素も兼ね備えている。国際空港として常に時代の最先端技術を取り入れているといえる。

また、成田空港の脱炭素化を進めるために、成田国際空港株式会社と東京ガスが五〇％ずつ出資した新会社「株式会社 Green Energy Frontier」が、二〇二三年四月一日に事業を開始した。NAAグループ（成田国際空港株式会社グループ）は二〇五〇年度CO_2排出実質ゼロを目指している。朝日新聞の記事によると、老朽化した空港内の「中央受配電所」「中央冷暖房所」を、エネルギー効率が高く、省エネ・省人力で運用できる最新のプラントに建て替えるとのこと[9]。発電時に発生した熱を、冷暖房などに利用する「熱電供給システム」も導入される。空港の脱炭素化も避けられない時代となり、未来へ向けていま舵を切ろうとしている。

図8　顔認証「Face Express」ANA
(2023年、筆者撮影)

二〇二三年二月一五日か

（9）「成田空港　脱炭素へ新会社　NAA・東ガス、空港で世界最大級の太陽光設備」『朝日新聞』（千葉県）二〇二三年二月二六日朝刊ら一六日にかけて、成田空港反対派農家の立て看板や櫓などが撤去され強制執行が完了したとのニュースが報道された[10]。四五年を経てもなお空港反対派農家との対立があり、空港用地内に二戸の農家が残っている。事の発端は成田空港建設について国からの事前説明がいっさいなかったことである。農家を中心に反発が広がり反対運動へと発展してしまった。現在の成田空港のB滑走路の誘導路の一部が「への字」になっているのは、反対派農家の土地を避けるためであり、成田空港の歴史を物語っている。空港の騒音問題に関しても、千葉県成田市と茨城県稲敷市などに住む「成田空港騒音被害訴訟団」の原告ら一四〇人が、二〇二三年三月三一日に成田国際空港株式会社と国を相手取り、夜間・早朝の飛行差し止めや損害賠償などを求める訴訟を千葉地裁に起こした[11]。成田空港の機能を強化しようという動きに反発している。

おわりに――新しい成田空港は地域住民とともに

成田国際空港株式会社は、「新しい成田空港」構想検討会を二〇二二年一〇月に設置した。学識経験者、国、県、地元市町で構成され、成田空港の「更なる機能強化」の推進と成田空港の将来像を検討するためである[12]。二〇二三年三月には「新しい成田空港」構想中間とりまとめを公表した。当とりまとめには、成田空港の概況、課題、目指すべき姿、実現に向けた方向性がテーマごとに整理されている。「旅客ターミナル」については「首都圏を発着地とする需要のみならず、アジアをはじめとする三国間流動や国際線・国内線の乗り

(10)「成田の強制執行完了」『朝日新聞』（ちば首都圏）二〇二三年二月一八日朝刊

(11)「成田空港の騒音　稲敷住民ら提訴　千葉地裁」『朝日新聞』（茨城県全県）二〇二三年四月四日朝刊

(12) 成田国際空港株式会社HP「新しい『成田空港』構想検討会」（https://www.naa.jp/jp/airport/new_narita_airport.html　二〇二三年七月二九日閲覧）。「『新しい成田空港』構想　中間とりまとめ」（https://www.naa.jp/jp/airport/pdf/nna_int_repo_01.pdf　二〇二三年七月二九日閲覧）。「『新しい成田空港』構想　中間とりまとめ別紙」（https://www.naa.jp/jp/airport/pdf/nna_int_repo_02.pdf　二〇二三年七月二九日閲覧）。

継ぎ需要を取り込み、「世界と繋がる多様なネットワーク」を持つ国際ハブ空港を目指すべきであると記載されている。また、ターミナルの配置方式は、建物一つですべての乗り継ぎを可能にする集約ワンターミナル方式が示されている。当中間まとめでは、「新しい成田空港」構想「新旅客ターミナルイメージ図」も公開された。次世代の空港ターミナルのように見受けられるが、成田空港らしさや特徴は何か？　日本を代表する国際空港としてのウリが何かはみえてこない。未来の成田空港は、先述した空港反対派や騒音訴訟を起こしている住民も含めた地域住民とともに発展する場所にならなければ、海外の旅行者からも選ばれないのではないか。新型コロナウイルス感染症のように、予想もしない事態は今後も起こる可能性がある。このような不確実な時代において、成田空港がどのように変貌するのかを今後も見守りたい。

〔参考文献〕

「第三ターミナル拡充」『朝日新聞』（千葉全県）二〇二二年三月一五日朝刊

「LCC機降りてすぐバス乗り場」『朝日新聞』（ちば首都圏）二〇二三年三月六日朝刊

東京ガスHP「「株式会社 Green Energy Frontier」の設立・事業開始について」（https://www.tokyo-gas.co.jp/news/press/20230220-03.html　二〇二三年七月二九日閲覧）

成田国際空港株式会社HP「空港の運用状況　成田空港運用状況一九七八～二〇二二（年度別）」（https://www.naa.jp/jp/airport/pdf/unyou/n_1978-2022_230622.pdf　二〇二三年七月二八日閲覧）

成田空港株式会社HP「新しい成田空港構想」（https://www.naa.jp/jp/airport/new_narita_airport.html　二〇二三年七月二九日閲覧）

column

成田空港のお仕事ロボット

髙橋伸子

成田空港のターミナルビル内は一般的な建物とは異なり、天井が高く柱のない開放的な空間である。巨大なデジタルサイネージは日本のイメージを流し、非日常の空間を醸し出している。そのような雰囲気を作り出すことができているのも、「安心・安全・快適」が担保されているからである。空港職員の日々の業務に欠かせない存在となっているのはお仕事ロボットである。

筆者は、二〇二三年六月に成田空港第二ターミナルでセキュリティロボットに出会った（図1）。これはセコム社製自律走行型巡回監視ロボット「セコムロボットX2」である。セコム社の資料によると、[1] レーザーセンサーにより自己位置を特定しながら巡回ルートを自律走行し、搭載したカメラによりさまざまな場所で画像監視を行う。巡回後は定められた立哨ポイントで停止し、周囲の監視を行う。ロボット上部の赤外線センサー、熱画像センサー、金属探知機を内蔵したアームが搭載され、巡回中に発見した放置物やルート上に置かれたゴミ箱などを点検することもできるそうだ。安全を脅かすかもしれない放置物や危険物を、警備担当スタッフが触ることなく、当該ロボットのアームによって点検できるわけだ。これは、かなり仕事のできるロボットである。

図1　セコムロボットX2（2023年、筆者撮影）

さらに、第二ターミナルで別のタイプのセキュリティロボットをみかけた。それは、二〇二二年に導入した新型セキュリティロボット「cocobo」である[2]（図2）。成田国際空港株式会社のリリースによると、先述した「セコムロボットX2」の機

図2　セキュリティロボット cocobo
（2023年、筆者撮影）

能に加え、AIなどの最先端技術を搭載しているそうだ。旅客の待ち列混雑状況を検知したり、巡回経路上における放置物の検知をアラート情報として映像で通報したりする。LEDディスプレイや音声による遠隔での案内や異常を知らせる注意喚起を行う。

「セコムX2」が第一・第二ターミナル、「cocobo」が第二ターミナルで警備を行っているが、第三ターミナル、国際線出発（出国手続き後エリア）にも警備ロボットが配備されている。二〇二二年四月から導入されたシークセンス（SEQSENSE）社製「SQ-2」である。[3]出国手続き後のエリアで稼働しているため、ターミナル内出発ロビーなどでは見ることができない。当ロボットはセコム社製のものとはまったく形状が異なり、高さが約一二九センチメートルの縦型のロボットであることが、成田空港株式会社発信のリリースに書かれている（図3）[4]。足回りの面積が小さいため、人込みや狭い通路などでの機動性が高く、狭く入り組んだ構造の施設警備に親和性があるとのことである。第三ターミナル国際線出発（出国手続き後エリア）の特性に合わせた選択だと思われる。

　このようなセキュリティロボットのほかにも、清掃ロボットが日夜稼働している。第一から第三ターミナルまでの巨大空港の清掃には、カーペット用とハードフロア用の二種類の床清掃ロボットが導入されている。[5]空港の衛生面の管理や美しい空間を形成しているのは、人とロボットの共同作業であり、その結果「安心・安全・快適」な成田空港として、空港のイメージだけではなく「日本のイメージ」として世界へ発信しているのである。

図3　SEQSENSE SQ-2（シークセンス エスキューツー）

〔注〕

（1）「自律走行型巡回監視ロボット「セコムロボットX2」のサービス提供を開始——第一号のご契約先として成田国際空港で導入が決定」セコム株式会社『報道資料』二〇一九年五月二三日

（2）「日本初　セコム社製新型セキュリティロボット“cocobo”を導入——成田空港における警備の高度化を目指して」NAA成田国際空港株式会社『NEW RELEASE』二〇二二年六月七日

（3）「第三ターミナルへの最新型警備ロボット導入による更なる館内警備の強化——成田空港の全ターミナルへの警備ロボット導入を実現！」NAA成田国際空港株式会社『NEW RELEASE』二〇二二年一月二三日

（4）シークエンス社HP「PRODUCT」（https://www.seqsense.com/product/　二〇二三年七月二五日閲覧）

（5）「成田空港の清掃業務が変わります！——床面清掃ロボットの導入によるターミナルビル清掃業務の自動化・省力化」NAA成田国際空港株式会社『NEW RELEASE』二〇一九年一一月一二日

ニュータウンは「家郷」になり得るか？
――龍ケ崎ニュータウンからの報告――

大橋純一

はじめに――都市化と「家郷(ふるさと)」

本章では、戦後日本が経験した都市化の進展とその社会的影響に関する関心から、「ニュータウン」というまったく新しい街で営まれる住民生活を通して、家郷(ふるさと)の形成について検討する。

都市社会学者の高橋勇悦は一九八一年のその著『家郷喪失の時代』において「家郷は文字通り喪失したが、それをそのままにしておいていいのだろうか。それとも新しい家郷をつくらなければならないのであろうか。人間が生きていこうとする限り、生活の拠点や心の拠点は、いつの時代においても必要だとすれば、家郷は新しくつくらなければならないであろう。実際、家郷をつくる必要は、今日、まずはひろく認められているといってよい[1]」と述べているが、もしそれら拠点が必要ならばどのようにして形成されるのであろうか。

都市化論[2]は都市においては人口規模・密度・異質性の特性が高まるにつれて第一次的関係が衰退し、これに代わって第二次的関係が優位になり[3]、匿名性が高まり、また、競争意識が強くなるなかで家族解体、地域解体などの社会病理的現象が発生するというスキームが描かれている。先の高橋の生活の拠点、心の拠点が今日喪失しているのであれば、これらの拠点はニュータウンというまったく新しく出発する街のなかではどのように形成されるかを考察することは意義があると思われる。

このような問題意識のもと茨城県南部に展開する「龍ケ崎ニュータウン」を事例として取りあげアプローチしてみたい。

(1) 高橋勇悦『家郷喪失の時代——新しい地域文化のために』有斐閣、一九八一年、六頁

(2) ここでの「都市化論」とはシカゴ学派のワース(Wirth, L.)のアーバニズム論、鈴木広訳編『都市化の社会学』(誠信書房、一九六五年、一二七頁)に所蔵されている「生活様式としてのアーバニズム」をさしている。

(3) 都市生活における人間関係には、親密・全人格的な接触(第一次的関係)と、目的による合理的・皮相的な接触(第二次的関係)がある。

1 「ニュータウン」と家郷

読者の皆さまが思い浮かべる「ニュータウン」のイメージとはどのようなものであろうか。多分現在では「オールドタウン」と揶揄されているかもしれない。実際、建物の老朽化やそこで暮らしている人々の高齢化などをイメージする言葉として捉えられているだろう。的を得ているイメージでもある。

しかし、このニュータウンという言葉が使用された当時は、何もかもが「ニュー」であっ

た。人々はこの「ニュー」を求めて移り住んだわけである。いうまでもなく、ニュータウン建設は都市部への人口過密問題を解決するために始まったものである。一九五五年以降の高度経済成長に伴い、三大都市圏への人口集中が加速化されるなか地価の比較的安い周辺郊外においては宅地開発が盛んに行われたが、民間の乱開発が行われ、いわゆるスプロール現象[4]が社会問題化した。このような乱開発を防ぎ良好な住宅開発を行うために都市郊外にニュータウンが計画された。一九五〇年代から六〇年代にかけて造成された東京の多摩ニュータウンや大阪の千里ニュータウンは有名である。

ニュータウンは計画的に開発され、都心へのアクセスも良好で、自然に近くて緑も豊富、整備されたインフラや良好な住環境、さらには整然とした街並みなど、そこでの暮らしは庭付き一戸建てのマイホームを持つことを夢とする、サラリーマン世帯の憧れであり、理想のライフスタイルであった。こうした憧れを求める人々とはどのような人々なのかを探っておこう。

この点に関して先述の高橋は、高度経済成長期の東京の人々のパーソナリティを「流浪・漂泊東京人」として位置づけることができるとしている[5]。この流浪・漂泊東京人は、高度経済成長期に就職や就学を機に東京で生活するようになったが、生活拠点としての自分の故郷を離れているため、その拠点が流浪・漂泊の状況に置かれてい状況にあるといえる。こうした流浪・漂泊の東京人が「家郷（ふるさと）」を求めて、また新しいライフスタイルを求めてニュータウンに移住していくのも無理のないことであろう。

しかし、高度経済成長期から半世紀以上経過した今日では、状況は一変した。これまでどの国も経験したことがない、超少子高齢化社会が大都市近郊の郊外住宅地にも到来した。

（4）都市の急速な発展により、市街地が無秩序に広がっていくことをさす。

（5）高橋勇悦『東京人の横顔——大都市の日本人』恒星社厚生閣、二〇〇五年、一五頁。ここでは都市化の段階（一八六八～一九二〇年、一九二〇～一九七五年、一九七五年～）に応じて東京人のパーソナリティを六類型に分類している。元々東京に居住する人々を江戸・東京人、モダン東京人、新土着東京人、流入してきた人々を単身・寄留東京人、流浪・漂泊東京人、新流入東京人である。

理想のライフスタイルであった郊外住宅地での暮らしは、住宅の老朽化や住民の高齢化により、いうまでもなくその魅力を低下させてきている。親世代が都心郊外の緑豊かなニュータウンの庭付き一戸建てを購入したのはよいものの、子世代は就職や進学を機に実家を離れ、そのまま利便性の高い都市部に居住するというイメージが一般的である。ところで、ニュータウンの「ニュー」はどのようになったのであろうか。

2　龍ケ崎ニュータウンの成り立ち

「龍ケ崎」という地名の由来には、「竜巻が多い土地柄だったから」「龍が降ってきた地の先にあるから」、さらには「まちの形が龍を思わせるから」といった諸説[6]がある。この龍ケ崎にニュータウンが建設されたのが今から半世紀前であった。

一九六六年日本住宅公団（現独立行政法人都市再生機構（UR））から茨城県に対して「茨城県の近郊整備地帯内の宅地開発適地選定の調査」依頼があり、これを受けて茨城県では一九六七年に、取手市戸頭地区、守谷地区とともに龍ケ崎を適地とする旨の答申を行った。元々の計画では、旧牛久町も対象で、二五〇〇ヘクタール、人口は三〇万人近くを想定した大規模なものであった。ここが選ばれた理由としては、東京から一時間以内の近距離で首都圏近郊整備地帯に指定されていること、民間会社によって広い用地が確保されていること、そして台地で地盤が固いことの三点だといわれている[7]。

一九六七年末住宅公団理事会において「稲敷台地一三〇〇ヘクタール」の開発を承認し

（6）　龍ケ崎市HP「「龍ケ崎」という地名の由来」(https://city.ryugasaki.ibaraki.jp　二〇二三年六月二〇日閲覧)

（7）　『龍ケ崎市史・近現代編』龍ケ崎市、二〇〇〇年、二〇七頁

たが、翌年には龍ケ崎市議会において住宅公団による開発受け入れ議決に対して激しい反対運動が起きた。これは野山・農地・丘陵地帯を切り崩す工事方法に対して地元地権者が反対したものであった。当時は、鹿島や筑波での用地の接収・買収などの反対運動や、日大や東大などの学園紛争などが頻発した時代でもあった。

こうした反対運動に対して公団は一九七〇年に縮小案を提示し、「北竜台」三三〇ヘクタールとして開発することになり、市は市街化区域に編入し、さらに一九七一年に北竜台特定区画整理事業が都市計画として決定された。翌年には龍ケ岡地権者により「北部台地開発促進委員会」が設立されて住宅公団に事業実施を要請した。

このようにして、北竜台地区および龍ケ岡地区が、龍ケ崎ニュータウンとして開発されていくことになる。この二つの地区の東側に「つくばの里工業団地」が開発されることになったが、開発規模は約六七〇ヘクタール、計画人口は約七万五〇〇〇人と当初の計画人口三〇万人を大きく下回ることになった。

なおこのニュータウンの計画にあたっては、近隣住区論の考え方が導入されている[8]。これは、小学校設置に必要な人口（約五〇〇〇人）に対して住宅を供給し、その周囲を幹線道路で仕切り、中心に公共空間を設けるというものである。また、この龍ケ崎ニュータウン開発では、その交通体系として取手駅あるいは現龍ケ崎市駅から、市街地・新市街地（ニュータウン）に至るモノレールの建設案[9]が検討されていたが、計画が大幅に縮小されたこともあり実現不可能になった。

ところで、こうした住宅開発は進んだが、住宅以外の商業施設・公共施設の整備はかなり遅れていた。実際、引っ越してきたはよいが、現在のような大規模なスーパーマーケッ

（8）『龍ケ崎市総合計画第二次基本計画』龍ケ崎市、一九七八年、二七頁

（9）前掲書（7）、二一四頁

トや病院などはなく、現在の北竜台のショッピングセンター「サプラ」ができる前にはその地に商店が、また近くには米屋や鮮魚店が住民の食生活を賄っていた。なかには隣の牛久市まで自家用車で買い物に行くケースもあった。当時のニュータウンからの通勤・通学手段は、公共のバスで行くか、徒歩で二〇分から三〇分かけて行くか、それとも家族が運転する自家用車で行くか、の三通りであった。

一九八二年の第一次の入居開始から十数年たって、ようやく一九九九年三月、北竜台地区に大型ショッピングセンター「サプラ」ができ、その中核にイトーヨーカドーが入店した。二〇〇三年には隣接地区にケーズデンキやケーヨーデイツーが入居する複合型商業施設ができ、市街が形成されてきた。一九九八年から開発されてきた「たつのこやま」周辺の開発も、二〇〇二年には龍ケ岡地区に、総合病院の龍ケ崎済生会病院や総合運動公園のたつのこアリーナが完成した。最近では、二〇一八年にユニクロ、アズビー、蔦屋書店、ケーズデンキなどのショップが入居する「たつのこまち龍ケ崎モール」ができてかなりのにぎわいをみせている。

3　ニュータウンに移り住んできた人々

めずらしい分譲方式

このニュータウンに移り住んできたのはどのような人々なのか。鎌田宣夫（元茨城県住宅課）らの報告書[10]からみてみよう。

（10）　鎌田宣夫・森本信明「竜ケ崎ニュータウン共同分譲住宅（第一次）の購入者について」『家とまちなみ一三』住宅生産振興財団、一九八二年。これは居住者意識調査で当時の第一次入居者全員を対象にしたアンケート調査で非常に良く分析されていてこの調査結果を引用させていただいた。

龍ケ崎ニュータウンの開発は、その当時はめずらしく、宅地は、住宅・都市整備公団から、住宅は、積水ハウスや三井不動産など民間の住宅業者からそれぞれ分譲するという「共同分譲方式」をとっていた。これによってニュータウンは購入者からみれば公団や大手のデベロッパーとして信頼されるものとなっていた。

一九八一年一〇月に、現在の北龍台松葉地区に二一七戸が販売され、ニュータウンの分譲と開発が進められていくことになった。この二一七戸に対して一六五四人が応募し、その平均倍率は七・六倍となり、めずらしい分譲方式なので応募があるかといった当初の心配はなくなった。同時に宅地分譲四五区画も販売され、こちらも四八・七倍とかなりの高倍率であった。この倍率をみてもわかるように、この龍ケ崎ニュータウンは購入者の憧れの地でもあることが読み取れる。こうして龍ケ崎ニュータウンは、翌年にも共同分譲が行われ、順次宅地開発が行われていくことになる。

分譲価格

ここでの分譲価格はどのくらいであったのだろうか。住宅の敷地面積は一八二〜二七三平方メートル、住宅面積は六六〜一二〇平方メートルである。こうした住宅に対しての価格は、最高で三一四七万円、最低で一九六七万円で、最多分譲価格は二六〇〇万円であった。

購入者の年齢

分譲住宅を購入した世帯の世帯主の年齢は、三五〜三九歳が最も多く約三五%で、その前後の四〇〜四五歳までが二五%、また三〇〜三四歳までが二四%と、いわゆる団塊の世代も含めて高度経済成長期を担ってきた人々が購入していることがわかる。

購入者の職業

購入者の職業は、「専門的・技術的」な職業の人が三〇%、次いで「事務的」職業が二一%、「管理職」が二〇%と続いている。またこの調査では、「勤務先は官公庁（公団公社を含む）が約三割、民間企業も規模の大きい会社が多く従業員一〇〇〇人以上の企業に勤めている者が四割以上を占めている」と指摘している。

移転理由

移転の理由としては、これまで住んでいた「住宅が狭かった」が最大の理由（約六割）としてあげられており、「子供の出生、成長により」（二一%）、「住宅の設備に不満があった」（一八%）などが続いている。なお、前住宅の種類は官舎や社宅などの「給与住宅」が四割で、次いで「民間分譲共同住宅」（一〇%）となっている。

通勤時間

個人的に興味深い結果も、この調査では指摘されている。それは前住宅と現住宅との通勤時間を調べているのである。そこでは前住宅地での通勤時間は一時間以内が二五%と最も多いのに対して、現住宅地での通勤時間は七五〜九〇分と、三〇分以上も多くかかっている。これだけ通勤時間がかかるとわかっていても、このニュータウンを選ぶ理由とは何であろうか。

選択動機

この龍ケ崎ニュータウンを選んだ理由は、約八割の購入者が「公団の宅地開発なので安心」だからをあげている。それ以外にも、「住宅地として整備されている」「将来性があること」「ほかのところより安いこと」などが指摘されている。また購入の際に、最も重視した条件では「一戸建て住宅」であることを約半数の購入者があげている。

入居後の住環境の満足度

住環境については、良い点と悪い点が明確になっている。良い点では、周辺道路の整備状況、歩行者道のスペース、自然環境の良さなどが指摘されている。悪い点は、通勤通学の利便性、医療施設の不備、日常生活用品購入店舗の不足など、大規模ニュータウン開発に共通にみられる点があげられている。ただ注目されることとして、良い点に隣近所との付き合いや自治会の運営状況の満足がともに九割前後と非常に高いことがある。

以上のように、龍ケ崎ニュータウンへ移り住んできた人々は、通勤時間がかかっても、また日常生活に不便を感じつつも、「土地付き一戸建て住宅」を持つというライフスタイルを重要視していたことがよくわかる。

4 新たなコミュニティを求めて

当時の住民の生活の様子を、現在と比較しながら、住民の聞き取りも含めて描いてみよう。最初に入居が開始された北竜台松葉地域では、すでに四〇年以上が経過している。すでに述べたように、住宅街は計画的に形成されていて住戸が整然として立ち並んでいる。敷地面積も平均して六〇坪から七〇坪くらいあり、各住戸には車庫と庭があるといった典型的な郊外型の住宅を示している。北竜台地域内の地区にもよるが、それぞれの住戸の建物や生け垣が建築協定[11]によって守られており、良好な住宅街を形成している。なお、この北竜台地域には、四つの小学校と四つのコミュニティセンターが配置されている。天気のよい日には生け垣の剪定や庭の手入れなどが住民によって行われている。コミュニティセンターでは、自治会や各種団体などの会合、ダンスや合唱、さらには体操教室などが開かれコミュニティ活動を展開している。小学校の全学年の児童数は最盛期の五分の一以下となっており、現在は二〇〇名前後の児童数である。住宅街の日中は閑散としており、静かな街である。食料品の買い物や病院への通院は、多くの人が自家用車を利用している。買い物は、共同して「生協」などから購入している人々もみられる。

入居当時は三〇代から四〇代の夫婦と子どもたちの核家族として、子どもたちには各一部屋を与え、庭で遊ぶことが一つのライフスタイルとして定着していたという。各地からマイホームを夢みて多くの人々が入居してきた。見知らぬ他人同士であった。よって、住

(11) 建築基準法第七三条第一項の規定により茨城県知事の認可をうけた建築協定区域のこと。建築部の利用用途や高さなど住宅地としての環境を保持するための取り決めで、厳しいとの意見もみられる。

民の最初の取り組みは、近所づきあいに精を出したことだといわれている。子ども会や運動会には父親も積極的に参加し、付き合いを深めていった。台地を切り開いて整備した街であるから神社仏閣はニュータウン内にはなく、よって氏子もいなければ祭事はすべて自分たちで築いていった。夏祭りには各町内ごとに神輿も手作りで作成して、ニュータウン内を廻って小学校校庭に集結して賑やかに踊ったという。子どもたちには野球のクラブを作り、大人が積極的に指導するなどしてクラブ活動も盛んに行われていた。見知らぬところで、また何もないところで生活していくには、住民同士のつながりを求めるのは自然な成り行きであろう。

しかし、現在では子どもたちはニュータウンに戻らず、東京都心方面で家を購入し生活しているという。子どもたち第二世代には魅力がないようだ。現在は老夫婦のみで生活しているケースも多い。子どもたちは両親だけの生活を心配し、時々は見に来ることもある。逆に、息子のそばに引っ越していくケースもみられる。そのとき、家は「空き家」となる。現在は、家を処分したくても買い手がみつからないし、貸すにも貸せない状況だという。家屋は当時購入した値段の二分の一以下の値段しかつかない。ある種の嘆きが聞こえてくる。住民は自ら高齢化していくことを認めつつ、日々の生活を営んでいる。

一方、地区内では、一年間にさまざまな活動が行なわれている。この活動内容は二〇〇三年度のもので、一九八〇年代のものと同様かどうかはわからないが、参考にはなる。これをみると、一年中何かしらの活動が行われている。ゴミの清掃などの住環境に対しての活動や、ボーリング大会などの住民同士のコミュニケーションを目的とした活動などがある。この活動記録をみると、一九八二年から「ニュータウン夏祭り」が行われていることもわかる。もちろんこの自治会活動のほかにも、敬老会により、同様の活動が行われている。

おわりに――ニュータウンのゆくえ

この龍ケ崎ニュータウンに移り住んできた人々は「流浪・漂泊」して、安住の地としてこのニュータウンにやってきた人々で、終の住処として考えていることはいうまでもない。よって、このニュータウンに移住してきた第一世代にとってはこの龍ケ崎ニュータウンを生活の拠点、そして心の拠点として捉え、新たな「家郷」として考えていてもおかしくない。ただ、その第二世代である子どもたちはどうであろうか。

第二世代の子どもたちは、高度経済成長期以降に生まれ育ってきた世代でもある。何不自由なく育ってきたが、それはある意味で「私」中心的な生活を送ってきたともいえる。親世代は新しい街をつくろうと奮闘努力してきた。それは子どもたちのためでもあった。神輿を手づくりしたり、クラブチームを指導したり、また冬季には「どんと焼き」などをして、かつて自分たちが経験してきたことを伝えていこうとしてきたが、それは子どもたち世代にはどのように映っていたのであろうか。さらには子どもたち第二世代にとってはこの龍ケ崎ニュータウンは「家郷」としてなりえているのであろうか。

親の世代は、入居当時四〇歳前後が中心であったことから、現在は八〇歳前後となり、地域での活動において年齢的な壁に直面している。また、入居者の年齢構成は四〇歳前後がほとんどであったため、現在の六〇歳前後は極端に少ない構成となっている。つまり地域活動でのリーダー格となりえる年齢層が欠けていると思われる。もちろん若手の人でも良いわけだが、地域での活動の継続性という面からは年齢的なギャップを設けないで、なだらかにバトンを渡していくことが望まれる。

現在各地にあるニュータウンは「オールドタウン」と呼ばれるように、いろいろな課題を共通に抱えている。住民の高齢化に伴う生活課題や建物・インフラ施設の老朽化など数えればきりがないかもしれないが、ニュータウンとしての持続可能性を考えていくうえでその鍵を握っているのが、じつはこの第二世代である子どもたちだと筆者は考えている。子どもたちがニュータウンを「家郷」として捉えるならば、ニュータウンの将来は明るいであろう。生活の拠点としてではなくとも、心の拠点として捉えているならば、新たな街づくりとしての期待が持てるであろう。

〔参考文献〕

金子淳『ニュータウンの社会史』青弓社、二〇一七年
高橋勇悦『都市化社会の生活様式』学文社、一九八四年
高橋勇悦・和田修一編『生きがいの社会学』弘文堂、二〇〇一年
吉川祐介『限界ニュータウン――荒廃する超郊外の分譲地』太郎次郎エディタス、二〇二二年

column

宅地開発ブームの落とし子

大橋純一

ここで取りあげる「ミニ別荘開発」とは茨城県の旧大洋村（現鉾田市）で繰り拡げられた別荘地開発のことである。筆者がこのミニ別荘地開発に関心を持ったのは、今から三〇年以上前の一九八〇年代後半のことであった。そのとき、別荘地に高齢者が「終の住処」として移住しているという新聞記事を目にした。そもそも別荘地は避寒・避暑・保養のため、一時的に滞在することを目的に建てられたもので、自然環境に恵まれた場所に立地する傾向にある。よって、別荘地は利便性や生活インフラが十分でない所に開発されることもあるので、日常生活を営むには適していないと考えられる。そのような住環境に高齢者が老後の生活の場として選択して移住してくるのはなぜなのであろうか。また、生活そのものが成り立つのであろうか。こうした社会学的な視点から関心を寄せたのである。

図1　荒廃したミニ別荘のイメージ

フリーライターの吉川祐介氏の『限界ニュータウン』（太郎次郎社エディタス、二〇二二年）に、旧大洋村の〝ミニ別荘〟地開発の悲惨な現状が報告されていた。[1]

そこで指摘されていたことは、別荘地の荒廃した現状であった。たとえば、この図が示すように、別荘は生い茂った木々で覆われており、人が住むには適していない環境のように見える（図1）。[2]筆者が実態調査で訪れた一九八〇年代後半の状況と、何ら変わっていないことには正直驚いた。そこで当時の別荘地での住民の生活の様子について書き留めておきたいと思い、このコラムで旧大洋村で展開したミニ別荘地開発の状況とそこに移住してきた人々の様子を述べておく。

茨城県、旧大洋村のある鹿島灘一帯は、常磐自動車道や東関東自動車道の交通網の整備が具体化されるにつれて、「近くて非常に安い土地」として首都圏の市民に注目され、一九八〇年代以降、投機の対象やセカンドハウスとして別荘の建設が急増した。バブル開始期の一九八二年ごろから、この大洋村でもその建設が加速している（表1）[3]。

旧大洋村でのミニ別荘地開発は、いくつかの特徴がみられる。その一つが販売された住宅価格が非常に安価であったことである。「気候温暖で自然豊かな庭付き一戸建て別荘」をアピールしていたが、さらに「クルマ一台分で別荘が買える」を謳い文句にしたチラシが新聞におりこんであった。確か一〇〇万円前後ぐらいからの値段がついていて、当時は格安別荘地として賑わっていたと記憶している。

表1　ミニ別荘建築年度状況

年度	戸数	団地の数	区画の数	面積（平方メートル）
1975	24	3	66	13,746
1976	15	1	18	1,830
1977	134	13	203	38,073
1978	113	16	166	42,777
1979	269	26	313	91,813
1980	272	30	333	89,365
1981	140	17	164	45,119
1982	483	55	659	186,440
1983	500	71	790	210,120
1984	479	63	1,094	244,592
1985	585	124	1,260	304,925
1986	363	109	1,278	211,285
1987	430	118	1,320	250,060
1988	440	102	1,240	269,000
合計	4,247	748	8,904	1,999,150

また、もう一つの特徴としてあげられるのが「ミニ開発」である。一戸建ての宅地開発には、都市計画法による許可を得ての開発か、それとも許可なしの開発かの二種類に分けられる。後者の場合がミニ開発に該当し、開発単位が一〇〇〇平方メートル未満、敷地規模が一〇〇平方メートル未満の一戸建て建売住宅のことを指す。よって敷地面性が細分化され、良好な住環境が維持されるかどうかが問題とされる。

こうしたミニ開発は大手デベロッパーとは違って、小規模な開発業者が行なっている場合がほとんどである。上下水道の整備など、インフラ整備が不十分な場合もあり、住宅そのものの問題も指摘される。急斜面に建設された三角屋根の住宅の基礎部分に電柱が使用された物件もあり、また浴槽に水を張ったら住宅の床板が抜けたという話を聞いたこともあった。このように、旧大洋村でのミニ別荘開発には、(もちろんすべての開発がそうであるとは限らないが)一部に劣悪な物件があることも事実であり、住宅品質の問題が散見された。

こうした別荘に移住してきた人々のなかには高齢者もみられた[4]。彼らの多くは一時的に別荘地を利用する人々であるが、三割ぐらいは老後生活を過ごすために購入していた。年齢的には七〇代前半で、健康面では自立度の高い人々であり、テレビをみたり庭での畑作業をしたりして一日を過ごしていた。子どもたちとの接触頻度は電話が中心であるが、直接子どもたちが訪問してくる場合もあった。ただ、全般的には接触頻度は低調で、特にこの傾向は一人暮らしの高齢者に顕著であった。また、近所付き合いに関しては「ほとんどない」と回答している人は一割ぐらいで、多くの人々は行き来したり、物をあげたりして交流をしていた。ただ、地元の人々との交流はみられない。ゴミをだす「あの三角屋根」として、否定的に地元住民に捉えられている。これは「ニューカマー(新来者)と地付き層との対立として捉えられ、別荘地の住人の社会的孤立が生じてこよう。

調査から三〇年以上経つが、当時の移住高齢者は七〇代前半が中心であったから、今は一〇〇歳を超えているであろう。今、彼ら彼女らはどのような生活を送っているのであろうか。二〇〇〇年には、介護保険法による在宅サービスなどの介護サービスが実施されたこともあり、これらをうまく利用して在宅での生活が可能であることを祈るばかりである。

〔注〕
(1) 吉川祐介『限界ニュータウン――荒廃する超郊外の分譲地』太郎次郎社エディタス、二〇二二年、一八九頁。吉川氏は

「URBANSPRAWL――限界ニュータウン探訪記」としてブログに、「資産活ZERO――限界ニュータウン探訪記」としてユーチューブ（YouTube）に、それぞれ投稿されていて、動画としてもニュータウンやミニ別荘地の問題点を生々しく指摘されている。

（2）吉川祐介、前掲書（1）、一九二頁

（3）大橋純一「「別荘地」における高齢者問題――茨城県大洋村を例として」『流通経済大学社会学部論叢』一（一）、流通経済大学、一九九〇年の表をもとに再作成。

（4）大橋純一、前掲書（3）。このコラムを述べるにあたっては、筆者が行った調査研究をまとめた、この論文に基づいている。

東京のおいしさを生み出す「ちばらき」の女性
――美食にまつわる空間システム――

福井一喜

はじめに――幕を下ろした「カラス部隊」の女性

九三歳の女性の行商が新聞記事で紹介されていた[1]。農作物を満載した籠を背負って茨城や千葉から常磐線に乗り、東京都心へ通っていた女性たちのひとりである。黒っぽい服装の出で立ちから「カラス部隊」の愛称で知られていた。

カラス部隊は、かつて「ちばらき」だけで一万人ほど存在したとされる。いまでは食品流通の発達などを背景に、ほとんどいなくなっている。記事の人物も引退を決めた。常磐線などの駅プラットフォームには、行商が籠を置く「行商台」が設置されていた。行商が少なくなったこともあって、撤去が進んでいる。

(1)「「カラス部隊」行商に幕」『毎日新聞』二〇二三年一月一三日夕刊

行商は、関東大震災から終戦直後にかけて食糧難の際に、農家が主に米の売買を行うものだった。それが戦後一〇年ほどで、商品は野菜や魚へと変わっていった。記事の女性の場合、商品は「トマトやキュウリ、ナス、インゲンなど野菜と、まんじゅうや餅、魚の干物など[2]」であり、これらを銀座の銀行前の一角で売っていた。得意先は、会社の社員寮や料亭だったという。つまり昭和のある時期、銀座の会社員や料亭の客に提供されたおいしい食事は、「ちばらき」から来た行商の女性たちに頼っていた。

本章で論じたいのは、こういった現象である。東京における食や「おいしさ」は、「ちばらき」が支えている。行商は少なくなっても、「ちばらき」が支える食の空間的なシステムは残っている。以下、物流などのデータや「ちばらき」の歴史、特産物、さらには現在の農業の担い手に関する分析から、「ちばらき」がいかにして東京のおいしさを支えているのかを解説しよう。なお、統計上、本章では「ちばらき」を千葉県+茨城県として扱う。

(2) 前掲新聞(1)

1 東京の美食と「ちばらき」の農業

東京には「ちばらき」産の農作物が集まっている。表1[3]をみてほしい。東京都中央卸売市場における二〇二二年の取引実績を、青果に絞って都道府県別にランクづけしたものである。上位は「ちばらき」である。「ちばらき」の両県で、数量ベースでは全体の二四・四%。つまり青果取引の四分の一は「ちばらき」産である。金額ベースでも一八・〇%を占める。

(3) 東京都中央卸売市場の資料による。2022年1月~12月。国内のみ。

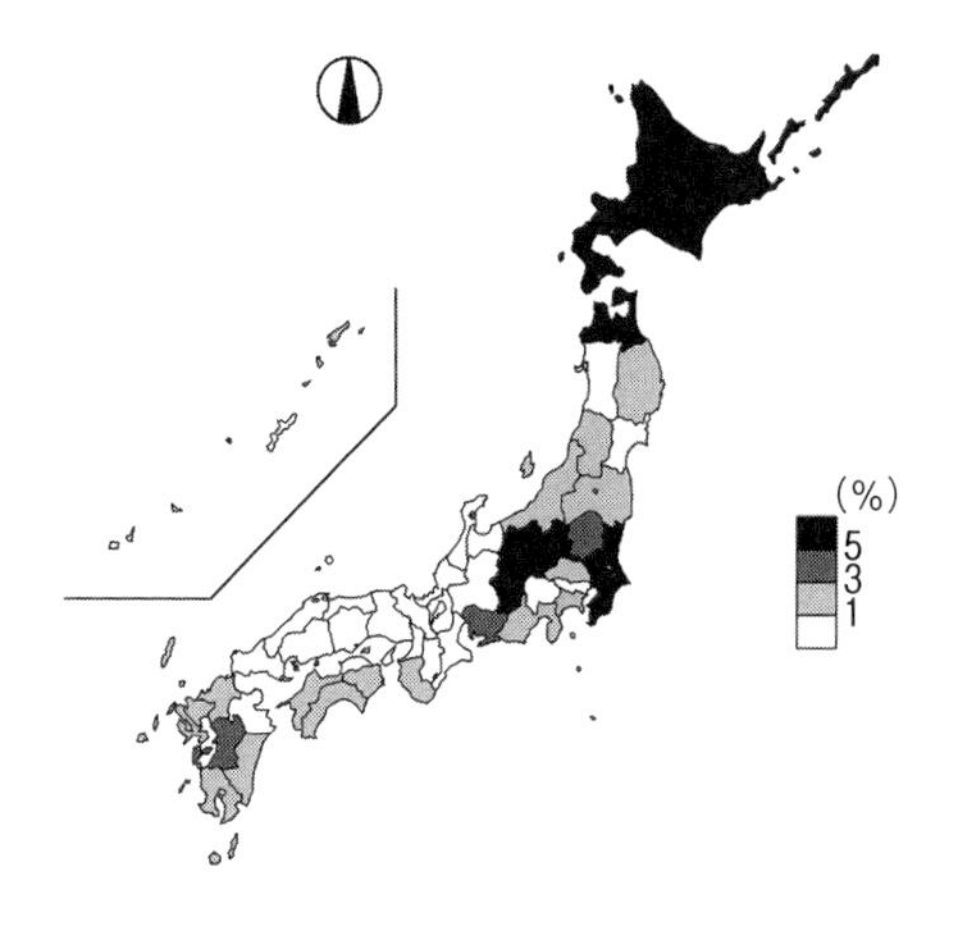

図1　東京都中央卸売市場における産地別取扱実績

表1　東京都中央卸売市場における産地別取扱実績

	数量	金額
1位	茨城（12.9%）	茨城（10.5%）
2位	千葉（11.5%）	千葉（7.5%）
3位	北海道(10.9%)	北海道（7.0%）
4位	群馬（7.1%）	栃木（6.2%）
5位	長野（6.7%）	長野（5.7%）
6位	青森（5.3%）	青森（5.5%）
7位	愛知（4.4%）	熊本（4.7%）
8位	熊本（3.9%）	群馬（4.6%）
9位	栃木（3.3%）	静岡（4.1%）
10位	静岡（2.7%）	愛知（3.7%）

表2　事例スーパーに陳列された茨城県産と千葉県産の青果

茨城県産・千葉県産の青果
ローズマリー、レモングラス、マッシュルーム、梨、リーフミックス（ベビーリーフ）、サラダほうれん草、ブーケレタス、クレソン、モコルージュ、フリルレタス、シシリアンルージュ、オスミックトマト、えごまの葉、青唐辛子、有機水菜、有機ほうれん草、有機小松菜、ルッコラ、有機ニンニク、パクチー、有機じゃがいも、かぼちゃ（江戸崎南瓜）、キタアカリ、紅はるか、ホワイトコーン、ゴールドラッシュ、蓮根、大和いも、ゴーヤ、きざみネギ、長ネギ、わけぎ、サンチュ、パクチー、おかひじき

図1に[4]、データを産地別に地図化した。東京には北海道や青森、高知、熊本などからも青果が集められているが、特に多いのは、「ちばらき」および群馬、長野といった、東京を囲む地域である。つまり「ちばらき」は、群馬や長野などと同様に、東京を中心とした青果流通の空間的なシステムのなかに存在している。「ちばらき」の農業は東京と結びついているが、その機能のあり方は、群馬や長野などとも類似している。

もちろん、これらのデータは卸売市場における取引が対象なので、最終的な消費地が東京都内とは限らない[5]。しかしながら少なくとも取引のネットワーク全体のなかで、一時的にせよ東京に「ちばらき」産の農作物が集まっていることがわかる。

東京の食が「ちばらき」に支えられているのは、スーパーに行けばひと目でわかる。わかりやすい例として、高級スーパーの青果売り場をみてみよう。筆者は東京都港区に立地する著名な高級スーパーにおいて、陳列された青果商品の産地を調査した。陳列された商品二八一品のうち、二〇品が千葉県産、二二品が茨城県産だった。合わせて四二品、つまり全体の一四・九%が「ちばらき」産である。もちろん海外産の青果も少なくないし、北海道産などはもっと多い。だが、「ちばらき」が一定の割合で食品スーパーの棚を占めていることは事実である。

具体的にみてみよう。表2は[6]、そのスーパーに陳列されていた「ちばらき」産青果の一例である。長ネギなど一般的な商品や、蓮根、梨、紅はるか（さつまいも）など「ちばらき」の特産物もある。ほかにもローズマリーやクレソンといったいわゆる葉物のほか、シシリアンルージュ（調理用トマト）やパクチー、えごまの葉、ホワイトコーンなどの比較的めずらしい商品、さらには有機農法を謳ったもののように、高付加価値的な商品も目立つ。

（4）東京都中央卸売市場の資料による各都道府県の構成比。数量ベース。二〇二二年一月～一二月。国内のみ。

（5）卸売という特定の流通段階への注目では、システムの総体はわからないということである。昨今では、食品の生産から流通・消費のプロセスを一体化したシステムとして捉える「フードシステム論」が、日本でも一般的な考え方になっている。日本における代表的なフードシステム論として、『フードシステムの地理学的研究』（荒木一視、大明堂、二〇〇二年）があげられる。

（6）東京都港区の高級スーパーマーケット一店舗における調査。青果の名称は陳列時の名称に準拠。二〇二三年七月二一日に実施。

ここにいわゆる軟弱野菜（傷みやすい野菜）が多いのは、鮮度と輸送時間・冷蔵技術との兼ね合いのなかで、「ちばらき」産の農作物は比較的短時間で大都市圏の近郊から輸送できるという一因もあろう。「ちばらき」には、近郊農業的な農作物や、高付加価値的な農作物の生産者が多く存在する。その恩恵を受けて、私たちはさまざまな農作物や、その「おいしさ」を享受している。そしてそこには、次のような歴史的な背景も存在している。

2 農業と都市化の相克――「水無の国」の苦労

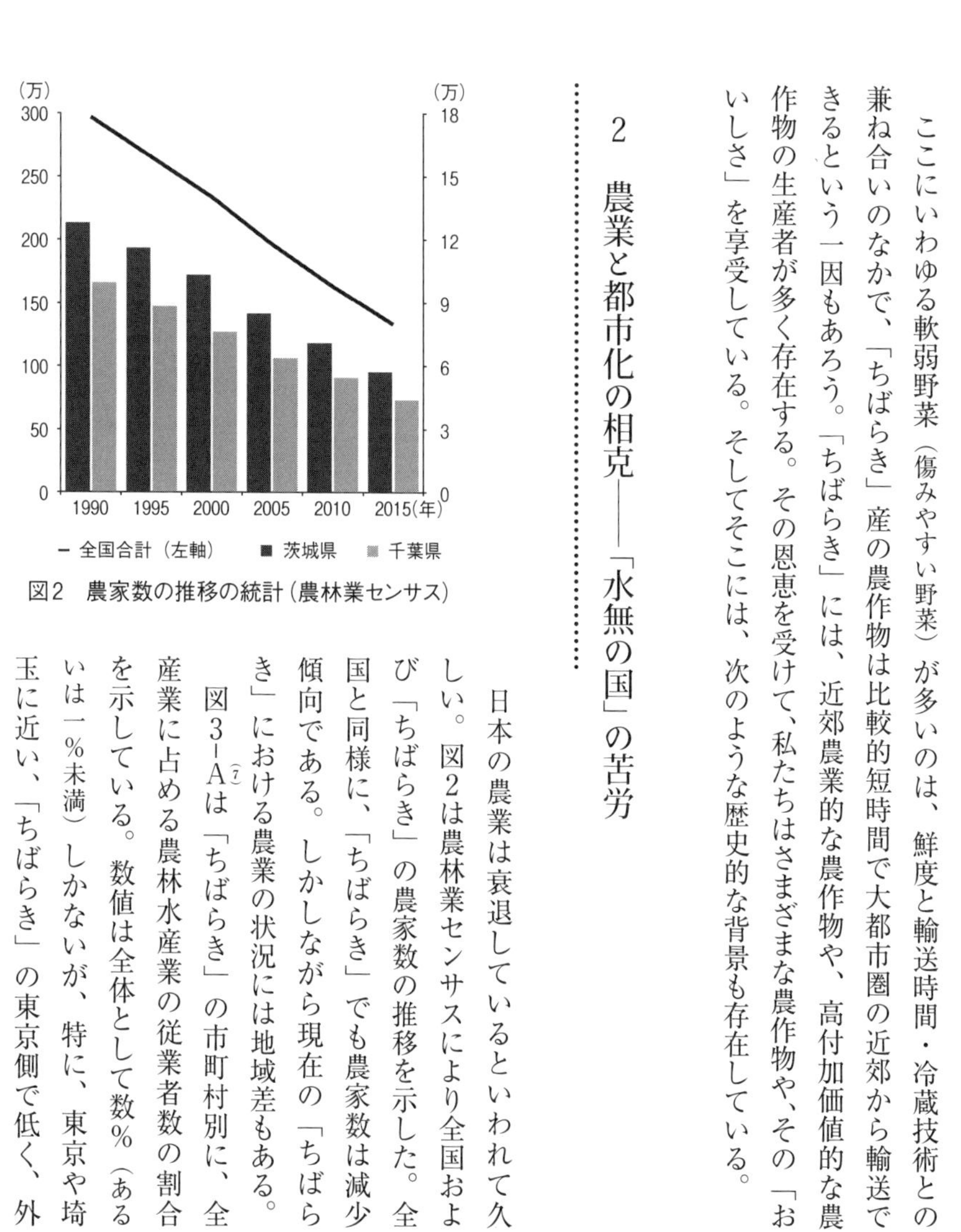

図2　農家数の推移の統計（農林業センサス）

日本の農業は衰退しているといわれて久しい。図2は農林業センサスにより全国および「ちばらき」の農家数の推移を示した。全国と同様に、「ちばらき」でも農家数は減少傾向である。しかしながら現在の「ちばらき」における農業の状況には地域差もある。

図3-Aは[7]「ちばらき」の市町村別に、全産業に占める農林水産業の従業者数の割合を示している。数値は全体として数％（あるいは一％未満）しかないが、特に、東京や埼玉に近い、「ちばらき」の東京側で低く、外

（7）「令和二年国勢調査」をもとに作成。

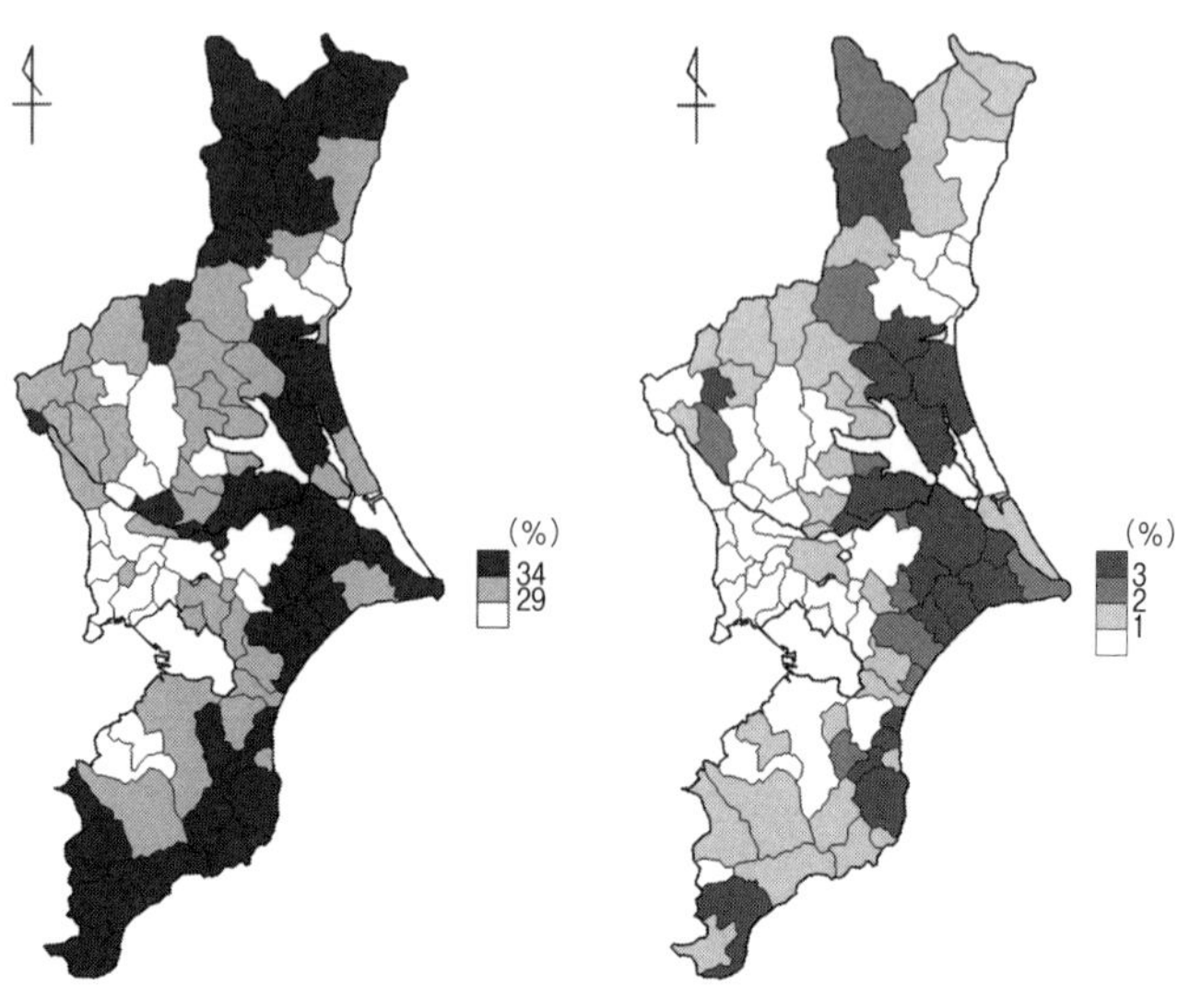

図3-A　従業者数（農林水産業）

図3-B　65歳以上比率

縁部で高い。これは図3-B[7]の各自治体の六五歳以上人口比率とほぼ重なる。外縁部の高齢化率の高い地域において、農林水産業の従事者率が高い。

　したがって、ここでも東京との関係が重要である。東京から郊外や農村に向けて進んできた都市開発や宅地化との関係である。郊外の新興住宅地や大型ショッピングモールがしばしば農地に建設されるように、「ちばらき」のような都市開発の前線地域の農業は、都市化との相克のなかで存在してきた。「ちばらき」の農業は、次のような都市化の裏返しとして理解できる。

　「ちばらき」が位置する関東平野の東側は、台地と低地が交互する地形が特徴的である。特に「ちばらき」エリアでは、下総台地などを切って利根川が流れており、その流域は沖積低地になっている。日本においてこうした水利のよい低地は水田として利用されやすい。日本農業の主体である水田稲作は、生育に莫大な水を必要とする。日本ではその灌漑用水源として一般的に河川が利用されてきた。「ちばらき」もその一例である。

他方で、台地上は地下水位が低く、元来、人が住むには適さない。「ちばらき」の上総台地などは、江戸時代までは未開の原野であり、「小金五牧」など馬の放牧場として利用されていた。

明治初期の時点で、すでに「ちばらき」に大規模開発ができる土地は少なかった。南関東一円は江戸に近いため、江戸時代から開発がかなり進んでいたからである。そして当時の数少ない開発の余地が、生産性の低い台地上だった。結果、「ちばらき」の台地上は困窮した東京の士族などの救済を目的に開拓され、「東京新田」として知られるようになった。

東京新田では、開発順に初富から十余三までの、数字を表す文字を冠する一三の入植地が開拓された[8]。しかし結局は、これら台地上の土地条件の厳しさや生産性の低さにより離農者が相次ぎ、土地は、近辺の有力農民の手に渡っていった。

明治時代には、すでに肥料の流通機構が比較的整備されていたことや、横浜の開港、東京の巨大消費地化などを背景に、台地上ではより換金性の高い特産品栽培が広がった。現在でも、台地上では主に畑作が行われており、「ちばらき」では台地と低地で異なる農業が行われている[9]。こうして、開国・明治維新と、それをめぐる人々の困難な開拓とその努力は、「ちばらき」に多様な農作物を生み出してきた。

台地上の農地開拓の困難は戦後においても無視できない。一九七八年の成田国際空港（開業時は新東京国際空港）の開港をめぐる、いわゆる「成田闘争」の背景には、「『水無の国』といわれた上総国の関東ローム層のやせた土地を、苦労して肥沃な農地に変えてきた農民

(8)「豊四季」や「六実」など、一部は駅名としても残っている。

(9) 藤岡謙二郎編『日本地誌（改訂増補版）』大明堂、一九八三年

の歴史と心情を無視した開発の姿勢があった」とも指摘されている。[10]

東京新田が現在では住宅地になっているように、「ちばらき」のような大都市圏郊外の農業地域は戦後、都市化の圧力のもとに置かれ続ける。

高度経済成長期に都市部への人口集中が激化し、その外縁部では、人口を受け入れるため、農地から宅地への転換が進んだ。こうした地域では都市部での就業機会に恵まれていく。残った農家でも兼業化や多就業化が進んだ。農家のなかには、アパートなどの不動産業を副業として収入を得るものも多くなった。こうした地域の農業は、東京都心部から外へ外へと広がっていく都市化との相克のなかで存続してきた。[11]

相克のなかで存続した農家には、自立性の高いものも少なくない。都市化を逆手にとって立地の有利性を生かし、軟弱野菜や花卉、果実など、商品価値の高い商品を多品目にわたり少量生産する農家がいる。[12]

前節でみた高級スーパーの事例では、ローズマリーやパクチー、調理用トマトといった高付加価値的な、ややめずらしい商品が「ちばらき」産として陳列されていた。その一因は、先述したような都市化の歴史と地理的条件にも求められる。高付加価値化が必要とされる台地上の自然条件、明治以降の新たな農地開発、戦後における都市化の進展といった要素が、結果的に一部の農家にとっては、高付加価値化を進める立地条件として作用し、高級スーパーに多品種の「おいしさ」をもたらすに至っている。

(10) 菅野峰明・佐野充・谷内達編『日本の地誌五——首都圏Ⅰ』朝倉書店、二〇〇九年、五〇一頁

(11) そもそも戦後日本の都市発展は、人口増加と経済成長を前提に、都市という空間が「外へ外へ」と広がっていく歴史である。人口減少とゼロ成長の時代は、この「外へ外へ」の都市発展システムが根本的に成立しなくなっていると考えられている。

(12) 菅野峰明ほか編、前掲書(10)、一三三—一三五頁

3 「ちばらき」の農業を支えているのは誰か?

それでは、「ちばらき」では具体的にどのような作物が生産されているのか。千葉県に絞っていえば、とりわけ下総・利根地域の野菜類生産は、東京から五〇キロメートル圏内と、その圏外とで性格が異なると考えられている。[13]

五〇キロメートル圏内(成田市付近まで)では、多品目の野菜が栽培される傾向にある。本章冒頭の女性行商はその典型例といえる。記事を再掲すると、商品について「トマトやキュウリ、ナス、インゲンなど野菜と……」と記されていたように、行商は多品目を揃える必要がある。だから最盛期に行商の畑は「七色畑」と呼ばれる状態になっていたという。[14]

多品目生産が行われる地域のなかでも、松戸市、野田市、柏市、流山市、我孫子市、鎌ケ谷市などでは、いわゆるブランド野菜の生産も盛んである。松戸市を中心に生産される「矢切ねぎ」や、柏市などの「豊四季カブ」、鎌ケ谷市や松戸市のナシ(「幸水」「豊水」「新高」など)などは著名である。[15][16]

それに対して五〇キロメートル圏外では、より本格的に特定の作物の生産に特化し、特産地の形成が進んだ。著名な作物としては、銚子市の「灯台印キャベツ」や、香取市のコカブ、成田市および香取市のサツマイモ、富里市のスイカ、八街市のラッカセイなどがあげられる。[17] 消費地まで遠くなって輸送費がかかる分、特定産品への特化は、規模の経済性

(13) 菅野峰明ほか編、前掲書(10)、五四〇—五四一頁

(14) 菅野峰明ほか編、前掲書(10)、五四〇—五四一頁

(15) 鳥取県を中心に盛んに栽培されるナシの「二〇世紀ナシ」は、松戸市が原産である。

(16) 菅野峰明ほか編、前掲書(10)、五二二—五二三頁

(17) 菅野峰明ほか編、前掲書(10)、五四〇—五四一頁

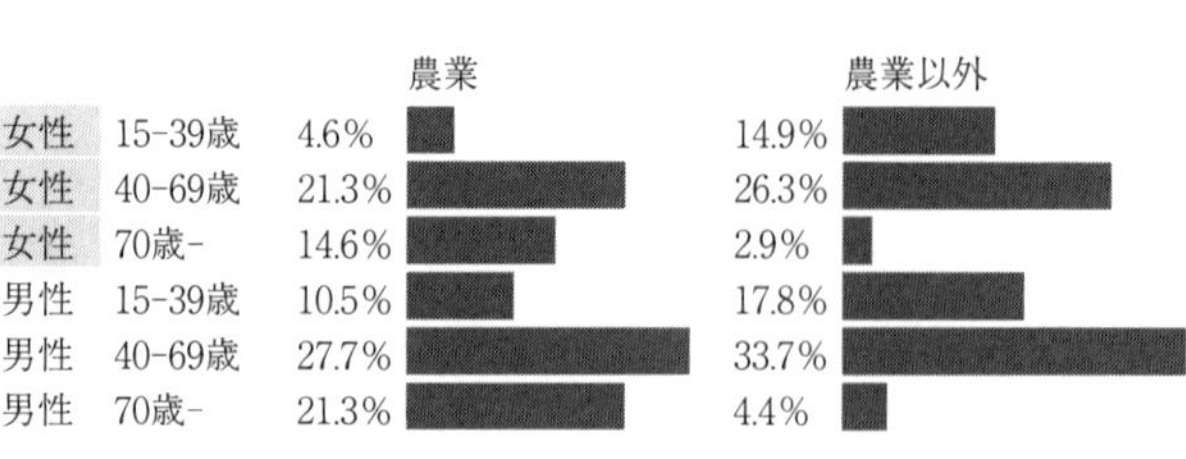

図4　性別と年齢からみた就業者構成

の発揮という意味で合理的である。つまり東京を中心とした空間的なシステムのなかで、地形条件や土壌などの自然環境を前提にしつつも、東京からの距離によって多様な農業生産が行われている。[18]

生産物の次は、生産者である。「ちばらき」の農業を支えているのは、どのような人々なのか。

図4[19]は「ちばらき」における農業の就業者数について、男女別および年齢別の構成比をみたものである。ここでは他産業との比較もしている。

農業で最も多いのは四〇～六九歳の男性で、次が四〇～六九歳の女性と七〇歳以上の男性、それに七〇歳以上の女性が続く。つまり中高年の男女が中心的な担い手である。一般的なイメージの通りともいえよう。他方、その他の産業でも四〇～六九歳の男女が最も多いのだが、農業で多くみられた七〇歳以上の男女は、その他の産業では数%しかいない。

これは「ちばらき」において、高齢化した農業と、その他の産業（主にサービス業）とで、就業構造が年齢階層で二重化していることを表している。「ちばらき」は東京に近接した地域も多く、都市的なサービス業への就業も広くみられる。そうしたなかで、農業の担い手として、七〇歳以上の女性と男性がそれぞれ相対的に重要な存在になっている。

(18)　消費地からの距離によって適する農業は異なるという考え方は、経済地理学では二〇〇年以上前に理論化されている。「孤立国」の概念で著名な、チューネンの「農業立地論」である。チューネン説の妥当性については歴史的に批判や修正も重ねられているが、都市（消費地）との距離によって最適な経済活動やその土地利用は異なり、その総体として経済が空間的にシステム化されるという考え方は、近代経済地理学の基本を成している。より詳しくは、『現代の立地論』（松原宏編、古今書院、二〇一三年）などで解説されている。

(19)　「令和二年国勢調査」をもとに作成。

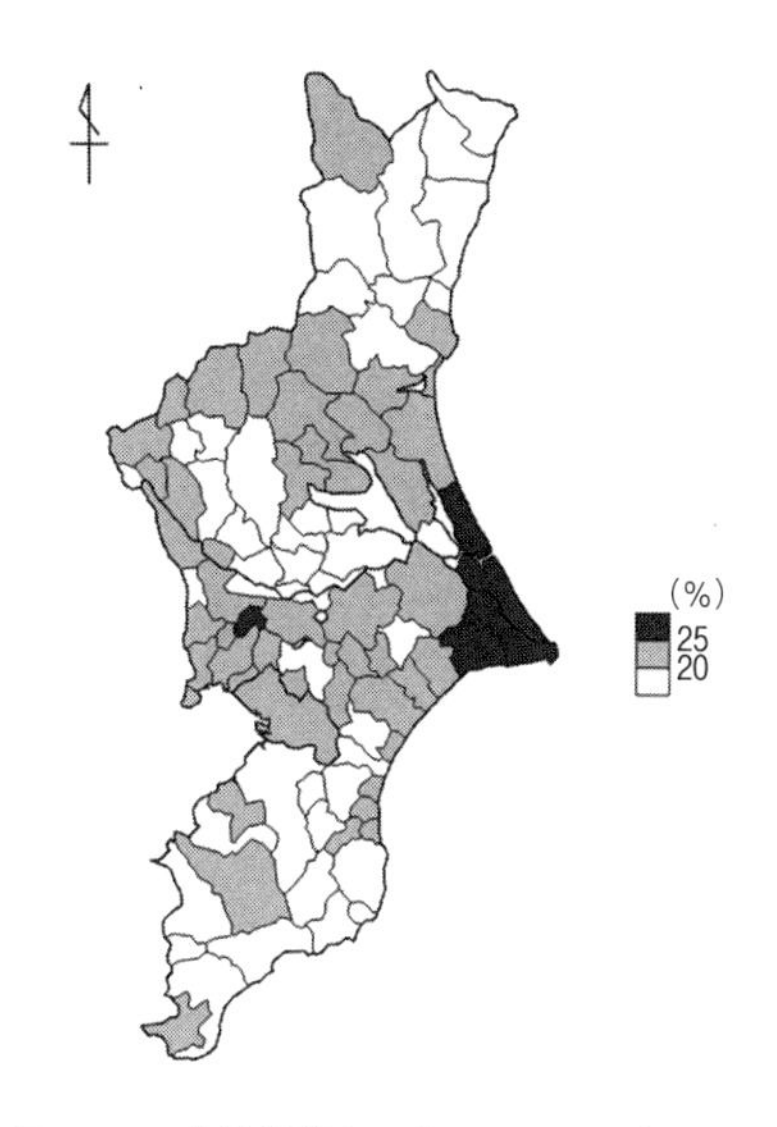

図5-C　農業就業者に占める40-69歳の女性の割合

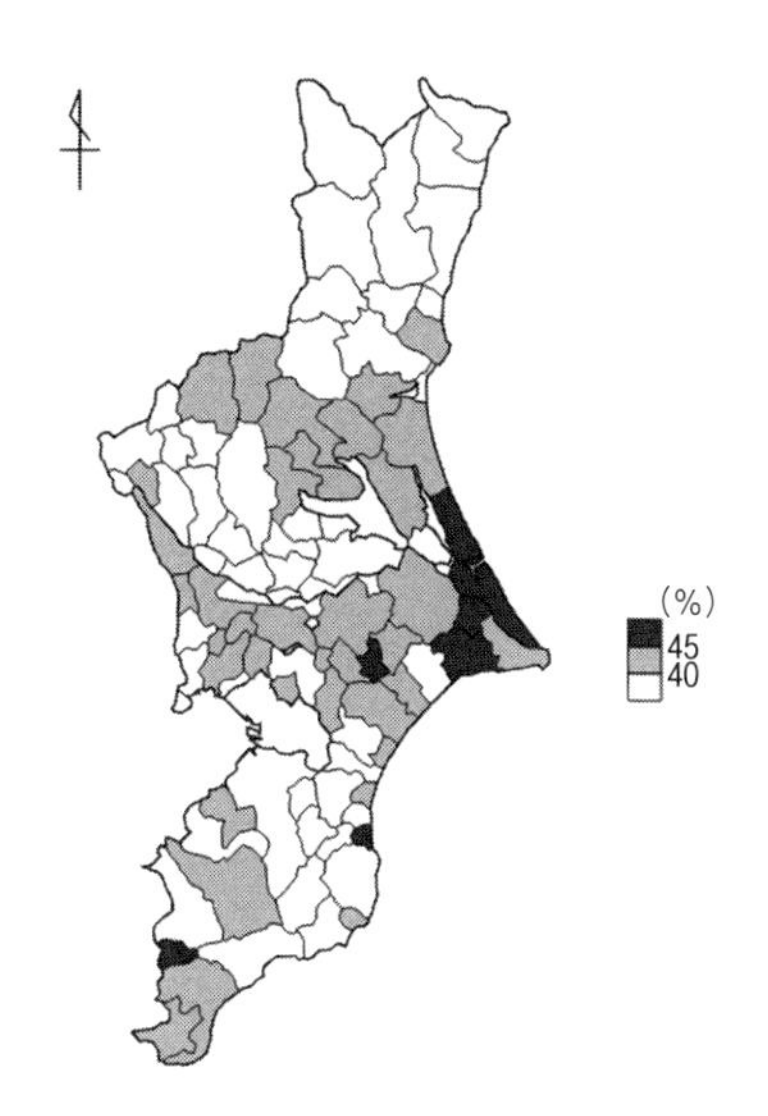

図5-A　農業就業者の女性率

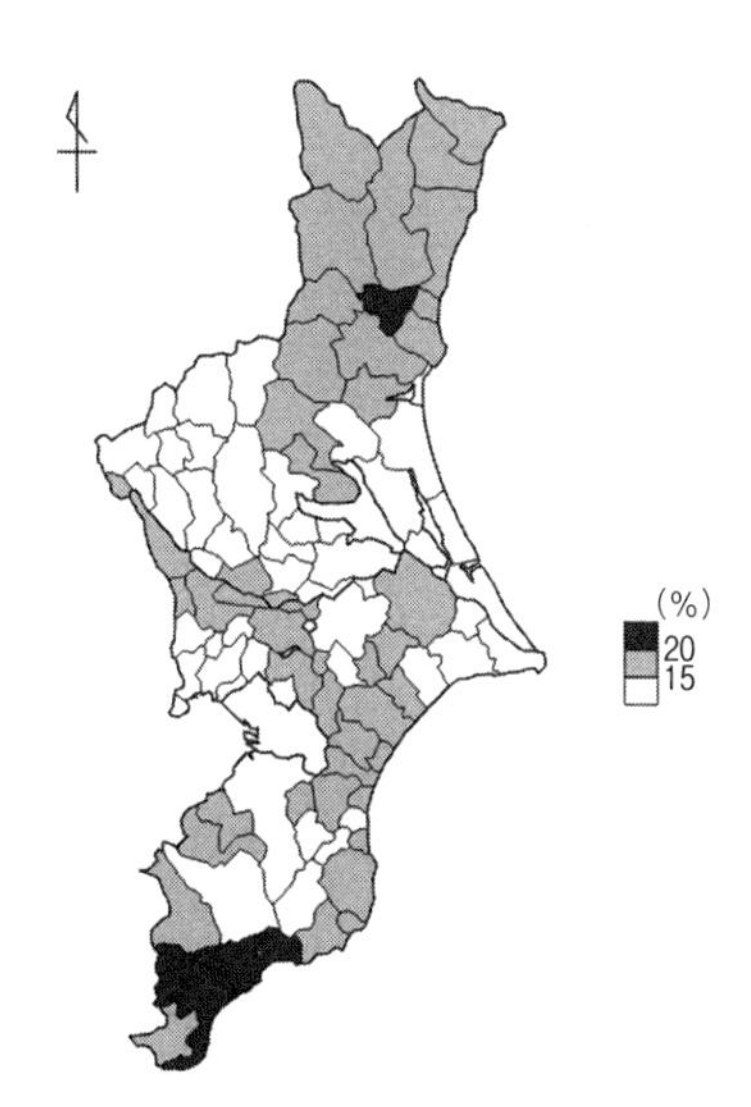

図5-D　農業就業者に占める70歳以上の女性の割合

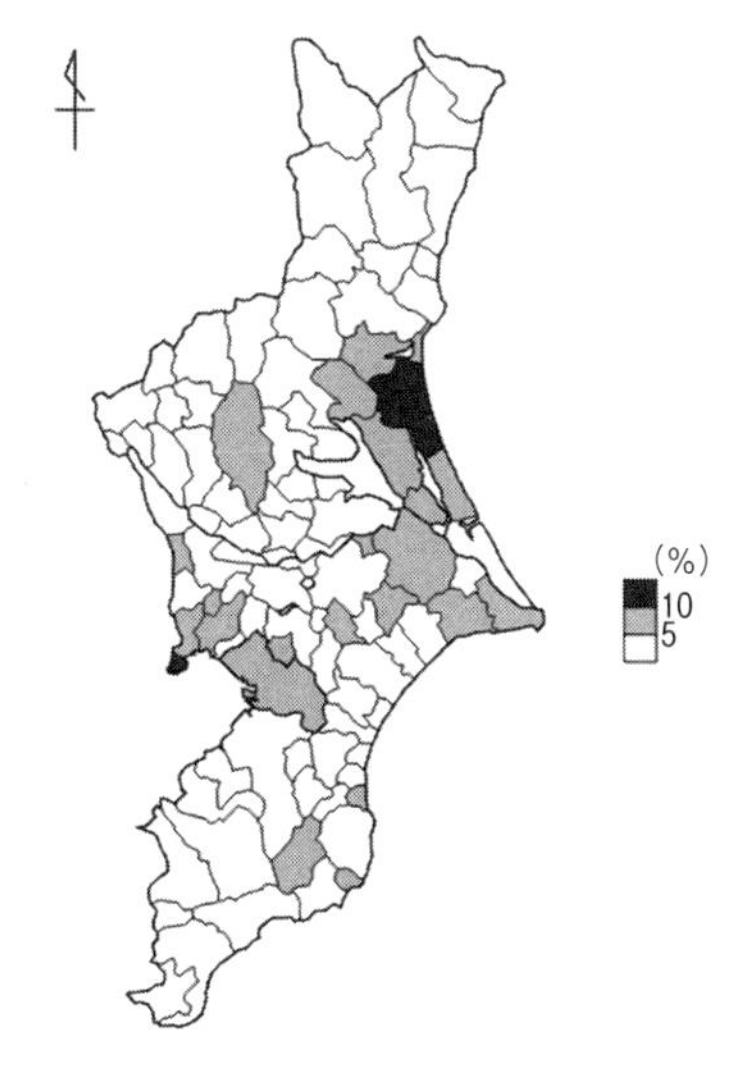

図5-B　農業就業者に占める15-39歳の女性の割合

また七〇歳以上の女性が相対的に多いことも、農業従業者の特徴である。これは「ちばらき」だけの特性とはいえないものの、先の「カラス部隊」も女性である。そこで最後に、女性に絞って「ちばらき」における農業の担い手をみてみよう。つまり「ちばらき」のどの地域で、どのような女性が農業を担っているのかを確認していく。

図5-A[20]は、市町村別に農業就業者の女性率を示した。さらに図5-Bから5-D[20]は、女性に絞った年齢階層別の構成比を示している。一口に「女性」といっても、どの年齢階層の女性が多いのかには地域差がある。そのパターンは、例外はあるものの、概して次のようになっている。

まず一五~三九歳の若い女性が比較的多いのは（前提としてどの地域でもかなり少ないが）、鉾田市とその周辺のほかに、流山市や市川市、浦安市、千葉市、つくば市など東京近郊の地域である。他方、四〇~六九歳の階層は多くの地域で構成比も高く、特に高いのは銚子市など東側の地域である。そして七〇歳以上の女性は、「ちばらき」の外縁部、特に北部と南部で多い。

つまり女性に注目すると、「ちばらき」の農業について、例外はあるものの大きく三つの地域に分けられる。

①女性率が比較的高く、若い世代の女性が比較的多い地域。千葉市や市川市、流山市、松戸市など都市的な地域。「ちばらき」の東京側。
②女性率が比較的高く、中高年の女性が多い地域。銚子市、旭市、香取市、神栖市、鹿嶋市、土浦市、かすみがうら市など。「ちばらき」の内側。
③女性率はあまり高くないが、高齢女性が多い地域。鴨川市、勝浦市、富津市、那珂市、

(20)「令和二年国勢調査」をもとに作成。

日立市、常陸太田市、北茨城市など。「ちばらき」の外側。

このように女性に注目すると「ちばらき」の農業就業はよくわかる。「ちばらき」の農業は「東京側」「内側」「外側」の三重構造として女性に担われている[21]。

この背景には、ここまで論じてきた「ちばらき」における都市開発の歴史がある。江戸時代から明治時代を経て戦後から今日に至るまでの江戸・東京を中心とした都市への拡大である。この経緯により「ちばらき」のなかで、都市開発が進んで女性や若い世代が多い「東京側」と、そうでない「外側」、その中間点としての「内側」という、地域の重層性が形成された。それと相互作用する形で、それぞれの地域でそれぞれの農業が存立し、東京に多様な「おいしさ」をもたらしている。

おわりに――「おいしさ」の空間システム

本章では「ちばらき」の農業を東京との関係に注目して解説した。それはいわば、東京における「おいしさ」がいかに成立しているかについての空間的なシステムである。

「ちばらき」の農業は、自然条件による元来の「水無の国」の苦労や、経済成長に伴う都市化の圧力があるなかで、多品種化や高付加価値化の道を歩んできた。そのなかで著名な特産品も生まれ、高付加価値的な多様な生産物が東京に集まっている。これらの農業では、行商も含めて女性がさまざまな形で重要な位置を占めている。その結果として、さまざまな地域において、それぞれの形で農業が存続している。こうしたダイナミクスの総体

(21) もちろん、「女性」のほかにもさまざまな人々が農業を担っている。また、この構造自体に雇用や労働のジェンダー不平等を看取することもできよう。しかし、その解釈は単純にはいかない。だから本章ではジェンダー論的な解釈には踏み込まない。ただし、当然それはジェンダー不平等を無視することを意味しない。筆者は雇用・労働のジェンダー不平等について海外の諸研究をレビューした論文「観光産業のジェンダー不平等」(二〇二三年、日本地理学会)を発表している。

が、東京の「おいしさ」を支えている。[22]

このような構図は、おそらく、東京だけをみつめていてもわからない。「ちばらき」の側から東京や東京大都市圏とのつながりに注目することで、「おいしさ」の空間システムがみえてくる。

食べ物はみな、どこかの地域で生産され、集められ、そして食べられて「おいしさ」が発生する。だから「おいしい」というのは、空間的な現象である。東京における「おいしさ」は不可欠的に「ちばらき」によって支えられている。

(22) あるいは、支えているのは東京だけでなく、関東一円や、東日本、ないしは日本全体かもしれない。また本章の問題意識からは外れるが、「ちばらき」の農業もまた、東北などほかの地域によって支えられている面もあろう。

多国籍化する「ちばらき」
――常総市の多文化共生への取組み――

市岡　卓

はじめに――国際化が進む地方都市・常総市

東京都心から茨城県常総市の中心、水海道（みつかいどう）までは、渋滞がなければ、常磐自動車道を使って約一時間だ。江戸時代には江戸と日光を結ぶ鬼怒川の水運の拠点として栄えた地だが、高速道路による大消費地・東京からのアクセス向上は、常総市に食品製造業などの工業の立地を促した。有名なお菓子「うまい棒」は、常総市で製造されている。現在では、市内には花島、大生郷、坂手、内守谷の四つの工業団地がある。工業の発展は、この一見静かな地方都市に多文化社会を生み出した。

現在に至る日本での外国人の急増は、一九八〇年代後半以降である。一九九〇年には、改正出入国管理および難民認定法が施行され、ブラジルやペルーからの日系人の日本での就労が容易になり、日本各地の工業都市で働く日系人が大幅に増加した。

常総市も例外ではなく、一九九〇年ごろから外国人が急激に増加した。二〇〇八年以降は、リーマンショックの影響で日系人の多くが職を失って帰国したことから、外国人は減少した。しかし、二〇一四年からは外国人は再び増加に転じ、現在まで一貫して増加し続けている。

現在、県内で在留外国人が最も多い自治体はつくば市（一二四二〇人）で、常総市（六二一二人）は二位である[1]。ただし、常住人口に対する外国人の比率は常総市が一〇・四％で、つくば市の四・九％を大きく上回り県内トップである。

常総市の外国人住民を国籍別にみると、ブラジル三〇・五％、フィリピン二一・五％、ベトナム一七・二％、スリランカ五・七％、インドネシア四・一％などとなっている[2]。二〇一〇年以降はブラジル人の比率は低くなり、それを補うようにフィリピン人、ベトナム人、インドネシア人など東南アジア出身者の比率が高まっている。ブラジル人は主に市内の食品製造工場などで働く。ベトナム人、インドネシア人などは主に技能実習生として農業に従事している。常総市を含む茨城県南部は広大な平地が広がっていて、農業が盛んな地域だが、人手不足のため、外国人の労働力なくしては農業は成り立たない。常総市は、外国人が支える東京のための食料供給基地といってもいいだろう。

外国人が多い常総市には、レストランなどのエスニック・ビジネスが立地している。関東鉄道常総線の水海道駅前には、ブラジル人が経営するスーパーがあり、買い物をするブラジル人の姿がいつもみられる（図1）。以前はレストランも併設されていたが、コロナ

（1）二〇二二年末。茨城県の統計による。

（2）二〇二三年四月末。常総市の統計による。

図1　水海道駅前のブラジル人が経営するスーパー（2023年、筆者撮影）

禍の影響を受け閉店したままである。水海道の市街地にはベトナム料理店がある。市の北部には、インドネシア、スリランカ、パキスタンといった国々のレストランが点在する。特にインドネシア・レストランはインドネシアの食材などを売る店が併設され、市外から食事や食材の調達に訪れるインドネシア人が多い。これらのレストランは、メディアでは「ガチ・スリランカ・レストラン」などと呼ばれ、食べ歩きの好きな日本人が遠方からやってくることもある。

常総市は、その多くが農業地帯で、広い畑の向こうに紫峰筑波山を望むのどかな風景が続くが、研究学園都市を有するつくば市をもしのぐ隠れた国際都市なのである。また、多様な文化を持つ人々がともに暮らす多文化社会でもある。

1　多文化社会の課題

生活面のトラブル

外国人と日本人住民との間のトラブルは、全国各地でみられるが、常総市も例外ではない。よく問題になるのが生活騒音である。ブラジル人はよく週末に集まってパーティーを開く。深夜まで大音量で音楽をかけて騒ぎ、日本人住民とのトラブルになることが多い。常総市では、コロナ禍のときにも夜中までブラジル人が集まって大騒ぎをして、日本人住民が腹を立てることがあった。

ごみ出しをめぐるトラブルも全国共通である。外国人が、ごみを分別し種類ごとに決まった曜日に出すという自治体ごとのルールを守らなかったり、有料で回収してもらうべき粗大ごみをあちこちに放置したりすることがある。常総市でもこのような問題が起こっている。

日本ではこうした問題は「異文化摩擦」とみなされることが多かった。育ってきた国の「文化」の違いと理解されてきたわけである。しかし、ブラジル人が多い静岡県浜松市や、中国人が多い埼玉県川口市の団地では、日本人住民と外国人住民が対話を行い、問題解決に取り組んできた。たとえば、ごみ出しのルールを伝える案内版やチラシを外国語で作って周知することで、外国人の間にもルールが浸透するようになった。

外国人とのトラブルを「文化」の違いとみなすことは、相手を「本質化」していることになる。「本質化」とは、「ブラジル人というのはそういうものだ」「日本人とは違うから折り合えないのだ」などと考えることだ。そう考えてしまうと、対話もできないし問題は解決できない。浜松や川口は、相手を「本質化」せず、わかりあえると考え、対話してきた。

常総市では、コロナ禍のときにブラジル人がパーティーで騒いでいると、自分たちで直接注意せず、市役所に苦情の電話をしてくる人たちがいた。市役所の担当者は、日本人住民のなかには外国人を怖がっている人たちも多いという。工場から帰宅する外国人が二〇人くらいで連れ立って歩いていると怖がる日本人もいる。これでは対話にならない。

外国人の子どもたちの教育の問題

常総市ではブラジル人の増加に伴い、市内に三つのブラジル人学校ができ、ブラジル人の子どもたちが通うようになった。しかし、リーマン・ショックで状況が一変した。解雇[3]されるブラジル人が増え、生活が苦しくなったブラジル人の家族の多くが、ブラジル人学校の月に三〜四万円の学費を払えなくなり、子どもを公立の小学校や中学校に転校させた。子どもたちへの日本語指導が急務となった。こうして、市内の小・中学校に、ものすごい数の日本語も英語もできない子どもが入ってきた[4]。

子どもの日本語能力の問題が生じるケースは、ブラジル人には特に多い。日系人は、留学や技能実習などの在留資格と違い、家族の在留が認められるため、男性が就労目的で来日すると、出身国から妻や子どもたちを伴ってくることが多い。また、日本への出入り、日本国内の移動も自由であるため、家族を連れ、ブラジルとの間を行き来したり、高い給与を求めて国内を転々とする場合もある。その結果、子どもが日本またはブラジルのどこかで落ち着いて就学することが困難になる。

日本語が十分に習得できない子どもたちは、学校の授業についていけず、高校に進学することができない。ひきこもり、不就学や中退に至ってしまうこともある。十分な学歴を獲得できないために、親が工場への派遣で働き、子どもも同じように派遣の仕事しかできない「負の連鎖」を招く。職に就けない子どもが居場所をなくし、犯罪に走ってしまうことが心配だと、外国人を支援するＮＰＯの代表者は憂慮している。

（3） 正確には、派遣契約を更新しないという形がとられることが多かった。

（4） 後述するＮＰＯの代表者の話から。

外国人住民への生活面の支援の問題

ブラジル人のなかには、自分たちのコミュニティのなかだけで生活し、工場の仕事でも日本語はあまり使わないため、二〇年間日本で暮らしていても日本語がほとんど話せない人もいる。しかし、こうした人々も、より良い仕事を探し、子どもを学校に通わせ、住む家を手当てし、福祉・医療など行政サービスを受けるためには、日本語能力が必要になる。

二〇一五年の関東・東北豪雨では、市内を流れる鬼怒川が氾濫し、市域の約三分の一が浸水するという甚大な被害があった。市が被災者支援に関する情報を発信しても、言語のギャップから外国人が情報を得られず、多言語による支援が必要になった。日本語が不自由な外国人が「災害弱者」であることは、一九九五年の阪神・淡路大震災で明らかになり、日本ではこれ以降、生活者としての外国人への支援が活発化した。常総市はちょうど二〇年後に同じ体験をしたわけである。

なお、この水害によって市外への人口流出が進み、地価が下がったことから、ローンを組んで家を買う外国人が増えている。その結果、外国人がローンを払えなくなる事例もみられる。外国人に対する消費者教育も必要である。住宅を購入しても固定資産税などの税金を納めない事例もみられ、外国人に対し市民としての義務を果たす必要があることを伝える必要もある。

外国人に必要な情報を伝えるためには、外国語で情報発信を行うとともに、外国人に対する日本語教育の推進が求められる。

2　多文化共生に向けた取組み

常総市では、外国人市民の増加に対応し、行政と市民団体がさまざまな取組みを行ってきた。

多言語での情報提供

たとえば、常総市役所は、ホームページの「外国人（がいこくじん）のみなさまへ」というページで、多言語での情報発信を行っている。[5]「生活（せいかつ）ガイドブック」がポルトガル語、英語、タガログ語、ベトナム語、中国語、スペイン語、やさしい日本語の七言語で掲載され、住民登録などの手続、ごみの出し方、教育と保育、医療保険と年金、福祉サービス、税金、防災に関する情報が盛り込まれている。特にごみの分別については、ポルトガル語でユーチューブ（YouTube）による発信も行っている。

市役所の一階には「外国人総合窓口」が設置されており、外国語での資料配布などにより、生活関連情報の提供が行われている。この窓口では、最もニーズが高いポルトガル語については、二人の通訳を配置している。しかし、ほかの言語を話す外国人に対しては、日本語がわかる人を連れてきてもらうしかないのが実情である。

日本語教育

常総市では、複数の市民団体が日本語教室を開催している。市民団体の一つである「水

（5）　常総市HP「外国人（がいこくじん）のみなさまへ」(https://www.city.joso.lg.jp/kurashi_gyousei/kurashi/machidukuri/globalize/page001744.html　二〇二三年一二月六日閲覧)

海道国際交流協会」の日本語教室を見学し、代表者の方からお話をうかがった。この団体は、三〇年以上前から日本語教室を開催している。特に資格は持たない数名の一般市民がボランティアで先生役をしている。生徒は、始めたころは日系ブラジル人が多かったが、最近は東南アジアのほかネパールなども含めアジア出身の人々が増えているとのことだった。訪問した際には、まだコロナ禍が完全にはおさまっておらず、参加者は少なかったが、夜八時から八〇分間の授業にみな熱心に参加していた。

子どもに対する支援

すでに述べたように、リーマンショック以降は子どもの教育の問題が表面化した。これに対応し、常総市に拠点を置く認定NPO法人茨城NPOセンター・コモンズ（以下、「コモンズ」とする）が支援を行ってきた。コモンズが取組みを始めた二〇一〇年ごろは、茨城県内では参考にすべき事例はなかった。そのため、愛知県、静岡県など日系人が多く、すでに取組みが進んでいた先進地域で調査を行い、それら地域の取組みを常総市でも順次展開していった。外国人の子ども向けの補習教室、小学校に入学する前のプレスクールなどによる就学支援が行われた。

小中学校での受け入れ体制が整備されてくると、高校進学やキャリアづくりへの支援が課題になってきた。このため、多言語でのガイドブックの作成や中学生と保護者向けのガイダンスの開催なども実施した。現在も課題になっているのは、子どもたちが見習うべきロールモデルとなる外国人をどのように育てていくかだという。

その他さまざまな外国人への生活支援

コモンズでは、外国人住民に対し、翻訳や通訳の支援、就労面の支援、生活福祉面の相談、制度やルールに関する研修、その他さまざまな形で支援を行ってきている。外国人に対しては、納税など市民としての義務を理解してもらうための情報提供も行っている。後述する「ピアサポーター」の育成にも取り組んでいる。

なお、学校教育の面でも、常総市では多文化共生の実現につながる新しい動きがみられる。

第一に、水海道中学校夜間学級の開設である。中学校の夜間学級は、義務教育を修了できなかった人に教育機会を提供するものだが、現在では全国の夜間学級の生徒の三分の二は外国人である。同中学校の夜間学級は、県内で唯一の夜間学級として二〇二〇年に開設された。二七人の生徒のうち外国人が二〇人を占める[6]。国籍は、パキスタン一一人、フィリピン四人、アフガニスタン二人などとなっている。授業は月曜日から金曜日まで毎日午後五時半から八時四〇分までで、一日四限である。すべての教員が日本語指導法の研修を受け、外国人の生徒たちへの日本語教育を重点的に行っている[7]（図2）。

図2　水海道駅中学校夜間学級で授業を受ける外国人生徒たち（2023年、筆者撮影）

第二に、県立石下（いしげ）紫峰（しほう）高校での外国籍生徒指導体制の強化である。茨城県では、「日本語を母語としない生徒も個々の能力を発揮できる教育体制を構築するこ

（6）　二〇二三年四月時点。

（7）　授業を見学させていただいたところ、仕事を終えた外国人たちが日が落ちるころになって到着し、熱心に学習に励む様子がみられた。外国人が一〇人ほど学ぶ教室で教員三人が生徒を指導するなど、手厚い支援体制が取られていた。授業は日本語で行われるが、数学の授業では生徒の理解を助けるため、「相似」「平行」といった用語を、日本語のほか英語・韓国語・ポルトガル語・ウルドゥー語・パシュトゥー語併記でまとめた用語集を準備するなど、さまざまな工夫がなされていた。

とで、地域社会の担い手を育成する」ことを目指し、二〇二二年度から同校と結城第一高校の二校で外国人生徒への支援充実を図っている。石下紫峰高校では、生徒の日本語能力に応じた別クラスでの授業[8]、外国人生徒支援コーディネーターの設置、定員の四分の一にあたる四〇人の外国人特例枠の設定などが行われている[9]。

以上のように、常総市では、中学校の夜間学級の開設、県立高校での体制強化と、外国人に対する教育支援の充実が進められている。こうした学校を巣立った外国人の若者たちが社会進出を果たし、日本人と外国人との橋渡し役を担ってくれることが期待される。

3 ともに生きる仲間へ

ここまで述べた通り、常総市では関係者が連携して多文化共生のための取組みを行っている。外国人の支援に関わる団体のあるメンバーは、「外国人がいなくては、日本は成り立たない。誰がキャベツをつくってくれるのか[10]」「たとえば自分が仕事でカンボジアに行ったとする。子どもが一日六時間も学校で何もできずにいることに耐えられるか、想像してほしい」と筆者に訴えた。

一方で、外国人を支援することを、市民がみな快く思っているわけではない。市役所では、二〇二二年四月に市の広報誌のミニコーナー「多文化共生通信」の連載が始まったときに、市民の方から「どうして外国人を支援するのか」とクレームの電話があったという。今はそのようなことはなくなった。

(8) 「取り出し授業」という。

(9) 同校を訪問し、一年生の外国籍生徒の「取り出し授業」を見学させていただいた。約四〇人の一年生が三つの教室に分かれ、基礎的な日本語の授業、その後、理科の授業を受けていた。国籍はフィリピン、ブラジル、パキスタンなど一一か国におよぶとのことで、さまざまな顔つきをした生徒たちが教室に集まっているさまには、これこそ多文化社会と思わされた。来日して一年くらいの生徒もいれば、日本で生まれ育った生徒もいて、日本語能力の差は大きい。国語の教員が日本語教育の専門家というわけではないが、当面、日本語教育は国語の教員が兼務している。ご案内いただいた先生方からは、取組みはまだ二年目であり、試行錯誤が続いているとうかがった。

(10) 茨城県はキャベツの出荷量は全国四位。二〇二一年度。農林水産省「作物統計調査」(令和三年度)による。

コモンズの関係者は、「助けてあげても恩をあだで返すような外国人もなかにはいる」と正直にいう。「そのような状況で、支援するといっても賛同は得られない」。一緒にイベントを開催しても、日本人がテントの後片づけをしているのに、外国人が何もせず先に帰ってしまったこともあった。しかし、後片づけは、ルールを教えればやってくれる。「ちゃんとした外国人ももちろんいる。そのことを知ってほしい」と語ってくれた。

現在でも、外国人の多くは自分たちだけの閉じたコミュニティを作ってしまっており、日本人との接点が少ない。相互の交流を増やしていかなければならない。

日本人と外国人との交流を促進するための取組みとして、二〇二三年五月には国際交流イベント「JOSOワールドフェスタ」が開催された[11]。このイベントは、毎年恒例の市の最大イベント「千姫まつり」のサブイベントとして開催された[12]（図3）。

図3　「JOSOワールドフェスタ」の英語カードゲームのブース（2023年、筆者撮影）

「JOSOワールドフェスタ」は、市が発案し、二〇二二年秋から市と国際交流関係団体との意見交換会で相談しながら関係者が準備を進めてきた。

二〇二三年一〇月には、「JOSOワールドフェスタ二〇二三」として第二回のイベントが開催された。第二回では「道の駅常総」を会場とし、第一回と同様の世界の文化を体験するブース、ステージイベントのほか、新たに、道の駅に隣接する企業が提供する体験イベント、市内のエスニック・レストランが提供する屋台が登場し、いっそう充実したイベントとなった。

（11）「JOSOワールドフェスタ」では、「千姫まつり」会場の一角に設けられた広場を囲み、世界の文化を体験できるブースを配置した。あるブースでは、地元のフィリピン人の若者がフィリピンに関するクイズを出題し、参加者にフィリピンのお菓子を配っていた。同じように民族衣装アオザイを着てベトナム・クイズコーナーをやっていたのは、茨城大学の留学生の女性たちだった。地元の日系人の女性たちが中学生くらいの子どもたちと英語でカードゲームをやっているブースもあった。JICA筑波のブースでは、「世界の民族衣装を着て写真を撮ろう」というコーナーがあり、特に小さい子どもを連れた家族連れに人気だった。「千姫まつり」メイン会場のステージでは、ウクライナ民謡、エクアドルのダンス、ブラジル音楽などが順に演奏された。といった様子で、いろいろな人に声をかけ、それぞれの人ができる企画を寄せ集めた風情だったが、これはこれでちゃんと「世界」を感じさせるイベントになっていて、訪れる市民たちを楽しませていた。

（12）常総市には徳川秀忠の娘で豊臣秀頼に嫁いだ千姫の菩提寺がある。

こうした日本人と外国人との交流拡大を目指すイベントは、全国各地で開催されている。研究者の間では、交流イベントで「食べ物」「ファッション」「祭り」(food, fashion, festivalの3Fという)を紹介するだけでは、真の相互理解・関係強化にはならない、という見方もある。常総市のイベントも、参加団体からは「お祭りだけやっても効果があるのか」との意見が出ている。市としては、イベントをきっかけとして日本人住民や地元企業と外国人がつながり、新しい協力関係が生まれることを期待しているという。

市やコモンズの関係者は、外国人住民に働きかけるには、日本人が直接いうよりも、外国人がそれぞれのコミュニティのなかで伝えてくれる方がうまくいくと考えている。このような発想の下、日本人社会と外国人社会の間をつないでくれる外国人の「ピアサポーター」の育成が進められている。二〇一八年にはピアサポーター養成のための研修が行われ、ピアサポーターたちが日本での生活に関わる知識をほかの外国人たちに伝えてくれる体制ができた。

二〇二三年九月にはじめて開催された「外国人住民のための避難訓練」では、ピアサポーターが指導役となり、常備しておくべき防災用品、避難所での過ごし方その他防災に関する知識を伝えることで、参加した外国人たちが防災に対する意識・知識を深めていた。[13]

おわりに——日本人と外国人がともに活躍できる社会に

日本には、これからますます多くの外国人がやってくるだろう。常総市は、外国人が一

(13) 防災情報のコーナーでは、ピアサポーターの日系ブラジル人の女性がスリランカ人の親子にアプリでのハザードマップの見方を教え、「ほかの(スリランカ人の)皆さんにも伝えてあげてくださいね」と語りかける場面もみられた。

割を超える「国際都市」であり「多文化社会」である。その姿は、日本の将来を先取りしている。政府は「日本は移民国家にはならない」と繰り返すばかりだが、外国人に助けてもらわなければ、これからの日本社会は成り立たない。外国人に働いてもらうことは、生産も消費も拡大し、税収も社会保障の原資も増えることにつながる。第二次世界大戦後早くから移民を受け入れてきたヨーロッパには、「労働力を呼んだら、来たのは人間だった」という言葉がある。日本で働いてくれる外国人たちは生身の人間である。働いてほしいが世話はしない、という都合のいい話は通らないだろう。

一九九〇年代に外国人が急増してさまざまな課題が顕在化した自治体は、二〇〇一年に「外国人集住都市会議」を設立した。メンバーは最も多いときで二九団体、現在では一一団体ある。情報・経験を互いに共有し、また、共同で国に要望を行う形で、自治体が相互に連携し、各地域で先頭に立って課題解決にあたってきた。常総市はこれらの地域と同様の課題を抱えてはいたが、同会議の活動には参加してこなかった。二〇〇六年に総務省が全国の自治体に策定を指示した「多文化共生推進プラン」は、常総市ではまだ策定されていない。外国人が母語の能力を生かして活躍できる場の拡大、外国人のまちづくりへの参画など、先進地域ではすでに実現したことが、常総市ではまだ課題として残されている。新たな施策が次々と打ち出されているが、行政がいっそうリーダーシップを発揮し、取組みを強化していくことが期待される。

最後になるが、本章の作成にご協力くださった常総市役所の「市民と共に考える課」のみなさま、コモンズ代表の横田様、水海道中学校、石下紫峰高校および水海道国際交流友の会の関係者の方々、その他常総市のみなさまに深く感謝申し上げる。

column

常総市のモスクでみるシーア派の儀礼

市岡　卓

千葉県、埼玉県、茨城県、群馬県にまたがる地域には、パキスタンなど南アジア出身のイスラーム教徒（ムスリム）が多く暮らしている。中古車オークション会場がいくつかあるため、中古車輸出業を経営するパキスタン出身者などが集中して住んでいるのだ。茨城県最南部では、筆者が確認しただけでも、常総市に二か所、坂東市に二か所、境町に一か所のモスクがある。いかにこの地域にムスリムが多いかがわかる。

これらモスクの多くは、公共交通で行くのが難しい場所にあり、普段はひっそりしている。常に来訪者がある東京二三区内のモスクとは様子が違う。しかし、重要な宗教行事があるときは、遠方からもムスリムたちが自家用車を運転して集まってくる[1]。

図1　常総市のシーア派モスク(2023年、筆者撮影)

モスク「マルカズ・ムハマッド・アレイ・ムハマッド」は、常総市の中心から車で三〇分ほどの農村風景のなかにある。廃業したスーパーマーケットを改造した建物で、屋根上の手作りっぽい緑のタマネギ形のドームが、イスラーム教の礼拝所であることを物語る（図1）。

このモスクは、イスラーム教シーア派の宗教行事を行っている。現在、全国のモスクの数は一〇〇を超えるが、世界のムスリムの約一割しかいない少数派のシーア派のモスクは、日本ではごく少ない。このことからも、北関東のムスリムの層の厚さが理解できる。常総市のもう一つのモスクはスンナ派である。

筆者はこのモスクで、「アーシュラー」の一連の宗教行事を見学させていただいた。アーシュラーとは、信徒たちが敬愛する七世紀の宗教指導者フセインの命日の祭礼である。フセインは、預言者ムハンマドのいとこで女婿でもあるアリーの息子である。西暦六八〇年、フセインはカルバラーの地（現在のイラク）でウマイヤ朝に戦いを挑むが、圧倒的な武力の差にあえなく戦死した。カルバラーの戦いでフセインを支持した人々の流れをくむのがシーア派、ウマイヤ朝の流れをくむのがスンナ派である。シーア派にとって「カルバラーの悲劇」は、彼らの少数派としてのアイデンティティに直接結びつくもので、フセインの徳を偲び死を悼むアーシュラーは最も重要な宗教行事である。

イスラーム教の宗教行事は、太陰暦であるイスラーム暦にのっとって行われる。二〇二三年のアーシュラーは西暦では七月二八日であった。この日、関係者の了解を得てモスクを訪れた。一九時を過ぎてムスリムの男たちが四〇〜五〇人くらい集まってくると礼拝が始まった。これは普通の日没後の礼拝「マグリブ」である。二〇〜三〇分くらいで礼拝が終わると、みんなモスクの外に出て地面に腰を下ろす。明かりがすべて消され、真っ暗になった。

いよいよアーシュラーの儀礼の始まりだ。一人の男が悲壮な声で嘆き、叫ぶように声を張り上げ、カルバラーの物語を語る。パキスタンの言語（ウルドゥー語）なので内容はわからないが、物語は悲劇に向けて高まりをみせているようだ。次々と男たちが嗚咽し、おお、あああと声を上げて泣き出す。はるか彼方カルバラーの地で七世紀に起こった歴史的事件を、ムスリムたちが今そこで起こっているかのように追体験し、嘆き悲しんでいることに、深い感動を覚えざるをえなかった。やがて彼らは立ち上がり、一緒にフセインを追悼する歌を歌う。リズムにあわせて手を振り、胸をたたく音が、どん、どん、と暗闇のなかに響く。胸をたたくのは、深い悲しみを表す動作である。

一連の儀礼が終わると、二一時ごろになった。モスクで準備された料理を受け取り、ムスリムたちはそれぞれ車を運転して帰っていく。

ここまで読まれた読者の皆さまは、さぞやシーア派は、多数派のスンナ派といがみ合っていることと思われるだろう。しかし、じつはそうでもないようだ。筆者は五月にこのモスクで断食明けの祭礼「イドゥルフィトリ（イード）」を見学し、終了後の会食に同席させてもらった。近くに座った男性に「ここはシーア派のモスクですよね」と話しかけると、彼は近くの二人の男性たちを順に指さし、「いや、こいつだって、こいつだってスンナ派だよ」と応じた。イードはスンナ派・シーア派を問わずムスリム共通の行事である。北関東の両派のムスリムたちは一緒に座って食事をとり、楽しげに語り合いイードを祝っていた。スンナ派とシーア派は、対立・抗争を続けているというイメージが強いが、宗派よりも国家間の政治的対立によるものだとの見方もある。あまり先入観を持ってみない方がよいだろう。

図2　アルバイーンの行進（2023年、筆者撮影）

九月六日には、アーシュラーから四〇日後にあたり、フセインの喪が明ける日の「アルバイーン」の行事も見学させていただいた。アルバイーンでは、男たちはフセインを追悼する歌を歌いながらモスクの近隣を一時間以上かけて行進する。日本の農村風景のなかを、一様に黒い服に身を包んだ彫りの深い顔の男たちが行列して歩く様子には、不思議な印象を受ける。しかし、これも多文化化が進む現代日本の風景である（図2）。

〔注〕

（1）東京都、神奈川県などからも来る。

第3部

「ちばらき」の表現力

「ちばらき」は映画に欠かせない
――フィルムコミッションと鹿島開発――

須川まり

はじめに――日本映画の拠点とちばらきの関係性

「ちばらき」に近い東京は映画都市である。東京を描いた映像作品は多く、小津安二郎監督の『東京物語』(一九五三年)、大友克洋監督の『ＡＫＩＲＡ』(一九八八年)、ソフィア・コッポラ監督の『ロスト・イン・トランスレーション』(二〇〇三年)は海外でもよく知られている。ほかにも東京の柴又では山田洋次監督の『男はつらいよ』シリーズ(一九六九年～九七年)の主人公・寅さんの銅像がシンボルになっているほか、新宿近辺が登場する新海誠監督の『君の名は。』(二〇一六年)はユーキャン新語・流行語大賞二〇一六で「聖地巡礼」を受賞させるきっかけとなった作品である。右記の作品以外にも東京を舞台にした作品をあげるとキリがなく、東京がロケ地の宝庫であることは明白である。

では東京以外で映像を制作することは困難なのか。それを容易にしたのがフィルムコミッション（以下、FCとする）である。FCは、撮影場所に関する情報提供を中心に「ロケ撮影に際して、ロケ場所の紹介、許可・届出手続きの代行申請、撮影スタッフの宿泊施設やお弁当の手配先の紹介など、制作者に対して支援を行う組織[1]」である。FCによるロケーションの情報提供や映像制作の効率化によって、地方での映像制作の可能性は広がった。また東京から近い「ちばらき」は、東京では撮影できない場面を撮る際に最適な場所である。東京は制作環境が整っているものの、ロケ撮影になると広大な土地を確保しにくい。また人々の往来や高層ビル群、最新スポットなどランドマークが多く匿名性が低い。物語の世界観に反して時代や場所が特定されやすいという欠点があるため、それらの問題が解消する場として「ちばらき」は重宝されている。ロケ撮影以外にも、後述する茨城県つくばみらい市の「ワープステーション江戸」は時代劇を中心に東京の映像制作機能を補完している。

次に「ちばらき」の表象を扱う。筆者はこれまで京都を舞台にした映画に注目し、映画に描かれる京都のイメージについて拙著で検証している[2]。京都もまた時代劇映画を得意とする映画都市だが、先述した東京と同様に、有名な観光名所が多いことから匿名性の高い風景を捉えることが難しい。しかし同時代を描いた映画には、その舞台となった地域の文化がときに色濃く浮かび上がることから、筆者は匿名性の高い京都映画を対象にその地域表象の考察方法を映画研究の枠組みで模索してきた。

作品の舞台をめぐる聖地巡礼の人気により、映像コンテンツとしての映画の経済効果が

（1）長島一由『フィルムコミッションガイド――映画・映像によるまちづくり』WAVE出版、二〇〇七年、一八頁

（2）須川まり『表象の京都――日本映画史における観光都市のイメージ』春風社、二〇一七年

注目されるようになり、コンテンツがもたらす地域経済や地域自体への影響を論じる観光研究も増えている。しかしどのように映像作品に地域が描かれているのか、地域映画として作品分析される機会は少ない。そこに映像ならではの地域文化を見出せるのではないかと筆者は考える。

以上から、本章の前半では、地域振興にも活用されているFCの役割と、つくばみらい市の撮影施設を紹介する。後半では東京ではとらえることのできない風景表象の具体例として、鹿行地域で行われた国家プロジェクト「鹿島開発」とその後を描いた映画として中村登監督の『甦える大地』(一九七一年)と柳町光男監督の『さらば愛しき大地』(一九八二年)をとりあげ、映画学的観点から作品分析を行う。これらの考察から、東京の映像作品を取り巻く環境としての「ちばらき」、および表象の「ちばらき」の事例を提示する。

1　ロケ地誘致による地域振興とは

映画やアニメなどのロケ地および背景に使われた場所をめぐる観光は「聖地巡礼」として知られるが、観光用語では「コンテンツツーリズム」[3]と呼ばれる。報告書[4]ではコンテンツツーリズムを「地域に関わるコンテンツ(映画、テレビドラマ、小説、まんが、ゲームなど)を活用して、観光と関連産業の振興を図ることを意図したツーリズム」[5]と定義し、観光振興の側面を指摘している。また観光庁は、狭義にはロケツーリズムとも呼び、「映画・ドラマのロケ地を訪ね、風景と食を堪能し、人々の〝おもてなし〟に触れ、その地域のファ

(3)　コンテンツツーリズムの由来を辿ると、二〇〇五年に国土交通省、経済産業省、文化庁による報告書『映像等コンテンツの制作・活用による地域振興のあり方に関する調査』において はじめて定義され、政策用語として登場したのが始まりである。

(4)　国土交通省総合政策局観光地域振興課・経済産業省商務情報政策局文化情報関連産業課・文化庁文化部芸術文化課、報告書『映像等コンテンツの制作・活用による地域振興のあり方に関する調査』二〇〇五年(https://www.mlit.go.jp/kokudokeikaku/souhatu/h16seika/12eizou/12eizou.htm　二〇二三年七月一五日閲覧)

(5)　国土交通省総合政策局観光地域振興課ほか、前掲書(4)、四九頁

ンになること」と定義し、「ロケ地となった地域での持続的な観光振興の取組につながる観光資源として有望である[6]」と、その効果に期待を寄せている。

このような映像コンテンツ制作を促進するためにロケ地誘致などを行う非営利団体がFCである。FCの多くが国や県、市などの自治体に組織され、国内に限らず海外に向けてもロケーション誘致・支援活動の窓口を担っている。また地域経済に大きな効果をもたらすことを期待されていることから、FCは地域振興ともおおいに関係がある。

アメリカでは一九六〇年代からFCは存在したが、日本では数十年遅れて二〇〇〇年に初のFCが創設され、二〇〇一年に全国のFCを管理する団体として「全国フィルム・コミッション連絡協議会」が設立された。その後FC団体の数も増え規模も拡大し、二〇〇九年から「ジャパン・フィルムコミッション」（以下、JFCとする）となった。当初映像制作環境の整備と効率化を目的に導入されたFCだが、二〇〇〇年以降、地方分権化が進められてきた背景と、二〇一〇年からの経済産業省によるクール・ジャパン戦略によってコンテンツによる経済効果への関心が高まり、FCは増加しつづけ、二〇一八年[7]には約三〇〇団体、JFCに加盟するFC団体は一二八団体にまでのびた。しかしコロナ禍をへて二〇二二年七月時点[8]でのJFCに加盟するFCの数は一一四団体に落ち着いている。現在のFCの運営の課題として、人材不足と海外作品への対応があげられている。語学力のある人材の不足、海外撮影スタッフのビザ、海外作品をもちいた地域PRへの可能性などがあげられており、観光業が抱える問題と同様に、海外への対応が求められている[9]。

（6）観光庁「ロケツーリズム」（https://www.mlit.go.jp/kankocho/shisaku/kankochi/locatourism.html 二〇二三年七月四日閲覧）

（7）谷脇茂樹「フィルムコミッションによる地域活性化に関する考察」『富山国際大学現代社会学部紀要』一一（一）、二〇一九年、一六―一七頁

（8）ジャパン・フィルムコミッションHP「ジャパン・フィルムコミッション（以下：JFC）とは」（https://www.japanfc.org/about/purpose 二〇二三年五月一三日閲覧）

（9）ジャパン・フィルムコミッション「日本国内におけるロケ撮影の現状と課題」二〇一七年（https://www.kantei.go.jp/jp/singi/titeki2/tyousakai/kensho_hyoka_kikaku/2017/movie_dai3/siryou7.pdf 二〇二三年七月一五日閲覧）

2 「ちばらき」は撮影地の宝庫

国内の大きなFC団体としては、茨城県のロケ地誘致を担う「いばらきフィルムコミッション」（以下、いばらきFCとする）がある。二〇〇二年一〇月、茨城県は「いばらきフィルムコミッション（FC）推進室」を設置した。二〇〇二年度の支援作品数は三二本だったが、最近のデータ[10]をみると、二〇二二年度は、五四四作品（対前年度比一五八％）、撮影日数については一〇四六日（対前年度比一六五％）、ロケ支援による経済波及効果推計額は約三億円（対前年比二三一％）にまで増加している。設置時の二〇〇二年から一九年間の実績としては、七九一一本の作品を支援し、経済波及効果推計額の累計は八七・五億円を記録した。新型コロナウイルス感染症によって人々が密集する東京では撮影が困難になった。しかしそれを機により一層茨城県での撮影のメリットが知られることになったため、さらなる増加の見込みがあると予想される。

地域政策を専門とする谷脇茂樹[11]によると、茨城県には全国で「最大の三九のFC（県＋二八市＋八町＋二村）が設置され」「いばらきFCが茨城県全体の問い合わせ窓口となり、FCのある市町村が撮影に関する調整等を直接、映像制作会社と行うという仕組みが構築されている」と規模の大きさが特徴である。その後、二〇二二年から相談業務を株式会社プロジェクト茨城に委託し効率化を図っている。いばらきFC関係者への聞き取り調査[12]では東京からのアクセスの良さと「東京都の近郊で歴史的なものから現代的なものまで、さら

(10) いばらきフィルムコミッションHP「令和三年度 茨城県内フィルムコミッションロケ支援実績について」二〇二二年（https://www.ibaraki-fc.jp/news/post-27741.html 二〇二三年六月一〇日閲覧）

(11) 谷脇茂樹「コロナ禍におけるロケツーリズムの現状と課題」『玉川大学観光学部紀要』九、二〇二二年、三五頁

(12) 谷脇茂樹、前掲書(7)、二八頁

には、海があり山があり、農村と都市の風景がある。廃校や病院もあり、撮れないものはない」と地理的環境をいかしたことが成功要因にあげられている。[13]しかし、一方で「映像業界では認知されているものの、観光客などには、さまざまな作品が実は茨城県内で撮影されていたということを知られていない[14]」というロケツーリズムに結びつきにくい点を課題で指摘され、それをロケ地巡りツアーの企画や映像会社とのタイアップなどで補おうとしている。

いばらきFCは、次に紹介する「ワープステーション江戸」とも関係がある。日本放送協会（以下、NHKとする）の大河ドラマは、一九六三年の『花の生涯[15]』から始まり、六三作目の『光る君へ』（二〇二四年[16]）まで続く人気テレビドラマシリーズである。時代劇を題材とする大河ドラマでは、コンクリートのビル群は時代背景に合わないため、近代化する以前の街全体を舞台セットで再現する必要がある。その役割を担っているのが「ワープステーション江戸[17]」である。同施設は、二〇〇〇年四月に茨城県の「メディアパークシティ整備構想」の主要事業の一環で、現在の茨城県つくばみらい市南太田（旧茨城郡伊奈町）に創設された。メディアパークシティ整備構想では、一九九八年に運営母体として、茨城県、つくばみらい市、民間企業六二団体（NHKグループ、ソニー、日立製作所など）の出資により、株式会社メディアパークつくばが設立され施設運営を図ることになった。当初は「ワープステーション江戸」を拠点に周辺地域の都市化を目指していたが、経営状況の悪化によって、二〇〇八年にメディアパークつくばは解散し、現在、株式会社NHKエンタープライズが運営を行っている。

開業当時の「ワープステーション江戸」は、テーマパークとしての機能も備えていた。五・

(13) いばらきFCのロケ地一覧には、流通経済大学龍ケ崎キャンパスも掲載されている。戦隊ものシリーズの『宇宙戦隊キュウレンジャー』（柴崎貴行ほか監督、二〇一七―二〇一八年放送）、『仮面ライダージオウ』（田﨑竜太ほか監督、二〇一八―二〇一九年放送）などが紹介されている。

(14) 谷脇茂樹、前掲書(7)、二四頁

(15) 脚本：北条誠、演出：井上博ほか

(16) 脚本：大石静、演出：中島由貴ほか

(17) ワープステーション江戸の創立背景については、岩下千恵子「日本におけるフィルム（コンテンツ）・ツーリズムの現状と動向――いばらきフィルムコミッションの事例より」『高崎商科大学コミュニティ・パートナーシップ・センター紀要＝Journal of community studies. Center for Community Partnerships, Takasaki University of Commerce』一、二〇一五年、六七―七五頁を参照。

五ヘクタールの敷地に江戸城や江戸の武家屋敷が建てられ、江戸の街並みを再現していることから、出資者であるＮＨＫのドラマ撮影だけではなく、入園料を払えば見学も可能であった。多くのヒット作[18]を生んできた同施設だが、新型コロナウイルス感染症の影響で二〇二〇年四月から一般公開が中止されている。新たな観光資源として同施設を拠点にした地域全体の活性化も期待されていたために、パンデミックの終焉とともに再び注目されることが期待される。

3　鹿島開発を描いた映画『甦える大地』と『さらば愛しき大地』

鹿島開発と『甦える大地』

本節では、「ちばらき」を舞台にした映画にみる地域表象について論じていく。都市部から離れた場所ではどのような作品が撮られているのか、舞台背景となる鹿行地域[19]で実施された「鹿島開発[20]」をテーマに考察する。

一九六〇年ごろ、戦後復興を遂げた日本は重工業が成長し、その拠点となる工業地帯の開拓が求められていた。その場に選ばれたのが鹿行地域である。鹿島開発は、一九六一年に「鹿島灘沿岸地域総合開発計画―臨海工業地帯造成計画―マスタープラン」が立てられたことに始まり、茨城県が中心となって鹿行地域に鹿島臨海工業地帯と鹿島港を建設することで茨城県東南部が新たな工業地帯の中核となることを目指した国家プロジェクトである。

(18)　ワープステーション江戸の撮影実績として、ＮＨＫドラマの『真田丸』(二〇一六年、三谷幸喜脚本、木村隆文ほか演出)や、民放のテレビドラマ『信長協奏曲』(二〇一四年、松山博昭ほか演出)『ＪＩＮ――仁』(二〇〇九年、二〇一一年、平川雄一朗ほか演出)、映画では『座頭市』(二〇〇三年、北野武監督)『るろうに剣心　京都大火編／伝説の最期編』(二〇一四年、大友啓史監督)『永遠の０』(二〇一三年、山崎貴監督)などがあり、戦国時代から戦時中までを舞台にした作品が中心である。観光いばらきＨＰ「ワープステーション江戸」(https://www.ibarakiguide.jp/spot.php?mode=detail&code=739　二〇二三年四月一〇日閲覧)、いばらきフィルムコミッション「ワープステーション江戸」(https://www.ibaraki-fc.jp/location/59　二〇二三年七月二一日閲覧)を参照。

(19)　鹿行地域は、鹿嶋市、潮来市、神栖市、行方市、鉾田市のエリアを指す。

(20)　鹿島開発については、以下の文献を参照してほしい。山田健「鹿島開発史・再考――「国家的事業」と茨城県政」『公共政策研究』二〇、二同開発を進めていく過程で広大な土地を確保するために、鹿行地域に暮らしていた住民は土地を手放し移転する必要があった。移転にあたり、反対派と推進派で意見がわかれた。同プロジェクトを進めていく困難さを『甦える大地』（一九七一年）では開発担当者の目線から描いている。同作は登場人物の多い群像劇を得意とする中村登が監督し、主演の石原裕次郎がプロデュースした作品である。同作のプログラムには、製作の苦労を石原自身が語っており、二か月近く鹿島臨海工業地帯の国民宿舎に泊まり込み、スタッフ、八一名で完成した。

映画は、江戸時代の治水工事[21]で犠牲者を出した水戸の郷士中館広之助の話から始まる。治水工事の背景には、徳川家康による利根川東遷事業で生じた洪水問題がある。当時、利根川は東京湾とつながっており、水害が頻発する暴れ川と認識されていた。家康は江戸の水害を減らすために、利根川を銚子から太平洋に流れるように流路を整備した。これにより、東北地方や鹿行地域の物資を船で送ることができ、「ちばらき」は水郷地帯となった。と同時に利根川とつながった「ちばらき」で洪水が頻発するようになった。中館は「居切(いぎり)堀(ぼり)」をつくって鹿島灘へ水を流すことでこの問題を解消しようとしたが、うまく川の水を海に流せず多くの犠牲者を生み失敗に終わった。この掘割のシーンは、工期三週間、経費一五〇〇万円がかけられた。この事件をきっかけに中館は自殺している。その数百年後、新たな国家プロジェクトを進める開発担当者（石原裕次郎）の姿と中館広之助の悪戦苦闘した姿とを重ねながら物語は進んでいく。最終的に住民を説得し、鹿島港と鹿島臨海工業地帯は無事に完成した。しかし予想に反して、土地の売却で資金を得た住民たちの生活は大きく変貌する。農業を手放し、バー、スナック、パチンコ屋などを建設し、治安の悪化

〇二〇年、一四九―一六一頁や、『甦える大地』原作の、木本正次『砂の架十字――鹿島人工港ノート』一九七〇年、講談社。そのほか、鹿嶋デジタル博物館HP「鹿島開発」(https://city.kashima.ibaraki.jp/site/bunkazai/50252.html 二〇二三年六月五日閲覧)、鹿嶋市「かしまの歴史」二〇二〇年(https://city.kashima.ibaraki.jp/site/kashima/7754.html 二〇二三年六月五日閲覧)などを参照した。

(21) 中館による治水工事については、瀬谷義彦『鹿島開発前史――居切堀割の話』崙書房、一九七七年や、鹿行ナビ「鹿行偉人伝その一一――治水の父、須田誠太郎」二〇二一年(https://rokko-navi.media/culture/rokkogreatman11/ 二〇二三年七月二日閲覧)を参照した。

を引き起こした。その様を主人公は悔やむが、その一方で「農工両全」のスローガンを守り、移転先でも農業をいそしむ男性の姿をみせて映画は終わっていく。当時の治安悪化については、一九七〇年代に法務省法務総合研究所の紀要のなかで常井善や土屋真一など[22]が警鐘を鳴らしており、次に紹介する『さらば愛しき大地』の柳町監督も指摘している。

『さらば愛しき大地』にみる自然風景

『さらば愛しき大地』（一九八二年）は、茨城県行方郡牛堀町（現潮来市）出身の柳町光男を監督に、鹿嶋市や神栖市、潮来市で撮影され、没落していく幸雄（根津甚八）の苦悩を描いている。柳町は暴走族を描いたドキュメンタリー映画『ゴッド・スピード・ユー！BLACK EMPEROR』（一九七六年）で不良たちの心情にせまり、爆破予告の電話をかけ続ける青年を描いた『十九歳の地図』（一九七九年）を発表後、『さらば愛しき大地』を監督した。経歴をみると社会に迎合できない若者や働き手の苦悩をテーマにしている。

『さらば愛しき大地』は、工場の夜景を映したオープニングクレジットで始まり、冒頭の鹿島臨海工業地帯とは対照的な自然風景のショットに移行する。そこには主人公の幸雄が暮らす自宅があり、怒号が聞こえてくる。幸雄はダンプカーの運転手で二人の子どものいる子煩悩な父親である。妻には無関心で、上京した弟明彦に対して故郷や家族を捨てたという妬みから家で癇癪を起していた。ある日、子どもたちが水郷地帯に遊びに行き事故死する。それ以降、幸雄はその後悔と反省の念から子どもたちの名前を背中に刺青し、愛人と暮らすようになる。離婚をせずに二重生活を続けていた幸雄はドラッグで孤独をまぎらわし、借金も抱えるようになった。悲惨な状態の幸雄の姿に反して、負や死のイメージ

(22) 同紀要には常井善、土屋真一、溝上瑞男などが「鹿島開発地域における犯罪現象とその対策」シリーズで執筆している。号数と発行年は、法務総合研究所編『法務総合研究所研究部紀要』一五―一九、一九七二―一九七六年である。

を払しょくするような、鹿行地域の自然風景が時々挿入される。子どもたちが溺死した水郷地帯やその直後の葬式の背景には美しい自然風景が登場する。クライマックスでは幸雄が愛人を刺してしまう。その凄惨さをかき消すかのごとく、豚たちの逃走とそれを追いかける人々の姿、そして彼らを包括するのどかな田園の俯瞰ショットで映画は終わっていく。

　映画批評家の山根貞男[23]は同作を「風景の映画」「風景こそがドラマをにない、ドラマの核心をなしている」と評価した。そして風景と家庭が地続きであった農村生活の崩壊と、開発によって家庭も風景も解体されていく光景を捉えているとのちに論じた。[24]友常勉[25]は丁寧に同作を作品分析したうえで柳町の作家性と同作の開発表象について論じている。『さらば愛しき大地』と次作『火まつり』（一九八五年）の撮影を担当した田村正毅がドキュメンタリー映画作家の小川紳介とともに「ちばらき」に位置する千葉県成田市で起きた三里塚闘争（成田空港建設の反対運動）のドキュメンタリー映画[26]の撮影も担当していた点にも触れ、開発に反対する人々を捉えてきた田村が『さらば愛しき大地』にも参加したことを作品の成功要因にあげている。つまり『さらば愛しき大地』はサスペンス映画というより、風景映画として評価されている。それらの自然美は同作の特徴である。

　柳町はクライマックスの幸雄の場面についてイタリア映画の『若者のすべて』（一九六〇年）を投影したと述べている。[27]同作には成功を夢見て南イタリアからミラノにやってきた家族（母親と息子四人）が都会生活になじめず苦悩する姿が物悲しく描かれている。都会と故郷のどちらにも属せない移住者の目線から故郷や都市社会が変化することを願って物語は終焉する。[28]

（23）　山根貞男「強いられた風景の惨劇——「さらば愛しき大地」小論」『シナリオ＝Scenario』三八（六）、一九八二、一一四—一一九頁

（24）　山根貞男『映画が裸になるとき』一九八八年、青土社

（25）　友常勉「ある想念の系譜——鹿島開発と柳町光男『さらば愛しき大地』」『クァドランテ［四分儀］——地域・文化・位置のための総合雑誌』一〇、二〇〇八年、三二五—三四二頁

（26）　『三里塚』シリーズと呼ばれ、田村が参加した作品に『三里塚・岩山に鉄塔が出来た』（一九七二年、小川紳介監督）などがある。同シリーズの第一作『日本解放戦線・三里塚の夏』（一九六八年）で田村正毅とともに撮影を担当していた大津幸四郎は、のちに『三里塚に生きる』（二〇一四年）という空港闘争の後の農民を捉えたドキュメンタリー映画を監督・撮影している。

（27）　柳町光男「根津甚八三三歳——幸運な邂逅」『キネマ旬報』一七四一、二〇一七年、一五五—一五七頁

（28）　『さらば愛しき大地』との類似点を述べておく。長男は先にミラノで暮らし結婚相手もみつけ家族とは

農村と都会の狭間で

柳町は映画批評家の川本三郎との対談[29]で、農村と都会の境目の出身者という立場から鹿島について語っている。『甦える大地』のラストに描かれた犯罪率増加についても、移住者の急激な増加を要因にあげている。川本は「今までの村落共同体の時間のペースが突然崩れて産業経済」に巻き込まれたこと、故郷が荒れていくことに柳町が怒っていると指摘した。柳町は本質的には怒っているが、いい生活をしたいのはあたりまえで工場反対や自然を守れというスローガンはまやかしになると語った。さらに「鹿島はもともと何も獲れない砂丘地帯の松林」だったが「そこに工場が来て人工的に港」を造り、かつて日本三大貧困地帯と呼ばれた場所が高度経済成長でコンクリートの需要が増えた。その松林の砂が上質ということで土地が高く売れ成金になる者もいた。県が代替地として沼地を整地して提供したが、多くは儲からない農業ではなく工場に出るか、土地を売って家を建て残ったお金でダンプカーを買い運転手する者も多かったという。その背景を人物像に反映したことがわかる。その後、柳町は二〇〇二年に潮来市の水郷いたこ大使に選ばれた。柳町は幸雄を演じた根津甚八が亡くなった際に、同作で俳優たちに茨城弁を徹底させたことを述べている点からも[30]、柳町の地域愛が住民に伝わっているエピソードといえる。

『さらば愛しき大地』では子どもの事故死で登場する潮来市の水郷地帯だが、そこを船でわたす女船頭の姿は一九五〇年ごろから注目され、美空ひばり主演映画『娘船頭さん』（一九五五年、萩原徳三監督）や橋幸夫の曲『潮来笠』（一九六〇年）によって観光名所として全国に認識されるようになった[31]。この水郷は今なお残っており、多くの映像作品の撮影地に使われ、いばらきFCにもロケ地として掲載されている。利根川の東遷事業による負の

少し距離を置いている。次男シモーネはミラノでボクサーの才能を認められるが、娼婦ナディアの失恋をきっかけにアルコール依存症になる。三男ロッコはクリーニング店で真面目に働くもシモーネがクリーニング店で盗みを働いたことでクビになる。その後、徴兵先でナディアと偶然出会い両想いになる。ロッコはミラノに戻ったあとボクサーの才能を認められ、ナディアもロッコの影響で改心し真面目な生活を送るようになる。その状況に腹を立てたシモーネは無理やりナディアを奪い二人は自堕落な生活へ戻ってしまう。シモーネから身を引いたロッコは次男を追い抜きボクサーになる。クライマックスでは、シモーネが湖のそばでナディアを正面から刺し、全身を抱え込む。一方『さらば愛しき大地』では背中から刺すことでより悲哀さが満ちている。事件の舞台となった湖は事件の凄惨さとは真逆に穏やかである。この場面は『さらば愛しき大地』の結末と同様に、社会に適合できずに堕落していく兄と社会に適合する弟への妬みの描写だけではなく、自然風景の存在感が際立つ面でも柳町がオマージュしている

図1　茨城県立カシマサッカースタジアム
©KASHIMA ANTLERS

遺産ではなく、その変化を受け入れたとき水郷地帯は正の遺産へ転換されている。

その後の鹿行地域は、新しく移り住んだ住民と以前からの住民との交流の問題が生じたが、両者の生活環境基盤づくりのために立ち上がったのが鹿島サッカー協会であった。同協会の働きかけで、工業地帯だった鹿島にサッカー文化が新たに創造される（図1）。そして若者の製造業離れが進むなか、人口流出の解決策として「サッカーを活かしたまちづくり」を掲げたことで、より一層サッカーによる人々の交流が盛んになり、プロサッカーチーム鹿島アントラーズが誕生し一九九〇年ごろのJリーグブームの立役者となった[32]。またそれだけではなく、『さらば愛しき大地』の冒頭にも登場した鹿島臨海工業地帯の工場の夜景[33]は、新たな観光スポットとして茨城県の観光資源への認識がかわりつつある。利根川と鹿島開発、そしてサッカーによるまちづくりへの変革を経た鹿行地域は、今後も変化を受け入れながら地域を発展させることが期待される。

ことがうかがえる。『若者のすべて』のラストでは、四男チーロが五男にシモーネの言葉とともに故郷について語る。シモーネは故郷では家畜みたいに服従して奉仕するだけだったという。シモーネは聖人だったが故郷での暮らしを忘れて毒されてしまった。まだ小さい五男が大きくなったころには故郷も変わりお前の生活も変わると未来への希望を語る。ラストでは五男の姿に「美しきふるさとと、わが心とこしえに」と故郷を思う歌が流れる。

(29)　川本三郎・柳町光男、「〝茨城はこれからもこだわり続けたい〟」『キネマ旬報』八三五、一九八二年、七〇―七三頁

(30)　柳町光男、前掲書(27)

(31)　坂本優紀・松山周一・郭慶玄・ZOU SIQI・小原悠太・狩野仁慈・黄天楽・伊藤大生・秋山千亜紀「茨城県潮来市における水郷空間の観光コンテンツ化プロセス」『地域研究年報』四二、二〇二〇年、九三―一〇八頁

(32)　その後の鹿嶋市は、サッカーの影響で多くの来訪者を呼び込むことに成功した。二〇二一年には茨城県、ホームタウン五市と連携し、鹿

おわりに――新たな地域映画の創出へ

自然風景の残る「ちばらき」は、東京の映像制作の補完場所としてだけではなく、歴史的背景から東京の変革を支えてきた地域であることがわかった。また、「ちばらき」は二度の大きな変革で生じた課題を負の遺産で終わらせず、それらの変化を受け止めながら、独自の発展を遂げてきたことが映画作品からも確認できた。

『さらば愛しき大地』のように一見悪いイメージを植え付けそうな作品でも、東京では捉えられない自然美（水郷地帯や田園風景など）を用いることで、かえって風景映画と評価される結果につながっている。地域のよいイメージだけを描く映像作品は、確かに地域の観光ＰＲにはいかしやすいだろう。しかしイメージの良し悪しで地域映画を受け入れるのか判断するのではなく、ＪＦＣが掲げるＦＣの条件「作品内容を選ばない」「ＦＣは、表現の自由を尊重し、作品の内容により支援の可否を決めてはならない」[34]は地域映画の可能性を広げるのである。今回紹介した映画のように、作品を地域表象の側面から読み解いていくと、じつは地域への尊敬の念が隠された、住民にも受け入れられる作品が誕生するからである。そして、それは東京ではなく「ちばらき」の土壌だからこそ生まれた地域映画といえるだろう。

島アントラーズを中心に「新スタジアムプロジェクト」がたちあがり、鹿嶋市に新たなスタジアムを二〇二六年を目途に建設されることが二〇二三年に決定した。一方でスタジアムまでのアクセスの課題として、渋滞問題も述べられている。鹿島アントラーズＨＰ「新スタジアムプロジェクトの進捗ご報告について」二〇二三年五月三〇日（https://www.antlers.co.jp/news/club_info/93578 二〇二三年八月一〇日閲覧）

（33） 二〇二三年一〇月から一二月まで実施された「茨城デスティネーションキャンペーン」では鹿島港から鹿島臨海工業地帯を周遊するナイトクルーズが実施された。ＪＲグループと地域が一体となって行う国内最大規模の観光キャンペーンである。乗船時には「昨今ではＳＤＧｓの観点からライトアップを軽減する企業が増え、光の度量が以前よりおさえられている」とアナウンスがあった。

（34） 文部科学省ＨＰ「フィルムコミッションの活動について」二〇二〇年（https://www.mext.go.jp/sports/content/20210114-spt_stiiki-000012156_04.pdf 二〇二三年六月四日閲覧）

column

「翔んだら茨城」

高口　央

数年前のある日の昼下がり、子どもたちと自宅で『翔んで埼玉』（武内英樹監督、二〇一九年）を観ていた。子どもたちも盛り上がり、最後のエンドロールまで愉しんでいた。作中では、海のない埼玉が海を手に入れるため千葉にトンネルを掘る、茨城に行くには常磐線と呼ばれるローカル線に乗って無人の荒野を三日三晩走るなど、埼玉だけでなく千葉や茨城もおもしろおかしくそうとうにディスられ登場する。そんな映画のエンドロールでは、埼玉の風景が映し出されるなかで、出演者や撮影スタッフの名前が紹介されていた。埼玉らしい風景として、田園のなかにす〜と通る道路脇にふと立つ、「山田うどん」が映し出されていた。「へぇ、山田うどんって埼玉のお店だったんだぁ」という、九州出身の筆者にとっては新鮮な認識をもたらす場面でもあった。映画をみていた子どもたちや妻も、何の違和感や疑問もなく、埼玉の景色なんだなぁと観ていた。

でも、ふと、「あれっ」と小さな小さな違和感を筆者は覚えた。「なんだか、どこかでみたことがあるような……」なぜか気になった私は、そこでDVDを止め、三〇秒戻し、エンドロールを見直した。違和感の正体がつかめないまま、子どもたちからの冷たい視線を受けつつ、二度、三度戻してみて、「この風景知ってる、みたことある！」と気がついた。山田うどんと少し離れた場所に映る喫茶店を、知っている。そう気がついてみると、それは見慣れた身近な場所の風景だった。そう確信した筆者は「この喫茶店！　あの道にある喫茶店と山田うどんだよ！」と子どもたちや妻に知らせた。「あっ！！」子どもたちも気がつき「ホントだ！！」と声をだした。埼玉の風景として映し出されていた、埼玉の代表店であるらしい山田うどんがある風景は、茨城県龍ケ崎市の風景だった（図1）。

そうだと思ってみていたものは、そうとしかみえないことがある。心理学では、ステレオタイプ的認知といわれる。[1] 人には対象を既知の型に当てはめて判断してしまう心理メカニズムがある。また、印象形成を説明する文脈では、期待効果という心理が働くことも説明されている。[2] ある期待（予期）を持っていると、その後に得る情報はその期待に沿ったものが重視され、バイアスがかかったものとして認知処理されてしまうという心理である。いくつかの行動をしたと見聞きしても、「いい人だ」と聞いた後であれば「いい人らしい」行動が重視され、悪い行いは注目されない。一方で、「悪い人のようだ」との先入観を持っている場合には、「いい人らしい」行動は軽視されてしまい、「やはり」よくない行いが重視されてしまう。期待に沿う行動が注目され、その対象への印象が形成される訳である。

この『翔んで埼玉』のエンディングの山田うどんがある風景も、埼玉だというステレオタイプや期待によって、ふつうは埼玉だと受け止められる。しかし、実際には、埼玉を翔んだ着地点は茨城の風景だった訳だが……。

図1　車の助手席から撮影された風景（2023年 高口央撮影）

余談だが、茨城県龍ケ崎市にある流通経済大学は、いくつかのドラマや映画のロケ地にもなっている。[3]『仮面ライダージオウ』（田﨑竜太監督ほか、二〇一八年）『快盗戦隊ルパンレンジャーVS警察戦隊パトレンジャー』（杉原輝昭監督ほか、二〇一八年）『劇場版　仮面ライダーウィザード』（中澤祥次郎監督、二〇一三年）などは、大学構内で撮影がされている。二〇〇七年には、堀北真希さん主演のドラマ『花ざかりの君たちへ――イケメン♂パラダイス』（松田秀知監督）も撮影されている光景を筆者は目にした。また、流通経済大学のもう一つのキャンパスが位置する千葉県松戸市でも、『イチケイのカラス』（田中亮演出ほか、二〇二〇年）や『グランメゾン東京』（塚原あゆ子監督ほか、二〇一九年）などの撮影がされていおり、[4] 必ずしも作中の設定地と撮影地が一致しているとは限らない。

〔注〕

（1）池上知子・遠藤由美「グラフィック社会心理学（第二版）」サイエンス社、二〇〇八年、二八頁

（2）池上知子・遠藤由美、前掲書（1）、二六頁

（3）龍ケ崎市HP「市内（ドラマ等）撮影実績一覧」(https://www.city.ryugasaki.ibaraki.jp/kanko/filmcommission/location-log/20131022200733.html 二〇二三年一月二三日閲覧)

（4）松戸市HP「松戸市内映画・ドラマ等撮影実績について」(https://www.city.matsudo.chiba.jp/shisei/oshirase/film.html 二〇二三年一月二三日閲覧)

ファンタジー空間としての茨城県南部
——龍ケ崎市と牛久市の河童伝承に着目して——

東　美晴

はじめに——シンボルとしての河童

茨城県牛久市は茨城県南部に位置する市町村の一つである。同じ「牛久」の名を持つ牛久沼は、水面については龍ケ崎市に属している。ただし、北、西側湖畔は牛久市域になる。牛久沼には河童伝承があり、牛久市は河童を市のシンボルとしても利用してきた。その最たるものは「カッパ祭り」になる。一九八一年に開始された「ふるさと祭り」は、その翌年から名称を「カッパ祭り」に変更し、現在に至るまで続けられている。[1]また、「手にキュウリを持ち踊っているカッパの姿」をデザインした「キューちゃん」は、一九九〇年から市のシンボルマークとして使用されている。[2]ただ、市のシンボルマークとしてカッパのデ

（1）牛久市史編纂委員会『牛久市史　民俗』牛久市、二〇〇二年、三〇頁
（2）牛久市史編纂委員会、前掲書（1）、二七頁

ザインを使用し始めたのは一九五八年からであり、当時は小川芋銭（一八六八〜一九三八年）の絵から抜粋したイラストであったという。[3]

ところで、小川芋銭は郷土の画家であるが、「河童百図」など、多くの河童の絵を描いたことでも知られている。芋銭の「河童図」は、後のマンガやイラストのなかに現れるカワイイ河童や美人の河童など、より擬人化された河童図像イメージの定着にも大きく貢献している。そのアトリエ・雲魚亭は小川芋銭記念館として牛久沼の畔に残されている。

本章では、芋銭の河童画像イメージを支えた牛久市、龍ケ崎市近辺の民間伝承および民間信仰に目を向けていく。

1　牛久市と龍ケ崎市の河童伝承

昔話

現在における牛久沼の河童イメージには、小川芋銭の影響が大きいことはいうまでもない。そこで、芋銭の河童イメージの形成に影響を与えたものとして、河童にまつわる昔話を探してみた。

牛久市では、牛久沼の畔の話として「カッパ松」がある。「カッパ松」は小川芋銭記念館の敷地内に植えられている松である。現在の「カッパ松」は本来の松が枯れた後に植えられた二代目ということになっている。

松の木の前には、「カッパ松」の由来となる昔話を記した看板が設置されている（図1）。

（3）　牛久市史編纂委員会、前掲書（1）、二七—二八頁

その看板に書かれた物語は以下の通りである。

　そのむかし、村の若者が沼に住むカッパに水のなかに引き込まれ、死んでしまうことがたびたびありました。そこで、村でいちばん屈強な若者が、カッパを退治することになったのです。ある日、その若者は、とうとうそのいたずらカッパを見つけました。沼のほとりで昼寝をしているではありませんか。若者はカッパを陸（おか）へ引きずり上げ、松の木に括りつけて殺そうとしました。ところが、カッパがあまりに泣いて詫びるので、気の優しい若者は、二度と悪事をしないことを約束させ、カッパを放してあげました。それ以来、沼で溺れる人はなくなりました。また、カッパをくくりつけた松は、「カッパ松」と呼ばれるようになったということです。

図1　カッパ松（2023年、筆者撮影）

　一方、龍ケ崎市では、『龍ケ崎市民俗調査報告書Ⅰ　馴柴・八原地区』に、「河童の詫び」「河童と餅」の二つの話が採話されていた。

「河童の詫び」は「小貝川の主は河童だという。昔は川へ入ると河童に尻（けつ）ぬかれるってよくいわれた。が、小通幸谷では河童にひかれる子供は一人もいないという。それは、昔、中村家の先祖が川で遊んでいる河童を捕えた。そのとき背中に傷を負わせて、もうムラの子供に悪さしないと約束させて逃してやった。それ以来、水で死ぬ子供はいなくなったという。その傷を負った河童は、小貝川を遡って筑波下の北条まで泳いでいって死んだ。そしてそこの寺で祀られたという」[4]というものである。

「河童と餅」は、「藤代町の新川の方の話。昔、ある子供が御飯を食べているとき、友達がさそいに来て、「餅を食べているから」といって行かなかった。友達はみな河童にひかれてしまって、その子だけが餅を食べていたから逃れられた。それは十二月の何日かで、その日に餅をついてあげるようになったという」というものである。[5]この話の後には、「カピタリ餅といって一般的によく行われていた行事であるが、駒柴地区でも河童の話に結び付いて伝承されていた」という筆者の解説も加えられていた。[6]なお、カピタリ餅の民俗については、次項において述べる。

水神と河童の民俗

『牛久市史』の信仰生活を扱った章には、「小さな神仏たち」と題した節が設けられている。そのなかには「水神様」に関する記述がある。この記述は、「牛久沼に面した城中には、水神様の石の祠が二つ祀られている。同地では水神様は河童の神様であるという」としている。[7]つまり、水神様とされるものは龍神様、弁天様など多様であるが、この地の水神様は河童であり、この地には水神信仰としての河童信仰があったことを示している。また、水神としての河童の様子や祭祀の様子を、「小川のことをミオ(水脈)というが、河童はこのミオにいるという。盆の前にミオで泳ぐと河童にシリコダマ(尻子玉)を抜かれると戒められた。同地では、一月二五日に、水神祭りを行っていた。このときには、祠の前で相撲を奉納した。また、供物として田の用水路で捕まえたメダカを供えた」と記して

(4) 龍ケ崎市教育委員会『龍ケ崎市民俗調査報告書Ⅰ 駒柴・八原地区』龍ケ崎市、一九八五年、六一頁

(5) 龍ケ崎市教育委員会、前掲書(4)、一六一頁

(6) 龍ケ崎市教育委員会、前掲書(4)、一六一頁

(7) 牛久市史編纂委員会『牛久市史』牛久市、二〇〇二年、四二七頁

いる。[8]

龍ケ崎では、地域の水神を河童であるとした記述はみられないが、俗信として「水難に遭わないように、キュウリ・ナスなどの初物を「河童にあげてくろ」と言って小貝川に流した」というのがあった。[9] また、小貝川沿いの集落では水神祭りも行われていた。

ところで、カピタリ餅（カワピタリ餅、カワピタ餅とする場所もあった）についてである。カピタリ餅は「川浸り餅」のことである。一二月一日、あるいは一一月一日を川浸朔日と呼び、水神様の日としていた集落の記述が多くあった。カピタリ餅とは、この日に搗く餅のことをいう。

カピタリ餅に関連する記述として、『龍ケ崎市史』では、「川原代は近くに小貝川が流れているので、あちこちでカピタリ餅をついた。紅葉内では朝餅をついて、まるめた餅を一個川に流す。水難防止のためだという。花丸では水神様へ一個供えてから、もう一個を川に投げ入れる。小屋では、川に流した餅を拾って食べると川で死なないなどという。道仙田ではカッパ（河童）に引き込まれないようにと、役牛や犬にも食べさせた。川へ投げ込んだ餅を拾って食べると、歯が抜ける（治る）ともいった」という記述がある。[10] 牛久市史では、「十二月一日はカワピタツイタチ（川浸朔日）といわれ、この日、餅をついて川や沼、井戸などに餅を丸めて投げ込んだりした。この餅のことをカワピタリモチ（川浸り餅）と呼んだ。この投げ込む餅を白い紙で包んで投げる地区もあり（島田）、それは「河童にへそをぬかれないためのまじない」といわれていた。……。川浸り餅を投げ込むのは、川に落ちてもおぼれないように、けがをしないようにという願いからであった。それとともに、牛久沼に住む河童に足を引っ張られないようにするため（新地）ともいわれた。また牛や

（8）牛久市史編纂委員会、前掲書（7）、四二七頁

（9）龍ケ崎市教育委員会『龍ケ崎市民俗調査報告書Ⅲ　北文間・川原代地区』龍ケ崎市、一九八三年、一八三頁

（10）龍ケ崎市史編纂委員会『龍ケ崎市史　民俗編』龍ケ崎市、一九九三年、五三三頁

馬を飼っていた家では川べりで草を食べさせているときに、馬や牛が落ちたりしないようにと願ってのものである（島田）」とあった。[11]

カピタリ餅の民俗からみると、牛久沼だけでなく、小貝川においても河童が水神に結びつけられていたことがわかる。また、牛久市の牛久沼近くの、新地、城中などの集落では、川浸朔日だけでなく、別の祭祀日を設けて水神祭が行われるなど、篤い水神信仰があったこともわかる。[12]

水神としての河童像

小貝川、牛久沼周辺地域において、河童は牛久沼や小貝川でときに水難を招く小さな神としてイメージされていた。そのため、水神祭では、餅やナス、キュウリ、ときにはメダカを供えて河童を宥めることで水難防止が祈願されてきた。また、「カッパ松」「河童の詫び」にみられる河童を捕まえ懲らしめるというパターンの昔話では、河童を懲らしめて以降、その地では水難がなくなるという結末になっている。つまり、これらの昔話にも水難防止の祈りが込められていることがわかる。さらにいえば、かつては河童にまつわる昔話と水神祭は一つのセットとして捉えられてきたのであろう。つまり、昔話は水神祭や川浸朔日で子どもたちに向けて語られ、水神祭で行われるさまざまな行事はときにはそのまま昔話に転化していったと考えることができる。水辺の暮らしにおいては水難を完全に避けることは難しい。だからこそ、水辺の人々にとって水神祭における河童との戯れは、水難の恐怖や不幸を矮小化し、むしろ可愛らしいほどのものに転化して手なずける儀礼的行為であったといえよう。

（11）牛久市史編纂委員会、前掲書（7）、四〇四―四〇五頁

（12）牛久市史編纂委員会、前掲書（7）、三七〇頁。牛久市の新地地区でも一月二五日に水神祭が行われていた。また、新地の小字の一つである弘化新田にも水神祠があった。

なお、河童は水をコントロールする神でもあった。牛久城中の二つある水神祠の一つについては、「現在、そのうち一つの祠は水辺ではなく山の上にある。これは、江戸時代に雨が降り続き米が収穫できない年が続いた。その際、牛久沼の辺りにあった水神様の祠を山の上に上げて、河童をなだめて雨を少なくしたことによる」と記されている。[13] 龍ケ崎市の川原代地区の砂波においても、水のコントロールに関する昔話が残っている。小貝川沿いの集落である砂波にも水神祠が祀られ水神祭が行われていた。水神祠は小貝川の土手に置かれていた。一九一〇(明治四三)年に洪水があり、小貝川の土手の決壊が発生した。しかし、ちょうど水神祠の手前で止まり、石の祠は残ったというのである。[14]

つけ加えると、小川芋銭は、二つの水神祠がある地区、すなわち牛久城中に住んでいた。当然、芋銭が生きた時代(一八六八〜一九三八年)には水神祭も盛大に行われていたであろう。芋銭の暮らしのなかにあった河童をめぐる豊かな民俗が、芋銭が描く河童像に昇華されていったことは想像に難くない。

(13) 牛久市史編纂委員会、前掲書(7)、四二七頁

(14) 龍ケ崎市教育委員会『龍ケ崎市民俗調査報告書Ⅲ　北文間・川原代地区』龍ケ崎市、一九八八年、二一三頁

2　水神のその後

牛久市において、現在も河童は市のシンボルであり続けている。カッパ祭りのみならず、牛久沼畔には遊歩道「かっぱの小径」が整備され、雲魚亭(小川芋銭記念館)、観光アヤメ園をふくめた散歩コースとなっている。

一方、河童を祀った水神祠は必ずしも十分維持されていない。

図2　城中根古屋不動の水神祠（2023年、筆者撮影）

図3　新地弘化新田の水神祠（2023年、筆者撮影）

牛久市史の記述をもとに、城中の二つの水神祠、新地弘化新田の水神祠を探してみた。図2は根古屋不動尊に合祀されている水神祠である。この水神祠の横には「安永」の文字が残っており、江戸時代の安永年間（一七七二～一七八一年）に作られた祠であることがわかる。この祠の現状から、年に一度注連縄と幣束をつけ替える祭祀が継続されていることがわかる。また、先に述べた山の上に上げられたとされる水神祠は享保年間（一七二一年）の建立で、市域で最も古いものとされている。[15] この祠については、「（城中の）石神坪にあるこの水神様はかつて近くのヤマに移したことがあり、そのときたまたま百日咳が流行した。占いを行ってもらったところ、この水神様の移動が原因といわれたのでもとに戻した、と伝えられている」とされている。[16] つまり、図2のものとは異なるものである。この水神祠はみつけることができなかった。図3は弘化新田の水神祠の現在の姿である。弘化新田は弘化年間（一八四五～四八年）に開発された地域である。ここの水神祠が置かれている場所は、新田開発当初、共同井戸があった所である。新しい井戸を掘った際に、この場所に水神祠を祀ったとされている。[17] 水神祠の場所を教えてくれ

(15) 牛久市教育委員会『牛久市史 民俗編』牛久市、二〇〇二年、四二七頁

(16) 牛久市教育委員会、前掲書(15)、三七〇頁

(17) 牛久市教育委員会、前掲書(15)、三七〇頁

た地元の人によれば、水神の祭祀は随分以前に途絶えたということであった。石の祠は残っているが、それを安置していた木の社は朽ちていた。

祭祀を継続できるかどうかはそれぞれの地域にかかっている。産業構造や生活様式の変化に伴う信仰の在り様の変化、人口移動や少子化に伴う人口減など、水神のような小さな神仏に対する祭祀が消滅に向かう要因はいくつでもあげることはできる。それでも、新たな形で水神祠の保存を考えることは可能であるかもしれない。

おわりに——牛久沼の由来

最後に、牛久沼の名前の由来にまつわる昔話に言及する。

牛久沼の名前の由来は「牛を食う沼」である。その元の物語として「牛になった小僧」の話が伝えられている。この話は、金竜寺の小僧が食っちゃ寝して怠けているうちに牛になってしまい、牛久沼に飛び込んで死んでしまった。そのとき、和尚があわてて牛の尻尾を引っ張ったために、その尻尾だけが手元に残った、というものである。金竜寺に伝わる話とされているが、それ以外のバージョンもある[18]。

ここで言及したいことは、沼が牛を食うというイメージについてである。先に、カワピタリ餅について述べた。そのなかで、「河童に引き込まれないように牛や馬にも食べさせた」といった記述もみられた。要するに、水難に遭うのは人だけではないのである。沼に入った牛や馬が湖底の泥に足を取られると、そのまま沈んでしまうかも知れない。洪水が

(18) 龍ケ崎市教育委員会、前掲書(4)、一六一頁。「牛になった小僧の話」は金竜寺の話とするもののほか、牛久城中のお稲荷さんの話としているものも記録されている。

起これば、人ばかりではなく牛や馬も流される。人々が牛久沼で泳ぎ、ジュンサイや鰻などの川の幸を得ていた時代には、牛や馬の水難も稀な事ではなかったであろう。このように考えると牛食う沼のイメージも理解できる。「牛になった小僧」の話はそのような牛馬への供養の意味を持つ物語であったのだろう。また、このように理解すると、前段の寺の小僧が牛に変化するくだりも、牛を供養されるべき仏弟子と位置づけるためのレトリックとして捉えることもできる。なお、加藤は「（金竜寺の）何代前かの寺の住職が里人を前にして語った法話・説教の合間に語った「牛になる雛僧」が世に広まったもの」であり、『日本霊異記』中に原話とされる牛に因む話が掲載されていることを指摘している。[19]

付加すると、河童の伝承は、土浦市佐野子町に伝わる河童の手のミイラ、小美玉市の秘伝の薬の作り方を伝えた河童の話、利根町のねねこ河童など、茨城県内のほかの地域にもみられる。[20]これらの地域に共通する点は、利根町は利根川、土浦市と小美玉市は霞ヶ浦と、それぞれ水面に接する地区を持つことである。つまり、小貝川、牛久沼のみならず、霞ケ浦、利根川などの水面に接する地域でも、やはり河童を水神として祀ってきたことが理解できるのである。多分、茨城県ばかりでなく、関東一円の水辺に同様の河童伝承があったのであろう。東北や九州などの河童伝承と同様であるかどうかは、ここでは問わないことにしておく。

（19）加藤政晴「芋銭が描いた河童・水魅山妖（一〇四）」『かっぱ村公報』（令和三年五月五日号）、かっぱ村公報発行所、二〇二一年、一頁

（20）山口敏太郎・中沢健『茨城の妖怪図鑑』TOブックス、二〇一九年、六八頁、九四頁

〔参考文献〕

牛久市史編纂委員会『牛久市史　民俗』牛久市史、二〇〇二年
加藤政晴「芋銭が描いた河童・水魅山妖（一〇四）」『かっぱ村公報』令和三年五月五日号、かっぱ村公報発行所、二〇二一年

山口敏太郎・中沢健『茨城の妖怪図鑑』TOブックス、二〇一九年
龍ケ崎市教育委員会『龍ケ崎市史民俗調査報告書Ⅰ　馴柴・八原地区』龍ケ崎市、一九八五年
龍ケ崎市教育委員会『龍ケ崎市史民俗調査報告書Ⅲ　北文間・川原代地区』龍ケ崎市、一九八八年
龍ケ崎市史編さん委員会『龍ケ崎市史　民俗編』龍ケ崎市、一九九三年

column

「ちばらき」的登山ガイド

幸田麻里子

ちばらきエリアは、全国のなかでも標高が低い。都道府県別に平均標高をみると、千葉県は四五メートルと全国で最も低く、茨城県は一〇〇メートルと全国で四五位である。千葉県の最高峰は、南房総市にある愛宕山（四〇八メートル）で、茨城県の最高峰は、福島県との県境にまたがる八溝山（一〇二二メートル）であり、いずれもちばらきエリアにはない。ちばらきエリアは各県内でも、標高が低いエリアということができるだろう。

とはいえ、ここには日本百名山が存在する。それは筑波山である。『日本百名山』は、小説家であり、登山家であった深田久弥が著したエッセイで、一九六四年に出版された。深田自身が登った山のうち、「品格」「歴史」「個性」をもち、付加的条件として、おおよそ一五〇〇メートル以上という基準を設けて一〇〇座を選定し、その魅力を述べている。日本百名山をめぐっては、ピークハント[1]だけを目的とした登山者を生んだり、旅行会社によるツアー設定に偏りを生じさせて、それが混雑につながったりといった問題点も指摘される。その一方で、日本にある数多くの山々のなかから魅力をわかりやすく伝え、登山初心者にさまざまなタイプの山に登ってみようという興味を持たせるなどして、登山文化を広めている点で、一定の評価をされている。

『日本百名山』のなかで、基準の一五〇〇メートルを下回るのは、鹿児島県の開聞岳（九二四メートル）と、この筑波山（八七七メートル）だけであり、筑波山は日本百名山のなかで最も低い山である。深田も「日本百名山の一つに選んだことに不満な人があるかもしれない。高さ千米にも足りない」と指摘したうえで、「私があえてこの山を推す理由の第一は、その歴史の古いことである」としている[2]。そして奈良時代初期の『常陸風土記』の内容を引用し、「大衆の遊楽登山が早くから行われていた」と述べている[3]。

図1　筑波山からの眺め（2020年、筆者撮影）

図2　幸福団子（2020年、筆者撮影）

筑波山山頂へはいくつかのルートがあるが、一般的なのは御幸ヶ原コースから登り、つつじが丘へと下りるルートである。スタートの筑波山神社からは樹林あり、岩場ありと、本格的な登山を味わうことができ、男体山と女体山という二つの山頂をめぐり、奇岩のめずらしい光景を楽しんで、つつじが丘へは緩やかな眺望の開けた道を下る。コースタイムは三時間半程度と、登山としては短いながらも、いずれも登山口は、つくば駅から出るバス停留所からすぐのところにあるため、アクセスもよい。初心者でも十分登れるルートであり、ちばらきエリアの小学校の学校登山でも多くの子どもたちが訪れている。各登山口からのコースには、ケーブルカー、ロープウェイも併設されており、登山は難しいという人も山頂近くまで上がることができ、体力に応じて楽しめる。

さて、筆者がはじめて筑波山に登ったのは、二〇一三年のことで、まだ登山を始める前のことだった。筆者の小・中学校では、学校登山がなかったので、人生ではじめての登山でもあった。ろくに運動もしない、スポーツも大嫌いだった筆者が、「紅葉狩りに行こう」と誘われ、軽い気持ちで参加して、えらい目に遭った苦い思い出である。それでももう二度と登山なんてしないと思わず、登れるようになりたいと登山教室に通い始めたのだから、それだけ魅力があったのだろう（図1）。

登山教室に通うようになって八年が経ち、富士山をはじめ、日本アルプスの山々まで登るようになったが、アクセスがよく、日帰りでトレーニングができる筑波山は、自分の「ホーム山」となっている。ハードな登山では精神面、体調管理、荷物の軽量化、行動時間や行動食の工夫などが必要だが、ホーム山の筑波山はトレーニングでありながら、楽しみも満載である。ケーブルカーの山頂駅近くの売店で販売されている、秘伝のくるみ味噌を塗った焼き団子「幸福団子」を味わうのもいい（図2）。

もはや、一般的ルートでは物足りなささえ感じるようになり、ときには裏から登ることもある。山に表も裏もないけれど、筑波山神社やつつじが丘などからの一般的ルートを表とし、反対側から登るコースは、「裏から登る筑波山」と登山者の間では呼ばれている。西のつくし湖からの薬王院コースは、表に比べて登りごたえがあり、歴史ある寺、豊かな自然を静かに楽しむことができる。

筑波山は、まさにちばらきに根づき、老若男女に愛される山といえるだろう。

〔注〕
（1）山頂に到達することを目的とした登山のスタイルのことで、peak（山頂）とhunt（狩り）を合わせた和製英語。それ自体は悪いことではなく、登頂によって得られる達成感は登山の魅力の一つである。しかしそれだけを目的として、登山の過程をないがしろにする登山者の存在から、登山愛好家のなかでは意見が分かれることがある。
（2）深田久弥『日本百名山（新装版）』新潮社、一九九一年、一九四頁
（3）深田久弥、前掲書（2）、一九五頁

「ちばらき」のご当地アニメをつくる
——柏市の市民プロジェクトの試み——

西田善行

はじめに——「超普通都市」を描く

二〇〇〇年以降、ゆるキャラに代表されるようなご当地キャラクターをはじめ、ご当地ヒーロー、ご当地アイドルなど、メディアコンテンツがローカルな場で生み出され、消費されるという状況が続いている。千葉県や茨城県においても、「チーバくん」「ふなっしー」といったキャラクターは全国的な知名度があり、『時空戦士イバライガー』『鳳神ヤツルギ』などのご当地ヒーローも両県において一定の認知度を得ている。

一方、漫画やアニメの舞台となった地域の聖地巡礼、アニメツーリズム、あるいはそれを期待した行政や地域の動きもまた、ほぼ同時期に活性化したものといえる。茨城県大洗町を舞台にした『ガールズ&パンツァー』(水島努、二〇一二〜二〇一三年)をはじめ、千葉市が舞台となった『俺の妹がこんなに可愛いわけがない』(伏見つかさ、二〇〇八〜二〇二一年)などが、こうした流れのなかで描かれ、これらの地域の知名度を高めたり、地域を訪れるきっかけをもたらしている。

流山市をモデルとした「流川市」が舞台の漫画『普通の女子高生が【ろこどる】やってみた。』(小杉光太郎、二〇一一〜二〇二二年)では、先述のようなご当地アイドルや、ゆるキャラが題材となっていて、二〇一四年にはアニメ化され、流山市とのコラボ企画も行われている。

柏市を拠点とした市民公益活動団体の「できる街プロジェクト」が制作する(「超普通都市カシワ伝説」をはじめとする)「超普通シリーズ」は、これらの動きを結節するものといえるだろう。「超普通都市カシワ伝説」(二〇一六年)は柏を舞台として、「舎川あこ」ら女子中学生たちと、手賀沼で出会ったた会話ができるなぞの生物「テガちゃん」がおりなす「ご当地ゆるアニメ」である。このアニメはクラウドファンディングで制作費を集める形となっていて、二〇二〇年までに三期全三〇話が公開された。現在はユーチューブ(YouTube)で公開されているが、二〇二〇年に公開された第三期は千葉テレビとJ—COMで放送もされた。

さらにこのプロジェクトは徐々に取りあげる街を拡大し、松戸市、鎌ケ谷市、東葛エリア、千葉市を舞台とした「超普通」シリーズを、それぞれ制作している。そして二〇二四年には千葉県全域を対象とした「超普通県チバ伝説」も制作され、TOKYO MXとAT—Xで放送される。

このシリーズのタイトルになっている「超普通」というのは、一見したところ柏をはじめとする東葛エリアがどこにでもある、これといった特性のない「普通の」街として認識されていることの現れであるように思える。それでは、「超普通」シリーズで描かれた「カシワ（柏）」やほかの東葛エリア、そして千葉県がいかなる意味で「超普通都市」なのだろうか。本章では市民の活動としてのアニメ制作に現れた「超普通」の意味と、このプロジェクトの意義について考えてみたい。

1　どこにでもある街？——「カシワ」の描き方

「超普通都市カシワ伝説」では、柏はどのように描かれているのだろうか。このアニメでは背景に実際の場所の写真やそれを加工したものを使用していることが多い。たとえば「テガちゃん」と出会う第一期の第一話では、手賀沼の写真が背景として用いられ、その手前でアニメキャラが映されているという形になっている（図1）。[1] そのため、多くの場面で実際に柏にある場所の写真が使用されている。とはいえ、一話の時間は五分程度であるにもかかわらず、オープニングとエンディングもあるため、実際に映される場所は一枚から三枚といったところである。「超普通シリーズ」は街にあるスポットなどを紹介しながらストーリー展開されることが多く、街のPRの要素も強い。実際、制作依頼を受けたショップなどのPR動画も複数制作されている。こうした経緯もあり、映し出されているのは柏の象徴的なスポットか、PRを意図したスポットが中心である。

（1）　千葉のテガちゃんネル「超普通都市カシワ伝説 第一話「テガちゃん、登場」【第一期】」（https://www.youtube.com/watch?v=uPYC489kcEA&list=PLjA4aVnZl7miRwFyAZFuTJYLwHkeG5ALR&ab_channel=%E5%8D%83%E8%91%89%E3%81%AE%E3%83%86%E3%82%AC%E3%81%A1%E3%82%83%E3%82%93%E3%83%8D%E3%83%AB　二〇二三年八月一〇日閲覧）

「超普通都市カシワ伝説」の三期全話のなかで最も多く映されていたのは先述の手賀沼である。手賀沼は少女たちが「テガちゃん」と出会う場であり、三期ともに第一話と最終話に手賀沼が映されている（図1参照）。このように手賀沼は複数回映されているが、一期の第一話で少女たちが「手賀沼周辺ならではの生き物」を調べる宿題のために手賀沼に向かっていることなどから、柏における動植物が豊かな自然の場の象徴として手賀沼が意味づけられているといえる。ただし手賀沼は我孫子市や白井市、印西市にもまたがっていて、一期第一話でも「手賀沼はほどんど我孫子」といった発言もみられるなど、我孫子を隔てる境界ともなっている。また、少女たちが通う「私立あけぼの山中学校」は「あけぼの山農業公園」であり、チューリップや風車など、この公園を象徴する場が映し出されているなど、自然の豊かな場がスポットとして取りあげられている。[(2)]

一方、柏駅周辺も頻繁に登場する。一期第六話ではダブルデッキが映されている。そこでは柏が「ストリートミュージシャンの街」であり、多くのミュージシャンを輩出したことが語られ、人前で演奏することで楽器の上達につなげるというエピソードが描かれている（図2）。[(3)] ほかにも駅前は、柏高島屋ステーションモールや、スカイプラザ柏などを映したものが複数回登場し、人の多い都会の象徴として映し出されている。その他に、駅周辺では東口のハウディモールの前や、柏銀座商店街（二期第五話）なども登場し、オープニングやエンディングでも柏の中心的な繁華街である柏二番街商店街が映されている。[(4)]

このように「超普通都市カシワ伝説」において柏は手賀沼を典型とする自然豊かな空間と、駅周辺を典型とする都市的空間という対照的な場が中心的に映されていることがわかる。これは柏という街の持つ二面性を示している。二期の主題歌の「ＭＪＫテガちゃん」

（2）　このほか、二期第三話ではこんぶくろ池自然博物公園が「自然との調和共生をテーマにした」所として紹介されている。

（3）　千葉のテガちゃんネル「超普通都市カシワ伝説　第六話「あこちゃん、初めての路上ライブ！　通行人はカブと思え！」【第一期】」（https://www.youtube.com/watch?v=X5wLvGDbb4M&list=PLjA4aVnZl7miRwFyAZFuTJYLwHkeG5ALR&index=6&ab_channel=%E5%8D%83%E8%91%89%E3%81%AE%E3%83%86%E3%82%AC%E3%81%A1%E3%82%83%E3%82%93%E3%83%8D%E3%83%AB　二〇二三年八月一〇日閲覧）

（4）　ＪＲ常磐線と東武野田線の駅である柏駅は、千葉県でも有数の乗降客数を誇る駅であり、駅周辺は多くの商業施設や商店が立ち並ぶ東葛地域の中心的な繁華街となっている。

はこうした側面を強調している。「田舎だなんて　思ったら　大間違いよ　カシワ！」という歌詞に合わせて、あけぼの山農業公園のチューリップ畑や田畑、そして手賀沼などをテンポよく映した後、柏駅周辺の空撮写真や、柏の葉キャンパス周辺のタワーマンションなどの都市的空間を、さらにテンポアップして映している。(5)

もちろん柏という街は、この二側面だけで表現可能なわけではない。多くの東京への通勤者を抱えるベットタウンである柏は、市の面積の約四分の一を住宅が占めている。(6) その意味で、千代田や緑ヶ丘、常盤台、ひばりヶ丘など、一戸建ての住宅が立ち並ぶ南西部は柏の象徴的な場といえるだろう。また、柏の南北を縦断する国道一六号線と、東西を横断する国道六号線、そしてそのロードサイドにある複数のショッピングモールも柏という場所を特徴的に示すものといえる。これらは都市と田舎の中間に位置する「郊外」を象徴するものであり、ある意味でどこにでもある「普通な」郊外空間の象徴ともいえる。「超普通都市カシワ伝説」においてオープニングや広告を意図した番外編を含めれば、これらの地域の写真も一部使用されてはいるが、緩やかながら設定されているストーリーにおいて、これらの空間がメインとなって現れること

図1　手賀沼を背景とした「超普通都市カシワ伝説」の第1話©一般社団法人超普通／株式会社フロンティアワークス

図2　柏駅前を背景とした「超普通都市カシワ伝説」の第6話©一般社団法人超普通／株式会社フロンティアワークス

(5)　千葉のテガちゃんネル「超普通都市カシワ伝説Z　主題歌「MJKテガちゃん」【第二期】」(https://www.youtube.com/watch?v=MEOjhgFJgEM&ab_channel=%E5%8D%83%E8%91%89%E3%81%AE%E3%83%86%E3%82%AC%E3%81%A1%E3%82%83%E3%82%93%E3%83%8D%E3%83%AB　二〇二三年八月一〇日閲覧)

(6)　二〇二一年一月一日時点の住宅地面積は、三〇二八万一二平方メートルで、総面積の二六・三九％となっている。柏市HP「土地の地目別面積（柏市統計書）【オープンデータ】」(https://www.city.kashiwa.lg.jp/databunseki/shiseijoho/jouhoukoukai/opendate/1-3.html　二〇二三年八月八日閲覧)。

はない。その意味で「超普通都市カシワ伝説」は、街をＰＲするという意味では当然といえば当然ではあるが、柏の「普通ではない」場所を取りあげているのである。

2　千葉県全域へと拡大する「超普通都市」

拡大する対象エリア

先述の通り「超普通都市」シリーズは、柏を飛び出し、鎌ケ谷や松戸、東葛エリアと地域を拡大し、千葉市、そして千葉県全域を対象とした「第二部」が進行している。そこでは「第一部」で中学二年生であった少女たちは高校一年となり、彼女たちとは別の中学生を主人公とした物語が複数のエリアを舞台に展開されている。

「超普通都市カシワ伝説」の一期第一話からアニメの冒頭に「このアニメは、千葉県ならびにその周辺の、地域活性化を目的とした「ご当地アニメ」です」と示されていて、もともとこの企画自体、必ずしも柏市を限定したものではなく、より広範な対象を射程としていたと思われる。それはこのシリーズの登場人物の名前が、「舎川あこ（柏と我孫子）」「田野ながれ（野田と流山）」「橋舟一花（船橋と市川）」「鎌谷まつ（鎌ケ谷と松戸）」「安浦千代（浦安と八千代）」「鎌谷しの（鎌ケ谷と習志野）」と、千葉県北西部にある町の地名を元にしたものになっていることからもわかる。

それでは第二部において柏以外の地域はどのように描かれているのだろうか。

「超普通都市マツド伝説」

まずは「超普通都市マツド伝説」をみてみよう。「超普通都市マツド伝説」は松戸にあるラーメン屋の娘で格闘の達人である中学生柱谷キリが主人公の物語である。第一話のタイトルは「ヤサシティって、どこの市でも言えるよね?」で、いきなり松戸市のスローガンの地域性のなさを揶揄している。[7] その内容もローカルミュージシャンが動物保護を語る内容で、動画のなかでも「松戸はあんま関係なくなっちゃった」と自虐的に語られている。第二話では松戸市民が多く利用する二一世紀の森と広場が取りあげられ、第三話では小規模保育施設が市内全二三駅のなかか近くにあるなど、育児支援体制の充実が語られる。二〇二三年八月現在公開されているほかのエピソードも含めて、「超普通都市マツド伝説」における松戸は「カシワ伝説」以上に生活者に向けられた情報であり、松戸への来訪よりも居住に重きが置かれている。これは松戸市が東京の葛飾区と川一つ挟んだ場にある純然たる東京のベッドタウンであることを物語るものといえる。[8] ユーチューブチャンネル上にある「超普通都市マツド伝説」の説明に、「「松戸のウリはラーメンだけです」と口々にいう松戸市の方たち」という一文がある。これは松戸に移り住んだ人々には松戸という町の来歴が意識化されにくいことを示しているものと考えられる。その意味で柏より松戸の方が「普通である」という感覚があるのかもしれない。

「超普通都市チバチュウ伝説」

「普通」というテーマがより全面に現れているのが「超普通都市チバチュウ伝説」である。周りから「普通」といわれるのを気にしている中学二年生浜城実都が、謎の生物「ウサキ

(7) 松戸市のスローガンは「やさシティ、まつど。」である。

(8) 二〇二一年一月一日時点での住宅用地は、二三二六万四三〇二平方メートルで、総面積の五六・九%である。また東京都二三区への通勤率は三六・一%となっている。「松戸市統計書 令和三年版」(https://www.city.matsudo.chiba.jp/profile/jinkoutoukei/toukeisho/matudositoukeisyoR2.html 二〇二三年八月一一日閲覧)。

ちゃん」と千葉市にあるスポットをめぐりながら悩みを払拭していくという物語である。映し出されるのはポートタワー、千葉都市モノレール、千葉市文化センターなど、二〇二三年八月時点で公開されたものをみる限り、中央区の都市的で人工的なものが多くなっている。「普通」という言葉の持つ匿名的な側面と、都市イメージとしてしばしば浮上する匿名性を重ねる形で物語が進行しているようである。

「超普通県チバ伝説」

そして二〇二四年にアニメが放送される「超普通県チバ伝説」は、「カシワ伝説」に登場したメンバーに、「マッド伝説」などに登場するメンバーも加わる形で展開する。二〇二三年八月時点でアニメは公開されていないが、同作の漫画は公開されている。それによると、「カシワ伝説」に登場した五人がそれぞれ通う高校に隕石が落下し、それを落下させたバトル界の魔王が繰り出す怪物と千葉県各地で対峙するという物語になっている。この荒唐無稽なギャグアニメのなかに登場するのはその地質世代が「チバニアン」として認定された市原市の地層「千葉セクション」、オリンピックのサーフィン会場となった長生郡一宮町の釣ヶ崎海岸、銚子市の犬吠埼、「南総里見八犬伝」の舞台である館山市の館山城、柏駅前、山武市のさんぶの森公園、成田市の成田空港、そして「夢の国」がある浦安市舞浜である。必ずしも「千葉県を代表する」とはいえないかもしれないが、概ね千葉県各地の観光地をバランスよく配置したものといえるだろう。国内最大の年間来客数を誇る遊園地である東京ディズニーリゾートを抱え、成田空港もある千葉県は、二〇一九年に述べ一億八五八九万八〇〇〇人の観光客が訪れている。(9) これは同年六四四三万四〇〇〇人であっ

(9) 観光客の観光地点への入込客数。一〇〇〇人単位。千葉県HP「グラフで見るわたしたちの千葉県(令和四年)観光」(https://www.pref.chiba.lg.jp/toukei/toukeidata/graph/r4/r4kankou.html 二〇二三年八月一一日閲覧)。

た茨城県の三倍近い数である。[10]それもあってか、隕石が落ちた六つの高校を合併した全寮制移動式要塞型高等学校「超普通ご当地高校」が、各地を旅する展開になっている。

(10) 観光客の観光地点への入込客数。一〇〇〇人単位。茨城県HP「観光客動態調査結果」（https://www.pref.ibaraki.jp/shokorodo/kanbutsu/kikaku/doutaiyousa.html 二〇二三年八月一一日閲覧）。

3　市民がつくるご当地アニメ

「超普通スタジオ」とは

そもそも本シリーズは、必ずしも人気のコンテンツではない。本シリーズが公開されているユーチューブチャンネルの「千葉のテガちゃんネル」には一二九本の動画が公開されているが、再生回数が一万回を超える動画は「超普通都市カシワ伝説」の一期第一話のみであり、ほかは良くて数千回で、一〇〇〇以下の再生回数の動画も五〇本近くある。[11]また、このアニメではしばしば物語に関する「メタネタ」が語られるが、作品の不人気もしばしばネタとなっている（図3）[12]。それにもかかわらず多くの続編が作られ、エリアが拡大しているのは、このアニメが地域活性化を目的とした市民による活動実践であることに起因している。

この一連のアニメは、柏市を拠点とした市民公益活動団体「できる街プロジェクト」による、アニメ制作団体「超普通スタジオ」が制作している。「できる街プロジェ

図3　作品の不人気を語る「メタネタ」©一般社団法人超普通／株式会社フロンティアワークス

(11) 二〇二三年八月一一日現在

(12) できる街プロジェクト『超普通都市カシワ伝説』二〇二一年、三〇頁

クト」は二〇一五年に発足し、「超普通スタジオ」による「超普通都市」シリーズのアニメや漫画制作以外にも、地域の美化活動や、柏市のふるさと納税プロジェクト、引きこもり支援活動、障がい者支援活動などを行っている。これらの活動は相互に連携している。たとえば、障がい者支援活動として「柏市心身障害者福祉連絡協議会」と連携して、「超普通シリーズ」のメンバーが登場する、障がいについて理解するための漫画やアニメを制作し、上映会も行っている。[13] 漫画・アニメ制作についても、松戸市町会・自治会PRプロジェクトとして、松戸市の町会や自治会をPRする漫画やアニメの制作、我孫子市を舞台とした「がぞんし！～エスパー少女と忍者の我孫子物語～」の制作など、「超普通都市シリーズ」とは異なる形での作品を展開している。

「超普通都市」シリーズの制作形態

「超普通スタジオ」は一般的なアニメ制作会社ではなく、「超普通都市」シリーズなどのアニメを、一般的な商業アニメとは異なった形態で制作している。通常商業アニメでは、出版社やテレビ局、広告代理店などが出資して制作委員会が組織され、下請けも含めた制作会社により、アニメ制作が行われることが多い。これに対して「超普通都市」シリーズでは、支援者を募るクラウドファンディングによって制作費を調達し、さらに柏市などの自治体や自治会、あるいはUDC2のように市民活動の支援を目的とした助成事業を行う団体などからの補助金も得ている。たとえば二〇二四年に放送される「超普通県チバ伝説」の制作に対するクラウドファンディングでは、一三五人の支援者から二〇〇万円を超える支援を受け、TOKYO　MXで全一三話放送にこぎつけている。[14]

（13）できる街プロジェクト「障害者支援」（https://dekimachi.com/disability/　二〇二三年八月一二日閲覧）

（14）CAMPFIRE「参加できる地上波TVアニメ　千葉県舞台ご当地アニメ制作プロジェクト」（https://camp-fire.jp/projects/view/644515#menu　二〇二三年八月一二日閲覧）

こうした制作費の資金調達のスタイルは、作品の内容にも反映されている。返礼品として、オープニングやエンディングで、支援者がクレジットされることはもとより、支援者のオリジナルキャラクターの制作や、支援者当人がゲストキャラクターとして登場したり、宣伝をしたりと、内容に干渉する役割が特典として付与されているのである。この傾向は二〇二〇年に千葉テレビで放送された「カシワ伝説」の三期で顕著にあり、多くの支援者をキャラクターや声優として登場させるため二話に渡る番外編まで作られている（図4）[15]。

また制作者や声優も、必ずしもプロではない。脚本を手掛ける村井真也やキャラクターデザインを手掛ける中道裕大など、職業として漫画や映像作品に携わった経歴を持つプロもいるが、「できる街プロジェクト」の代表であり、「超普通都市」シリーズのプロデューサー楠本慶彦は千葉県在住の総合医療機器メーカーの社員であり、ほかの多くのスタッフも、プロのアニメーターではない「普通の」人々によって作られている。声優にしても必ずしもプロの声優が起用されているわけではなく、公開オーディションなどによってプロ・アマ問わずに選抜されている。こうした事情もあってかこのアニメには動きが少なく、表現上の制約はメタネタとして語られることもある（図5）[16]。

図4　作品のなかで明かされる出演にまつわる裏話©一般社団法人超普通／株式会社フロンティアワークス

「普通ではない」活動

このように「超普通都市」シリーズは「普通の」人々が地域をPRする目的で制作されたものである。そし

(15)　できる街プロジェクト『超普通都市カシワ伝説R』二〇二一年、一七頁

(16)　できる街プロジェクト『超普通都市カシワZ』二〇二一年、一七頁

図5　「メタネタ」として明かされる表現上の制約©一般社団法人超普通／株式会社フロンティアワークス

て、柏をはじめとする地域をPRしたいというプロジェクトの目的に賛同する人々や、行政などによるクラウドファンディングなどを介した支援によって制作が可能となっている。そのため、ユーチューブ（YouTube）の視聴回数が多少少なくとも、こうした支援が得られている限り、制作を続けることが可能なのである。

とはいえ、この活動それ自体は「普通の」こととはいえない。そもそも産官学が共同でまちづくりを支援する「UDC（アーバンデザインセンター）」のような組織が存在し、「できる街プロジェクト」も含め多くの市民団体がこうした組織を活用してまちづくりに参画するなど、柏には市民活動を活発に行える土壌があり、楠本や村井のようなプロジェクトを推進できるメンバーが、関係を結ぶことができる場がそこに成立していなければ、こうした試みは成立しなかっただろう。[17]

おわりに――「超普通」であることの意味

「できる街プロジェクト」代表の楠本慶彦は、この「超普通」に込めた意味について複数のメディアの取材で語っている。それによれば「超普通」には「「普通を極める」と「日常・空気のように気づかないものを再発見する」という意味がある」という。[18] そして「ア

(17)　柏における市民活動をめぐっては、五十嵐泰正「柏駅　とあるベッドタウンが経験した共同」五十嵐泰正・開沼博編『常磐線中心主義』河出書房新社、二〇一五年、六九―一一五頁を参照。

(18)　「千葉市って「超普通」!?アニメで魅力発見　市民団体が制作開始」『朝日新聞デジタル』二〇二二年五月二七日号

ニメを作るなど、夢をかなえるのはすごく大変なことと思われがちだけど、普通の人々が力を合わせれば実現できる」ということである。[19]「普通の人々」である市民による、「普通」にしかみえなかった街の再発見――これが「超普通」の意味である。前節の結論を繰り返すが、これは必ずしも「普通」の試みではない。「はじめに」で述べた通常のアニメの聖地巡礼がそうであるように、そこを「舞台」として描くのはしばしば外部に住む商業アニメの制作者であり、そこを「聖地」とみなすのはその作品を好む外部に住むオーディエンスである。そこに住む市民は、自分の住む街が「舞台」となっていて、ファンに「聖地」と認定されていることを後追い的に発見する例もよくある。その意味で、外部に先んじて自らの街の「普通」を塗り替えるこうした試みは、興味深いものといえる。今後も、市民による街の再発見と、その発信という「超普通」の試みに注目していく必要があるだろう。

(19)「カシワの魅力ゆる〜く発信「超普通の街」をアニメの舞台に」『東京新聞』二〇二〇年八月三日号

column

ヤンキー漫画『カメレオン』が描く「チバラギ」――西田善行

「ちばらき」という名称から「ヤンキー」を思い起こす人もいるだろう。いわゆる「ヤンキーマンガ」の舞台に、「ちばらき」が選ばれることが多いのもそのイメージに一役買っている。たとえば二〇一八年にテレビドラマ化もされた『今日から俺は!!』（西森博之、小学館）の舞台は千葉であり、東京や茨城のヤンキーと戦うエピソードもある。千葉県と茨城県が地震によって日本から分裂した独立国家、「チバラギ共和国」が舞台の『V8キッド』（もとはしまさひで、講談社）という漫画まである。

加瀬あつしの漫画『カメレオン』も、「ちばらき（チバラギ）」を舞台としたヤンキーマンガの代表格の一つといえる。一九九〇

図1　電車内で登場する行商の女性
©講談社

年から二〇〇〇年までのおよそ一〇年間、「週刊少年マガジン」（講談社）で連載された同作の主人公・矢沢栄作の自宅は、津田沼（習志野市）にある。矢沢が津田沼から電車で通う高校は、成田にある成田南高校。そして成田から電車を乗り継いだ先の霞ヶ浦にある霞ヶ浦学園は、不良の多く集まる高校として作品に繰り返し登場する。そのほか新京成沿線を占めている愚連隊「松戸苦愛（まつどくらぶ）」がある松戸や、暴走族「乱鬼龍」が拠点とする龍ケ崎など、この漫画は千葉県北部から茨城県南部の「ちばらき」が舞台の中心となっている。そして矢沢が結成した暴走族「OZ（おず）」は、千葉県最大の暴走族の集まり「京葉狂走連合」「乱鬼龍」などとの抗争を経て、「チバラギナンバー

ワン」となり、最終的に横浜が拠点の日本最大の暴走族「黄泉（ヨミ）」と、国道一六号線や開通直前の東京湾アクアラインを挟んで戦うことになる。

それでは『カメレオン』のなかで、「ちばらき」はどのように描写されているのだろうか。作品のなかで特定の場所が明示されるのは、その多くは駅や道路などの交通機関である。なかでも矢沢が通学時に使用する津田沼駅（京成、ＪＲ）、高校のある成田駅（京成、ＪＲ）は頻繁に登場する。またこれらの駅をつなぐ京成本線や新京成線、ＪＲ総武線、成田線も車内場面として登場する。その車内には、行商の比較的年齢の高い女性が時折登場する（図１）[1]。この大きな荷物を背負って電車にのる行商の女性たちは「カラス部隊」などと呼ばれ、「ちばらき」から東京へと野菜などを常磐線や成田線を使って運ぶ姿はよくみかけられたものであり、「ちばらき」特有の光景と呼びうる。

図2　成田市の県道沿いにあるオートパーラー（2023年、筆者撮影）

『カメレオン』ではストーリーが展開するにしたがって、バイクで国道を走行したり、国道が戦いの場になったりすることも増えてくる。具体的には、千葉県西部を縦断するように走る国道一六号線、成田街道の国道二九六号線などが登場する。特に千葉市から成田を経由し、茨城県の海岸沿いを通って水戸市にいたる国道五一号線は、二〇一三年に『カメレオン』の続編として作られた『くろアゲハ』（加瀬あつし、講談社）でも象徴的な道として頻繁に取りあげられている。作品のなかで登場する「オートパーラー」は道路沿いにある食品自販機を並べたドライブインで、当時「ちばらき」をはじめ郊外の国道沿いに多く置かれていた（図２）。これもまたかつての「ちばらき」を想起させるものといえるだろう。

『カメレオン』は、「ちばらき（チバラギ）」を鉄道や道路で密接につながった連続的な場として表象する。これは八〇年代から九〇年代の実際のヤンキーが「ちばらき（チバラギ）」を連続的な場として捉えていたことを示すものといえるし、周辺居住者にとってもそれは同様であり、利根川を挟んだ「ちばらき（チバラギ）」の文化形成の一端をヤンキー漫画は示しているのである。

〔注〕

（1）加瀬あつし『カメレオン』六巻、講談社、一九九一年、四七頁

障がい者アートと福祉の源流を辿って
——八幡学園と筑波学園——

下司優里

はじめに——知的障がい児施設の始まり

日本における知的障がい児の教育や福祉は、一八九一（明治二四）年一〇月に起きた濃尾大震災（岐阜・愛知）の被災孤児を救済し、保護・教育したことに始まる。

東京の「孤女学院」では、被災孤児のうち女児を受け入れて女子中等教育を施していたが、そのなかに知的障がい児が存在することに気づいた。同校で知的障がい児の教育研究に従事していた石井亮一（一八六七〜一九三七年）は、当時、先進的取り組みを行なっていたイギリスとアメリカ合衆国に学ぶために渡米した。帰国後の一八九七（明治三〇）年に「孤女学院」を「滝野川学園」と改称し、知的障がい児教育を目的とした「特殊教育部」を設置する。ここに、日本ではじめての知的障がい児施設が誕生したのである。知的障害者福祉法はもちろん児童福祉法もまだない時代にあって、それはまさに暗闇のなか、荒波へ船を漕ぎ出すような、手探りの挑戦であっただろう。

この「滝野川学園」を含めて、明治以降、第二次世界大戦前までに設立され、現在まで運営が継続されている知的障がい児（者）施設は全国に約一〇施設ある。開設当初の立地は、東京に四施設、大阪に二施設、京都に一施設、それらの都市以外の地域に三施設であった。このうち関東地方で東京以外にはじめて開設された施設が、茨城の「筑波学園」であり、全国でも最も歴史のある知的障がい児施設の一つといえる。同じく千葉に設立された「八幡学園」は、天才画家と呼ばれた山下清らを輩出した施設としても知られている。障がい者の芸術（アート）活動への関心も評価も少なかった戦前の時代に、人々を惹きつけるような芸術作品と芸術家たちを生み出してきた。

本章では、現在につながる二つの施設の歴史を、設立初期の地域との関わりを中心に辿っていきたい。

1　豊かな自然に囲まれた旧筑波学園

旧筑波学園とは

「筑波学園（現筑峯学園）」は、一九二三（大正一二）年四月に、筑波郡小田村（現つくば市平沢）に創立された。関東平野を眺望する筑波山南麓に位置し、豊かな自然に囲まれる暖かな気候のその土地には、岡野豊四郎（一八九二〜一九六四年）が施設を開設した当時とほとんど変わらない景色が今も広がっている（図1）。

同施設は戦後、一九五二（昭和二七）年に移管し、「茨城県立筑波学園」と名称を変え、園児二〇名と、岡野豊四郎施設長がそのまま移動する形で東筑波郡鯉淵村（現水戸市鯉淵）に開設された。そこで本章では、創立から県立移管までの私設筑波学園を「旧筑波学園」と表記する。

図1　1950年ごろの旧筑波学園の様子
©筑峯学園

岡野豊四郎と旧筑波学園

さて岡野豊四郎が、東京以外ではじめての知的障がい児施設創設の地として筑波を選んだ理由はどこにあったのだろうか。そこには豊四郎の経歴、親族、地域住民、そして彼の目指した知的障がい児の保護と教育が大きく影響していた。

豊四郎はもともと筑波の出身であった。一八九二（明治二五）年に筑波郡筑波町下作谷（現つくば市作谷）で豪農岡野家の四男として出生した豊四郎は、作岡尋常小学校、吉沼高等小学校を経て、下妻中学校に進むが病気のため退学し、その後教師を志して東京府立青山師範学校へ進学する。

豊四郎はその後も健康に恵まれず、体調不良を抱えながら勉学を続けることとなるが、この経験がのちに、恵まれない子どもたちの教育に人生をかけて取り組んでいく覚悟につながるのである。

　豊四郎が本格的に知的障がい児施設設立に動き出したのは、一九二一（大正一〇）年のことであった。一二月に郷里の筑波に戻ると、姉の嫁ぎ先であった鴻巣家から筑波山南麓の土地の提供を受け、そこを施設開設の土地と定める。

　しかし、施設建設にかかる資金は不足しており、その調達に奔走することとなる。地元で採れた農産物や卵を東京で販売したほか、東京市養育院長の渋沢栄一や水戸市在住の作家などからの寄付を得た。これに反対した親族もいたようであるが、岡野家や鴻巣家の多大な協力と豊四郎の努力により、一九二三（大正一二）年四月一五日に「旧筑波学園」は創立された。ところが、児童を入所させる前の同年九月に関東大震災で甚大な被害がでたため、修繕期間を要し、同年一一月にようやく児童を受け入れることができた[1]。

　創立時の施設は、児童室（居室）、遊戯室、事務室、食堂、風呂などの最小限の設備と機能のみを持つものであったが、将来の計画として、①終生生活をはかるための農園場設置、②法人組織、③義務教育後の社会教育策としての図書館、④児童倶楽部、⑤講演部の構想がみられる[2]。特に③〜⑤には、施設が知的障がい児の保護と教育のみならず、地域住民の知的活動や社会性の培養、彼らへの生活に関する知識の教授といった機能も持つことを目指していたことが表れている。ここには、農家でありながら自身も読書や書画に親しみ、教育熱心であった豊四郎の父の影響がうかがえる。つまり、父を見て育った豊四郎の意識のなかには、筑波の地における農民教育の振興があったのではないだろうか。あるいは、地域からの有言無言の要望があったことも想像される。

　さて、「旧筑波学園」がほかの施設と大きく異なる点は、知的障がいがあり不良行為に陥っ

（1）　山田明「岡野豊四郎」津曲裕次監修、日本知的障害者福祉協会編『天地を拓く——知的障害福祉を築いた人物伝』財団法人日本知的障害者福祉協会、二〇一三年、一一二—一一三頁
（2）　山田明『戦前知的障害者施設の経営と実践の研究』学術出版会、二〇〇九年、二一三頁

た児童（非行知的障がい児）を第一の対象としたこと、そして知的障がいのある児童だけでなく、体の不自由な児童や病弱・虚弱児も入園対象としたことである。[3] 経済的にも処遇の面でも困難の大きい非行知的障がい児の受け入れは、まさに親族ならびに職員総出で取り組んだ難しい航海であったことだろう。

（3） 山田明、前掲書（2）、二一六頁

県立移管

その後もぎりぎりの財政状況と、戦前から戦中の困窮した時代を、親族や職員の献身的努力と協力により支えられながら経営を続けてきた「旧筑波学園」に、戦後、県立移管の話が持ち上がる。戦後の茨城県では、戦災浮浪児となっていた多数の知的障がい児の収容保護が課題となっており、「旧筑波学園」にも定員増の要請が繰り返し行われていたが、同施設では立地条件により大幅な定員増が叶う見込みは少なかった。県からの相談を受けた豊四郎は、筑波の施設を閉鎖して、「筑波学園」の名称と園児二〇名を連れて、新たに設立される県立施設の園長に就任することを決めた。それは一九五一（昭和二六）年のことである。

残された施設は、当惑のなかにありながら、それまで豊四郎の事業を手伝ってきた長女の岡野和子とその夫である徹により、一九五二（昭和二七）年四月に新しく「筑峯寮」として再出発することとなる。

その後一九五六（昭和三一）年に定年退職した豊四郎は再び平沢の地に戻るものの、「筑峯寮」の施設経営に手を出すことはなく、一九六四（昭和三九）年に脳溢血で逝去した。もともと体が丈夫ではなかったとはいえ、早すぎる旅立ちであった。

一九七一（昭和四六）年に、「筑峯寮」は「筑峯学園」と名称を変え、和子園長のもと定員増と設備の充実を図っていく。二〇〇〇年には和子の長男であり、施設職員として経験を積んでいた光宏が園長に着任し、現在まで、時代の要請に応えつつ積極的な施設運営をしている。豊四郎の熱情は、その地でいまも受け継がれ、息づいている。

2　八幡学園とその信念――「踏むな　育てよ　水そゝげ」

「八幡学園」は、久保寺保久（一八九一～一九四二年）によって、一九二八（昭和三）年に創立された。開園当時の場所は、千葉県東葛郡八幡町（現千葉県市川市八幡）の久保寺の自宅であった。

久保寺保久は一八九一（明治二四）年に東京市下谷区下谷西町（現台東区東上野）で、洋食器製造を生業とする家に生まれる。教員免許状を取得して、一九二三（大正一二）年に三三歳で京都帝国大学を卒業した保久は、大阪で教職に就いてわずか半年後の一九二五（大正一四）年四月に関東へ戻ることとなる。というのも、前年に発生した関東大震災により東京の実家と工場が焼失してしまい、家財整理に戻らなければならなかったからである。しかしながら、同年に父が死去し、残された母のために閑静な生活環境を求めて、八幡へ転居した。

当時の八幡は生い茂った松林のなかをリスが走り、野鳥が鳴き、桃・いちご・梨が採れる、まさに「桃源郷」であった。残念ながら今日、同じ景色を拝むことはできないが、施設の資料室に残る写真、そして園児の絵画や貼り絵作品に、当時の緑豊かな八幡の様子を垣間見ることができる。

保久は、教員時代から構想していた知的障がい児の保護および教育施設として、一九二八（昭和三）年一二月に八幡の自宅九〇坪を開放し、「八幡学園」を創設した。ところが、知的障がいについての知識や情報がほとんどなかったこの時代にあって、治安の悪化や地価の低下を心配した近隣住民の猛烈な反対に遭うこととなる。この経験から、地元住民の理解が必要不可欠であることを認識した保久は、近隣の一般児童とその家庭を対象としたクラブ活動を施設内で行うなど、隣保事業を始める。[4] たとえば、宗教教化のための日曜学校、放課後の児童クラブ、保育士による保育事業（めばえクラブ）、夏季の林間児童クラブ（夏季林間聚落）などである。[5] この隣保事業活動はその後三年間続けられ、近隣住民、特に母親たちからの親近感と信頼を得ることにつながり、ついには「八幡学園」の運動場のために土地を無償提供してくれる住民が現れるまでになった。[6]

こうして、「八幡学園」では一九二九（昭和四）年八月に、はじめて知的障がいのある園児を迎える。しかし、初期の入園児はその多くが貧困家庭の出身であった。したがって、養護料収入が増えず、かつ一九三二（昭和七）年までは公的収入もなかったことから、学園の経営は困難を極めることとなる。電灯費が払えず、電気を止められて夜はランプを灯す生活が半年続いたこともあるという。[7]

保久は、一九四一（昭和一六）年の秋から体調不良が続き入院したところ、病状が急に悪化し、翌年一二月二四日、五二歳で戦後を見ることなく早逝した。保久はクリスチャンであったが、本人にも学園にもキリスト教色は濃くなく、亡くなるベッドのうえでは「仏

（4）　地域住民の生活改善や福祉の向上を図るため、無料または低額で福祉サービスを提供すること。

（5）　高野聡子『久保寺保久（シリーズ福祉に生きる七一）』大空社出版、二〇一九年、二五―二九頁

（6）　蒲生俊宏・内海淳「久保寺保久」津曲裕次監修、日本知的障害者福祉協会編、前掲書（1）、一五九頁

（7）　蒲生俊宏・内海淳「久保寺保久」津曲裕次監修、日本知的障害者福祉協会編、前掲書（1）、一六一頁

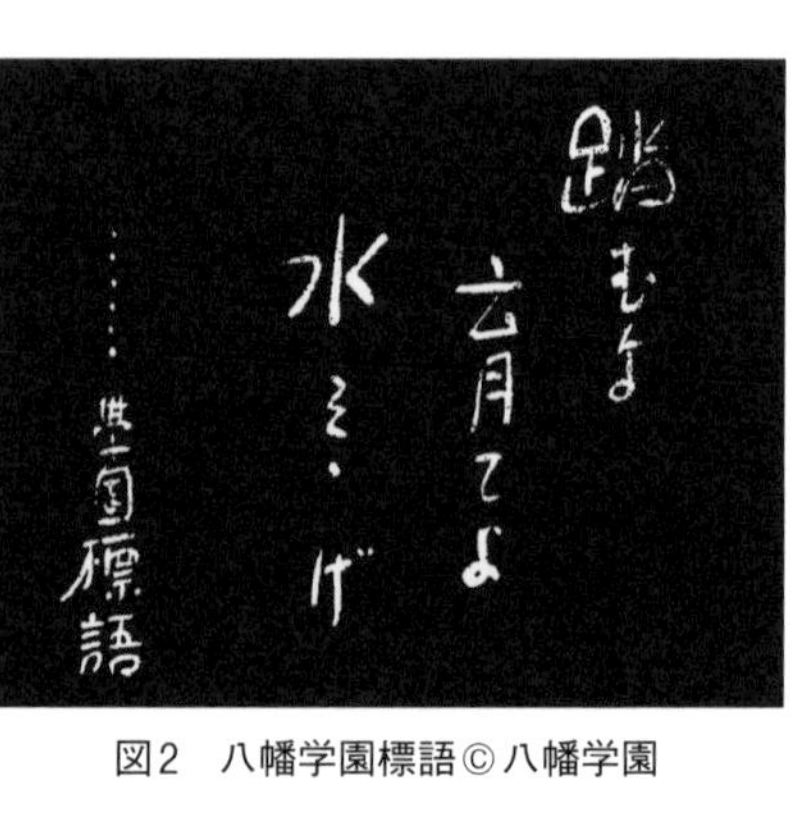

図2　八幡学園標語©八幡学園

弟子」といったという。

保久亡き後、長男の光久が園長を引き継ぎ、学園は市川市北方に移転した。保久の妻である美智子と旧来の職員らとともに戦中戦後の食糧難や戦災不労児問題を切り抜けて、現在は三代目の久保寺玲氏に理事長の襷が渡っている。

保久が残し、現在まで引き継がれている学園標語として「踏むな　育てよ　水そゝげ」がある。既存の概念や世間の評価にとらわれることなく、決して咎めや抑圧を与えず、子どもそれぞれにあった方法をみつけ、それを施し、生きることの喜びへ導くという、保久が目指し、そして体現した知的障がい児への向き合い方が表された標語である（図2）。

3　八幡学園が育んだ山下清とその仲間たち

山下清と八幡学園

「八幡学園」や久保寺保久の名を知らなくとも、「画家の山下清を輩出した施設である」というと「あぁ」とわかる方が少なくない。山下清（一九二二〜七一年）は、一九三〇年代から四〇年代にかけて、洋画界の巨匠やゴッホ研究者などによってその芸術的な才能の特異性に光を当てられ、さらに本人をモデルにしたドラマ『裸の大将放浪記』でその名が広く知られるようになった。清の作品では、貼り絵やクレパス画が有名であるが、その才能が開花した土壌がじつは「八幡学園」にあったのである。

東京の浅草に生まれた清は、幼少期に言語障がいや知的障がいが目立ちはじめ、小学校時代は一人で絵を描いていることが多かったものの、周囲からのいじめや劣等感から反抗的行動をとるようになり、一二歳のときに「八幡学園」に入園する。入園後すぐは悪癖が目立ち、近所の畑から桃や梨を盗む、ほかの園児の服をドブへ捨てるなど荒れていたという[8]。そんな清が、学園の課目であった貼り絵に出会うと、普段の悪癖が落ち着き、黙々と貼り絵に取り組むようになる。よほど、彼の興味と欲求に合致したのであろう。「八幡学園」という土に植えられた清の才能という種子に、水が注がれた瞬間である。清はその後、一九四〇（昭和一五）年に突然学園を飛び出すと、日本全国を放浪しながら、時折学園へ帰ってきては、放浪先で見たものを作品にしていくのである。

もともと、知的障がい児の教育における貼り絵作業の有効性については、一九〇七（明治四〇）年に石井亮一が知的障がい児の教育について述べた著書のなかで「切張帖」（現在でいう切り絵や貼り絵）に言及している[9]。保久自身も、一九三八（昭和一三）年に「……貼絵作業に依る児童の心意活動は低弱智能の彼等に理智的訓練となり情意的陶冶となって比較的他の種類の材料によるものよりも良好にて実益ある効果を挙げたり」とその教育的有効性を述べている[10]。

つまり「八幡学園」において貼り絵は、最初から、芸術活動というよりも情操教育の一環として、園児一人一人の知的および情緒的発達を促すために学園が設定した学課作業で

（8）サンマーク出版編集部編『山下清のすべて——放浪画家からの贈りもの』サンマーク出版、二〇〇〇年、九五—九六頁

（9）石井亮一「治療教育技術」『石井亮一全集　第一巻』大空社、一九九二年、一八五—一八八頁

（10）久保寺光久監修『特異児童画の世界　山下清とその仲間たち』山下清展事業委員会、二〇〇四年、一二二頁

図3　当時の貼絵教室の様子©八幡学園

あったといえる。そもそも学園での貼り絵は、「保久園長が知り合いの色紙メーカーから廃棄処分にされる端切れを、何かに使えるのではないかともらってきた」ことに始まる。[11] このとき妻の美智子が、ハサミを使う切り絵は危険であるから、手でちぎって貼る「ちぎり絵細工」（のちに「貼絵」）を園児たちにやらせてはどうか、と提案したという（図3）。こうして「八幡学園」で採用された貼り絵が、山下清の性に合い、さらには清のみならず在園児たちの才能を開花させるきっかけとなるのである。

清と同じころ、「八幡学園」で貼り絵やクレパス画に出会い、のちにその作品が多くの人を惹きつけた園児はほかにもいた。清の翌年に入園した沼祐一（一九二五～四三年）、野田重博（一九二五～四五年）、石川謙二（一九二六～五二年）らは、重い障がいを持ちながらもクレパス、クレヨン、鉛筆などを駆使して偉才を発揮した。残念ながら彼らはその作品たちが注目を集める前に亡くなってしまったため、広く世に知られることは叶わなかった。しかし同時期にこれだけの作家が生まれたことからも、決して山下清のみが特異の人であったのではなく、「八幡学園」という土壌が、ともすれば種のままであった数多くの知的障がい児に暖かな居場所と栄養を与え、その才能の芽を育てたことがわかる。

(11)　サンマーク出版編集部編、前掲書(8)、九六頁

障がい者アートの流れ

さて「八幡学園」の園児が創作した貼り絵や絵画、造形作品が注目を浴びるようになったのはなぜなのだろうか。そこにはきっかけとして、作品展の開催や作品集の刊行、学園の顧問医でありゴッホ研究家でもあった式場隆三郎による山下清の紹介などがあった。特に園児の作品展の開催にあっては、園長の保久による講演も合わせて行われた。そこでは、作品展を訪れた知的障がい児の親を含む一般の聴衆に対して、知的障がい児の特性を説明し、障がい児施設での教育に可能性と効果があることを示し、したがって彼らと彼らへの教育へ理解を求める啓蒙が行なわれたのである。

学園の環境も、園児たちの芸術活動を振起することに貢献したといえるだろう。園児たちは周辺の田園や海、川に出かけては風景をデッサンして作品にし、東京が近いことから祭りや駅・列車、映画館や食料配給所、映画などを目にして作品に活かす機会もあった。自然豊かで都会に近い千葉の土地が、彼らの芸術的好奇心を満たしたことは間違いない。

戦前の当時は、今のような障がい者アートなどという言葉もない時代であり、芸術的観点からではなく治療および療育的視点で作業も作品も取り扱われていたことを述べたが、山下清とその仲間たちに代表される大正から昭和初期にかけての芸術作品は、まさに今日の障がい者アートの源泉といえる。この小さな流れが戦後、福祉施設における絵画指導や芸術活動につながり、また養護学校（現在の特別支援学校）においても療育としての造形活動が取り入れられるようになる。

一九八三年にスタートした国連の「障害者の十年」[12]は、日本でも各地の福祉施設で絵画などのアート活動を躍進させ、障がい者の美術作品展の開催や自立支援としての作品販売

(12) 障がい者の完全参加と平等を実現するため、この一〇年間における各国での積極的な障がい者施策の推進を求めた。

が広く展開される後押しとなった。また二〇〇八年に、文部科学省が障がい者アートの推進に本格的に取り組み始めたことを契機に、現在は福祉や教育の現場だけでなく美術館や一般企業でも障がい者アート事業が展開されている。大きなうねりとなっている障がい者アートの源流が、千葉県にあったことを忘れずにいたい。

おわりに――障がい児（者）を支え続ける施設のいま

岡野豊四郎が設立した「旧筑波学園」は、一〇〇年のときを経て、いまも「筑峯学園」として、同じ場所で変わらず知的障がいのある子どもの生活と成長を支え続けている。温かくのどかなつくばの土地で、職員と園児が一緒に山を拓き、椎茸の原木を切り、田畑で米や野菜、それに果物を栽培している。二〇一〇年代には豊四郎の夢であった農園の購入と開墾も実現した。

図4　八幡学園生作品 © 八幡学園

現在の「八幡学園」は、創設当初からは場所を移しているものの、同じ市川市で障がいのある子どものための支援事業を展開している。なかでも福祉型障がい児入所施設では、放課後の余暇時間に「造形教室」の名称で在園児による貼り絵や粘土造形などの創作活動が行われている（図4）。また、放課後等デイサービスでも「創作工房」の名称でプロの芸術家講師のもと、絵画や焼き物などの芸術活動が行われている。[13] これらの芸術活動は強制ではなく、やりたい子どもが自発的に、自由に参加し、スタッフはそれを側面からそっと支える役割をしている。保久の「踏むな、育てよ、水そゝげ」の精神を引き継ぎ、子どもたちが芽吹き花開くことを願う暖かな眼差しがそこにある。

〔参考文献〕

社会福祉法人八幡学園六〇周年編集委員会編『社会福祉法人八幡学園創立六〇周年記念誌』社会福祉法人八幡学園、一九八八年

(13) そのなかから地域の展覧会に出品し、受賞作品が出ることもある。山下清らから現在までの「八幡学園」園児の作品は、「八幡学園」資料室のほか、毎年全国各地を巡回している展覧会「山下清とその仲間たちの作品展」でも見ることができる。

column

多彩・多才なアーティストたち

下司優里

都心から電車とバスを乗り継いで約一時間半、閑静な住宅街と緑豊かな裏山が共存する千葉県成田市に、その古民家はある（図1）。NPO法人「彩」が運営する知的および発達障がい者の生活介護事業所「生活工房」である。築一〇〇年以上になる茅葺の趣ある日本家屋と、その目の前に立つこぢんまりとした新館の建物、そのすぐそばに広がる畑と裏山では、毎日十数名のアーティストたちが、芸術活動や農作業を行っている。

図1　生活工房日本家屋（2022年、事業所職員撮影）

図2　絵画の様子（2023年、事業所職員撮影）

一見すると田舎の民家にみえるその建物に一歩足を踏み入れると、そこはまさに芸術家たちが共有するアトリエである。部屋の壁には画材や素材の詰まった引き出しがならび、目を上げれば色鮮やかで個性あふれる過去の作品たちが飾られている。机の上には画材が広がり、それぞれのアーティストたちが黙々と制作活動に打ち込んでいる（図2）。ある者はボールペンのみの線画で迫力ある絵を描き出し、ある者は色ペンで抽象的な、しかしモチーフがしっかりとした絵を迷いなく描き進める。飽きることなく手を動かし続け、ただの布からは想像もつかないような表情に富んだ刺繍作品を創り出す姿や、同じように見えて、よく見るとじつは少しずつ個性ある立体のフェルト作品を何日もかけて複数個完成させる様子など、作品だけでなく多彩なアーティストたちによって繰り広げられる創作活動から、目が離せなくなってしまう。しかも、昨日は絵画を描いていた者が、今日は畑に出たり、針を持っていたりするから、その自由さと柔軟さ、そして彼ら彼女らの多才さに驚かされる。

「生活工房」で行われる芸術活動は、色鉛筆やクレヨン、ペンによる絵画、フェルトやボタンといった各種素材を使った制作、ニードルワーク、粘土造形、はた織りなどである。日当たりの良い裏山では、無農薬・有機農法の野菜づくりも行っており、収穫した農産物でジャムやお茶、味噌などの自家生産も行っている（図3）。レクリエーションとして、不定期で美術館や博物館で芸術鑑賞をしたり（その場でスケッチをすることもある）、近隣の自然に触れ、ときには昆虫や動物を観察したり、海水浴や旅行などで日常と異なる刺激を受けたりもする。その体験をアトリエに戻ってから作品に反映させる。

図3　農作業（2022年、事業所職員撮影）

日々のなかでは「今日は誰が、どの活動をする」という割振りはあるものの、どの活動も決して強制ではない。本人の「これを作りたい」といった意欲や希望、その日の体調や気分、そして個々の能力・目標や、得意・不得意に合わせて柔軟に職員が導き支えている。職員は「黒いボタンを使いたい」というアーティストのために部屋中から黒いボタンを集めたり、糸がうまく通らないと呟くアーティストに太さの違う針を使うことを提案してみたり、また制作に集中しすぎてしまう人には適宜休憩の声かけもする。

「生活工房」には、数多くの受賞歴があるアーティストや指名による制作依頼を受ける有名アーティストもいれば、無名のアーティストもたくさんいる。その誰もが独創的だ。完成した作品はもちろん、その制作過程に触れると、アートとは表現活動であって、一つとして同じ表現はないのだと気づく。どのアーティストも、どちらかといえば自分から語る言葉は多くなく、話しかければ目線や言葉を返してくれるものの、基本的には作業に集中している。その姿は職人をも思わせる。彼ら彼女らによって作り出される作品は多彩で、ダイナミックさと繊細さのバランスが、見る者に何かを訴えてくる。計算やテクニックのない、純粋な表現活動としてのアートが持つ優しさと魅力がそこにある。

〔事業所情報〕
特定非営利活動法人グループ彩(さい)　理事長・三宅昌子
生活介護事業所「生活工房」
〒二八六―〇〇一六　千葉県成田市米野二〇七―一
TEL／FAX　〇四七六―二八―一八一八
https://www.narita-seikatsukobo.jp/

●な行●

●は行●

●ま行●

●や行●

●ら行●

●わ行●

索引

●あ行●

●か行●

●さ行●

●た行●

市岡卓（いちおか・たかし）／流通経済大学共創社会学部国際文化ツーリズム学科教授／多文化社会論／『シンガポールのムスリム——宗教の管理と社会的包摂・排除』（単著）明石書店、2018年など／多国籍化、多文化共生

須川まり（すがわ・まり）／流通経済大学共創社会学部国際文化ツーリズム学科准教授／映画学（観光表象研究）／『表象の京都——日本映画史における観光都市のイメージ』（単著）春風社、2017年など／映画『下妻物語』、成田国際空港

高口央（こうぐち・ひろし）／流通経済大学共創社会学部地域人間科学科教授／社会心理学／『社会心理学におけるリーダーシップ研究のパースペクティブII』（分担執筆）ナカニシヤ出版、2017年など／牛久大仏

東美晴（あずま・みはる）／流通経済大学共創社会学部国際文化ツーリズム学科教授／文化人類学、文化研究／『移動する人々と中国にみる多元的社会』（共編著）明石書店、2009年など／茨城は食料自給率70%

下司優里（げし・ゆり）／流通経済大学共創社会学部地域人間科学科准教授／社会福祉学、障害科学／「19世紀後半オンタリオ州立『精神遅滞』者施設の役割と実際——同州政府報告書の分析」（単著）『カナダ研究年報』第40号、2020年など／利根川、マックスコーヒー

執筆者一覧（氏名／所属／専門分野／主要業績／「ちばらき」といえば）

西田善行（にしだ・よしゆき）／流通経済大学共創社会学部地域人間科学科准教授／メディア社会学／『国道16号線スタディーズ』（共編著）青弓社、2018年など／ヤンキー

福井一喜（ふくい・かずき）／流通経済大学共創社会学部国際文化ツーリズム学科准教授／経済地理学、観光地理学／『「無理しない」観光——価値と多様性の再発見』（単著）ミネルヴァ書房、2022年など／鉄道

龍崎孝（りゅうざき・たかし）／流通経済大学共創社会学部地域人間科学科教授／ジャーナリズム論／『首相官邸』（共著）文藝春秋、2002年など／自分のルーツかも

田簑健太郎（たみの・けんたろう）／流通経済大学共創社会学部国際文化ツーリズム学科教授／スポーツ人類学／『スポーツの歴史と文化の探求』（分担執筆）明和出版、2017年／だべ、だっぺ

秋山智美（あきやま・さとみ）／流通経済大学共創社会学部准教授／社会言語学／『はばたけ　日本語』（共著）八千代出版、2015年など／ズーズー弁、訛り、しゃーんめよ

澤海崇文（さわうみ・たかふみ）／流通経済大学共創社会学部国際文化ツーリズム学科准教授／社会心理学／「「いじり」行為のもたらす感情経験——「からかい」および「いじめ」との比較による検討」（共著）『感情心理学研究』第30巻1号、2023年など／コアなファンがいそう

中村美枝子（なかむら・みえこ）／流通経済大学共創社会学部地域人間科学科教授／シミュレーション・ゲーミング、社会心理学／『RKU現代心理学論文集』（分担執筆）流通経済大学出版会、2020年など／住みやすいと思うのですが

佐藤純子（さとう・じゅんこ）／流通経済大学共創社会学部地域人間科学科教授／保育学、社会福祉学／『親こそがソーシャルキャピタル——プレイセンターにおける協働が紡ぎだすもの』（単著）大学教育出版、2012年など／ベッドタウン、さつまいも

桜井淳平（さくらい・じゅんぺい）／流通経済大学共創社会学部地域人間科学科准教授／教育社会学、子ども社会学／「子どもの犯罪被害防止における〈地域〉の称揚——「安全と教育のディレンマ」の視点から」（単著）『現代の社会病理』第37号、2022年など／筑波研究学園都市

谷口佳菜子（たにぐち・かなこ）／流通経済大学共創社会学部国際文化ツーリズム学科准教授／観光マーケティング／『観光の地平』（分担執筆）学文社、2011年など／道の駅、直売所

岩井優祈（いわい・ゆうき）／日本学術振興会特別研究員PD・日本大学文理学部／人文地理学／「Sustainability of Science City Tsukuba」（共著）『Cities』第142号、2023年など／東国三社巡り

幸田麻里子（こうだ・まりこ）／流通経済大学共創社会学部国際文化ツーリズム学科教授／観光心理学／『会いたい気持ちが動かすファンツーリズム——韓流ブームが示唆したもの、嵐ファンに教わったこと』（共著）流通経済大学出版会、2020年／ホームタウン！

髙橋伸子（たかはし・のぶこ）／流通経済大学共創社会学部国際文化ツーリズム学科准教授／キャリアデザイン、キャリア教育／「観光系大学における教育が観光産業に果たす役割」（単著）『日本労働研究雑誌』第708号、2019年など／サッカー王国、サザコーヒー

大橋純一（おおはし・じゅんいち）／（元）流通経済大学社会学部社会学科教授／地域福祉論／『都市化と福祉コミュニティ』（単著）学文社、1998年など／郊外、田園

大学的ちばらきガイド—こだわりの歩き方

2024年5月30日　初版第1刷発行

編者　流通経済大学共創社会学部
責任編集　西田善行・福井一喜

発行者　杉田啓三
〒607-8494 京都市山科区日ノ岡堤谷町 3-1
発行所　株式会社　昭和堂
TEL(075)502-7500／FAX(075)502-7501
ホームページ　http://www.showado-kyoto.jp

印刷　亜細亜印刷

ISBN 978-4-8122-2315-4

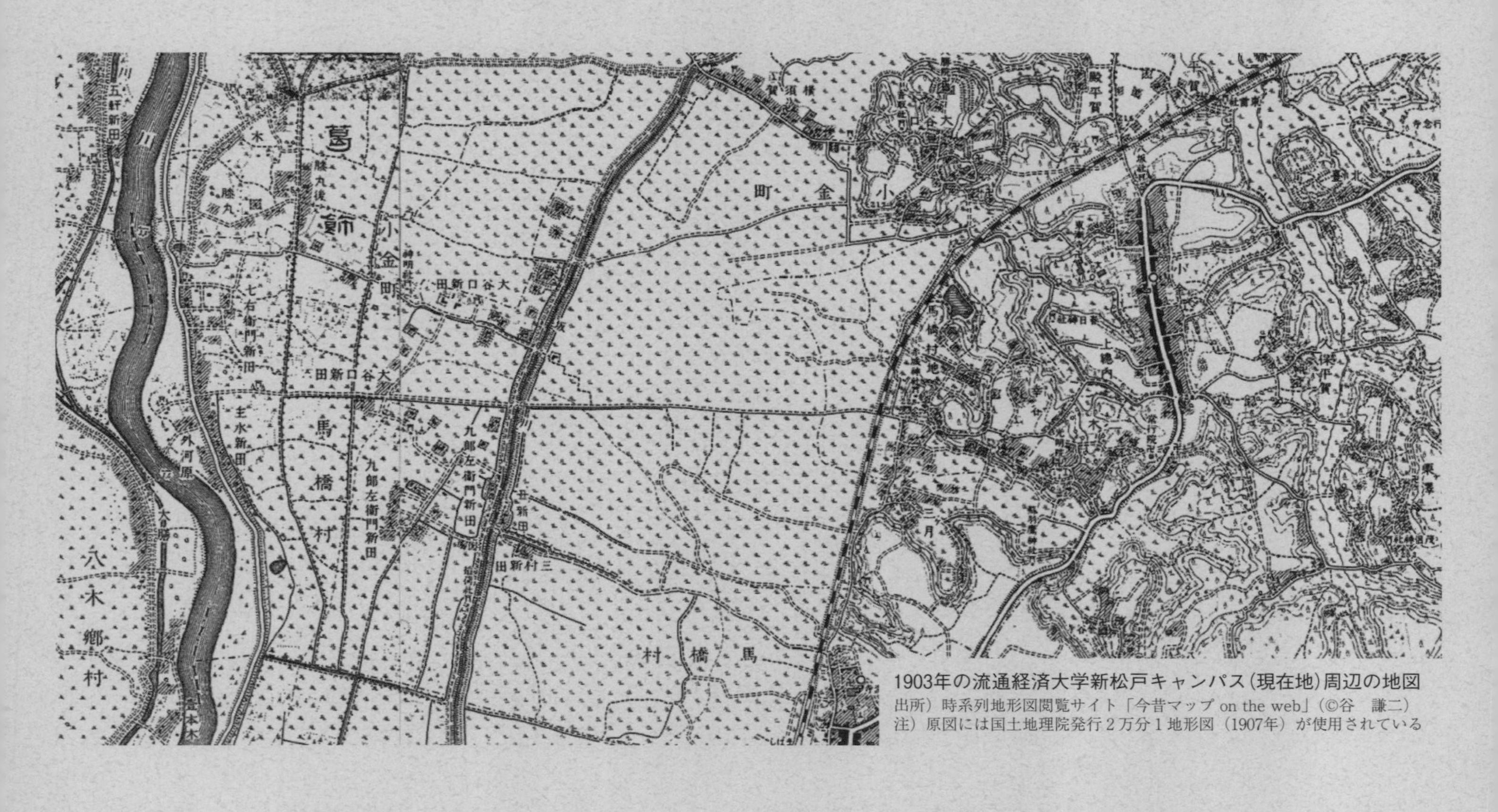

1903年の流通経済大学新松戸キャンパス（現在地）周辺の地図

出所）時系列地形図閲覧サイト「今昔マップ on the web」（©谷　謙二）
注）原図には国土地理院発行２万分１地形図（1907年）が使用されている